读客®

全球顶级畅销小说文库

全球文化，尽收眼底；

顶级经典，尽入囊中！

JODI PICOULT

说故事的人

THE STORYTELLER

[美] 朱迪·皮考特 著

苏莹文 译

北京联合出版公司
Beijing United Publishing Co.,Ltd.

致 谢

我以西蒙·维森塔尔的《向日葵》当作本书的开端。维森塔尔曾经是纳粹集中营的俘虏，有一天，他被带到了一名垂死的党卫队士兵床前。这个士兵想忏悔，而且想寻求一名犹太人的宽恕。维森塔尔发现，他所面对的这个道德难题，是对于大屠杀受害与加害双方牵涉的众多哲学和道德分析的起点。这让我开始想，如果有人在几十年之后，对一名犹太俘虏的孙女提出同样的要求，情况会如何发展。

要以历史上最惨无人道的违反人权罪为基础来写作小说，是一件让人却步的任务。原因是，就算你写的是虚构小说，但写出的正确细节，俨然是对幸存者以及不幸受害者的敬意。有了下面许多人的协助，我才能够写出活在现在这个世界的塞奇，以及活在过去的敏卡。

我要感谢马丁·菲利普教我如何烘焙，并且让我度过写作事业中最美味的课程。感谢弗吉尼亚州阿灵顿又一页书店的伊丽莎白·马丁教我如何以最恶毒的意图烘焙。

感谢凯蒂·戴斯蒙德告诉我许多天主教学校的轶事趣闻。感谢艾莉森·索耶教会我许多塔雅在舞蹈时用到的专有名词。感谢苏珊·卡朋特让我知道哀伤辅导小组的成员如何互动。感谢亚历克斯·怀挺，法兰克·莫兰和里斯·格谢特回答我有关基础法律、执法相关，以及战争法庭的问题。

写作这本书的期间，我拍卖了书中一个角色的名字，来为同性恋公民权团体GLAD募款。感谢玛丽·德安吉利斯的慷慨，也感谢她提供她的名字给塞奇最好的朋友使用。

司法部人权暨特侦小组政策及策略部门的负责人伊莱·罗森鲍姆是真实生活中的纳粹猎人，感谢他在屠杀恶龙之余还抽空提供数据，让我知道他的工作内容，并以他的经验来创造出书中角色。知道仍然有像他这样的人不屈不挠地做这些事，我心中有无限的感激。（而且我要感谢他容许我书中的历史研究员以超乎寻常的速度从国家档案中心取得资料。在真实生活中，这要花好几天时间，而不是几分钟。）

我要感谢为我上了第一堂“第三帝国”课程的保罗·韦译，感谢施特菲·格拉德贝克让我对德国有概略的认识。我尤其要感谢美国大屠杀纪念博物馆的资深历史研究员彼得·布莱克博士，他容我提出无数个问题，以超凡的耐心纠正我的错误，帮助我架构出纳粹的养成之路，并且阅读了初稿中的段落，以确定史实的正确性。这是我的肺腑之言，没有他的投入，我不可能写出这本书。

我要感谢艾米丽贝斯特勒图书/西蒙与舒斯特出版公司的皮考特小组成员：卡洛琳·里迪、朱迪恩·科尔、凯特·切特鲁洛、卡洛琳·波特、克莉丝·洛雷达、珍妮·李、加里·尤尔达、丽莎·凯姆、瑞秋·朱格施沃特、迈克尔·塞莱克，以及许多一路上帮助我成长的人。感谢杰出的公关团队：戴维·布朗、瓦莱丽·维尼克斯、卡米尔·麦克达菲、凯瑟琳·卡特·兹雷莱克，你们的表现专业又优秀，让所有的人都和我一样对新书充满了热忱。感谢艾米莉·贝斯特勒，我珍视你的指导、友谊、对我作品的信任，以及你找出最佳购物网站的绝佳能力。

劳拉·格罗斯，祝你周年快乐。感谢你提供的安息日聚会数据，感谢你让塞奇融入你的生活，我特别要感谢你来担任我的私人助理。

感谢我父亲，我们小时候，他真的曾经用唐老鸭的声音来主持逾越节的仪式。而我的母亲，我早知道她非同小可，但没想到在我问她是否可以帮我找到几名大屠杀幸存者之后，她竟然可以在一天之内开出附电话号码的名单。她为我的这本书铺好了路，对此我真心感激。

然而，我最需要感谢的是这些幸存者。在搜集本书资料时，我有机会和这些令人赞叹的大屠杀幸存者谈话，他们在隔离区、乡下、城里，以及集中营里的亲身经历提供了我想象的空间，并且让我创造出敏卡这个角色。尽管敏卡经历了与幸存者和纳粹猎人叙述中相似的恐怖经历，但这个角色并非来自我见过或听闻过的人，而是虚构出来的人物。感谢为我敞开家门和心胸的幸存者，你们愿意和我分享你们的故事，是我的荣幸。感谢你，桑迪·朱克曼，将你母亲的手稿提供给我。感谢西尔维亚·格林提供我大屠杀时期的经历。感谢同为作家的格尔达·韦斯曼·克莱因给我的鼓励和创意。感谢伯尼·舍尔，谢谢你诚实慷慨地把你的故事告诉我。感谢马尼亚·塞林杰，谢谢你的勇气，让我翻索出你生命中的点点滴滴，并且成为我珍视的朋友。

最后我要感谢我的家人：蒂姆、凯尔（你很有远见，在我写作这本书的时候学了德文）、杰克以及萨曼莎（谢谢你帮我搜集了几个吸血鬼的故事）。你们四个是我生命的故事。

献给我的母亲简·皮考特

因为你让我学会没有什么是比一个家更重要的，

而且至今已过二十年，你又再度验证了这件事。

父亲把葬礼的细节托付给我。“安妮雅，”他说，“我葬礼上不要看到威士忌，要用顶级的黑莓酒。还有，提醒你：记得要大家都别哭，跳舞就好。在他们把我棺木吊进墓穴时，我要喇叭响亮吹奏，还要白色蝴蝶。”我父亲就是这么有个性。他是村里的面包师傅，每天除了为居民烘烤面包，他还会特别帮我烤一个与众不同的面包。他在面团里加入肉桂和浓郁的巧克力，为我烤出这个外形像公主小皇冠的面包。其中的秘密配方，他说，是他对我的爱。他的爱足以让这个面包比我尝过的任何东西都美味。

我们住在村郊，这个村子小到每个居民彼此都认识，叫得出名字。我家主屋的墙壁是以卵石砌成，屋顶用的是干草，而父亲用来烤面包的壁炉同时提供了小茅屋温暖。我在后院的小花园里种了一些豆子，当父亲拉开砖炉小门，把长铲子伸进炉里拉出一条条外皮烤得香酥的面包时，我常坐在厨房桌边剥豆荚，看着炉里红色的余烬勾勒出他汗湿背心下结实的背肌线条。“我不想在夏天办葬礼，安妮雅，”他老爱说，“你千万要让我死在一个吹着清风的凉爽日子里，而且要在候鸟南飞之前，这样，它们才可能为我欢唱。”

我假装记下他的叮嘱。我不介意这类触及死亡的话题，我觉得父亲强壮得很，也不相信他这些愿望真会有实现的一天。村里有些人对于我们父女之间这种互动、拿这种会发生的事实开玩笑，感到有些奇怪。因为我母亲在我襁褓时便已经过世，家里只剩下我们两个人相依为命。

那天正好是我十八岁生日。之前曾经有几个农夫抱怨过，他们出门喂鸡时，看到鸡舍里只剩下一摊摊沾了血的鸡毛，要不就是牛犊被啃得几乎只剩骨头和嗡嗡作响盘旋在上的苍蝇。“是狐狸。”这是巴鲁克·贝勒的看法。他是税务官，他的大宅在村中广场的尽头，宛如皇室贵族佩戴在颈子上的珠宝。“也可能是野猫。上缴积欠的税金，那么你们就能受到保护。”

他在我们毫无准备的情况下来到我家小屋。我所谓的毫无准备，是指我们没拉上门，熄掉炉火，假装自己不在家。当时父亲正忙着把面团揉成心形——他在我生日当天一定会烤心形面包，让全村居民都知道这天是个特殊的日子。巴鲁克·贝勒冲进厨房，举起柱顶镶金的拐杖往工作台上一敲。面粉随着他的动作飘散，像是一朵云，而在粉尘落定之后，我低头看到父亲手中的面团成了破碎的心。

“拜托，”我那从来不求人的父亲说，“我知道我保证过，但生意实在不好。如果你再给我一点时间……”

“你拖欠税款，艾米，”贝勒说，“我有权扣押处理你这个破烂小地方。”他往前靠上来。那是我有生以来第一次，觉得自己的父亲并非举世无敌。“但因为我生性慷慨，是个大好人，所以我愿意宽限你到这个周末。到时候如果你缴不出钱来，嗯，我就不保证会发生什么事了。”他像拿武器一样拿起拐杖，双手握住拐杖两端，“最近发生了不少……不幸的事件。”

“所以我们的生意才会那么差，”我嗫嚅地说，“大家不上市场，因为他们怕外头的野兽。”

巴鲁克·贝勒转过头来，仿佛首次发现我的存在。他上下打量我，从我扎成麻花辫的深色头发一路看到我穿着皮靴的双脚；我这双靴子破了好几个洞，用厚厚的法兰绒补了起来。他的目光让我不由自主地打战。警卫队长达米安在我走过村子的广场时也会盯着我看——达米安像只猫，把我当奶油看，但贝勒的目光不同。不，贝勒像是在打量财物，似乎想评估我值多少钱。

他伸手越过我的肩膀，从我背后的网架上拿起一个刚出炉正待冷却的心形面包。他把面包夹在胳膊下，说：“我拿这个当抵押。”接着大剌剌地走出小屋，偏偏不随手关上门。

父亲看着他离开，耸了耸肩。他抓起另一把面粉，又开始揉面团。“别管他。他不过是虚张声势而已。总有一天，我会在他的坟上起舞。”他转头看着我，露出微笑，脸色缓和了下来，“这让我想到，安妮雅。我葬礼上要安排列队欢送，先由孩子们沿路撒下玫瑰花瓣，后面跟着一群漂亮女士，让她们打着像温室花朵一样的漂亮阳伞。接着是我的灵车，我要四匹——不——五匹雪白的马来拉车。然后呢，我希望让巴鲁克·贝勒走在队伍的最后面，负责清理马粪。”他仰着头大笑，“当然啦，除非他先死。而且越早越好。”

我父亲把葬礼的细节托付给我……可是到了最后，我却来不及为他办后事。

第一部

在一个不再将人视为人，而且再三证明人已非人的世界中，我什么也不信。

——西蒙·维森塔尔，《向日葵》

塞奇

这个月的第二个星期四，邓博斯基太太带着她过世的丈夫来到辅导小组。

时间才刚过下午三点，这时多数人都还拿着纸杯，正要去倒难喝的咖啡。我带来一盘糕点，因为上星期斯图尔特告诉我，他之所以愿意继续回到“伸手助人协会”来参加哀伤辅导疗程，完全是为了我烤的奶油胡桃松糕。就在我摆放糕饼的时候，邓博斯基太太怯生生地朝她抱在手上的瓮子点了个头。“这是贺伯，”她告诉我，“贺伯，这是塞奇，是我向你提过的烘焙师傅。”

我愣愣地站着，低头——这是我的一贯动作——让头发遮住我左侧脸颊。我相信，和某人被火化的另一半打招呼一定有特定礼节，但是我不知该怎么做。我应该说你好？还是握握骨灰坛的把手？

“哇。”最后，我终于发出声音。这个小团体的规则虽然不多，但都不容动摇：当个好听众，不要妄下评断，不要为别人的哀伤设定上限。我比任何人都清楚，毕竟，我到这里来也将近三年了。

“你带了什么东西过来？”邓博斯基太太问道。这时我才明白她为什么会把丈夫的骨灰坛带过来。小组上次见面时，我们的辅导员玛吉建议大家分享回忆，无论我们失去的是什么都可以。我看到茜拉抓着一双手织的粉红色小袜子，她抓得好紧，连指节都发白。埃塞尔拿的是电视遥控器，而斯图尔特带来——这不是第一次了——在他第一任妻子过世后复制下来留念的青铜面具。这个面具已经在我们这个辅导小组出现过好几次，在这天邓博斯基太太把贺伯带来之前，斯图尔特的青铜面具可说是让我觉得最毛骨悚然的东西。

在我结结巴巴想开口回答之前，玛吉已经召集好了小组的成员。大伙儿各自拉了把折叠椅，围成一圈。座位间隔不远，近到足以让我们可以拍拍某人的肩膀，或是握住对方的手，以表示支持之意。小圈圈的中央放着一盒玛吉每次疗程都会带来的面纸，以备不时之需。

通常玛吉会用大范围的问题来开场，比如：9·11事件发生时，你们在哪里？这样的问题可以引导大家谈论起共有的悲剧，有时候，这么做会让人更容易谈及个人的伤痛。但尽管如此，小组里总有人不开口说话。我甚至曾经在好几个月之后，才听到某个新成员的声音。

然而，玛吉在今天直接聊起我们带来的纪念品。埃塞尔举起手。“这是伯纳德的，”她用拇指摩擦着电视遥控器，“我本来不想让遥控器变成他专用的东西，天知道，我试过至少上千次，想拿开这个遥控器。我连对应的电视都没留下来。但是我好像没办法扔掉这东西。”

埃塞尔的丈夫还活着，但是他罹患阿尔茨海默症，已经不认识她。人会因为各式各样由小至大的失落而痛苦。你会遗失钥匙、眼镜或失去童贞。你可能会昏了头，丧失良心甚或理智。你会搬出自己家，住进可提供协助的机构，会有子女迁居海外，或是，你必须眼睁睁地看着自己的配偶逐渐进入痴呆的状况。失去，不仅限于死亡，而哀伤是灰暗的情绪，会以各种形态出现。

“我丈夫也霸占遥控器不放，”茜拉说，“他说，那是因为女人掌控了遥控器以外的一切。”

"其实那是一种本能，"斯图尔特说，"男人大脑里控制领土概念的区块大于女人。我在约翰·泰斯的节目里听来的。"

"所以经他这么一说，就成了神圣不可推翻的定论？"乔瑟琳翻了个白眼。她和我年龄相当，都二十来岁。而和我不同的，是她对任何四十岁以上的人都缺乏耐心。

"谢谢你和我们分享你的纪念品。"玛吉迅速插话，"塞奇，你今天带了什么东西过来？"

大家全看过来，我感觉到自己的脸红了。虽然我认识辅导小组里的每一个人，尽管我们围成互信的圆圈，但这样在众人审视的目光下剖析自己，仍然让我痛苦，皮肤上的伤疤，犹如海星般紧攀着我的左眼皮和脸颊，甚至比往常更紧绷了。

我甩动遮住眼睛的刘海，拉出无袖背心下那条挂着我母亲结婚戒指的链子。

母亲过世至今已经三年了，我当然知道为什么我每次想到她，仍然有种被利刃刺进肋间的感觉。也就是因为这样，我成了唯一从开始便留在这个辅导小组里的成员。其他人来这里是为了治愈，而我则是为了惩罚自己。

乔瑟琳举起手。"我对那东西真的有意见。"

我的脸更红了，我以为她指的是我，接着才发现，她一直盯着邓博斯基太太放在腿上的骨灰坛。

"太让人反胃了！"乔瑟琳说，"不该带过世的东西出席，我们应该要带的是具有纪念意义的物品。"

"他不是东西，他是人。"邓博斯基太太说。

"我不想火化，"斯图尔特若有所思地说，"我做过死于火灾的噩梦。"

“新闻快报：在你被送进焚化炉之前，你早就死了。”乔瑟琳说。邓博斯基太太哭了出来。

我伸手抽出面纸递给她。玛吉温和但坚定地提醒乔瑟琳，辅导小组是有规矩的，这时候，我起身走向走廊尽头的洗手间。

在我的成长过程中，我一直认为“失去”会通向正面的结果。我母亲曾经说过，她就是这样才遇到了一生的至爱。她把皮夹忘在餐厅里，副主厨看到之后，找出了她的联络方式。当他打电话给她时，她不在家，她的室友帮忙留下口信。我母亲回电，接电话的女人找来了我父亲。他为了归还皮夹约她见面，两人见面后，她发现他完全符合她所有的梦想……但她同时也知道，之前，当她打电话找他的时候，接电话的是个女人。

还好，那个女人是他的姐姐。

我十九岁那年，父亲心脏病发过世。三年后我失去了母亲，而唯一能让我自己接受的解释是：她终于能和他相聚了。

我走进洗手间，将盖住脸的头发往后拨开。

到了现在，我脸上凹凸不平的伤疤已经褪成了银色，伤口从我的脸颊一路划到眉毛旁边，像是丝质皮包的开口。只不过我的眼皮下垂，皮肤绷得太紧，一时间，你可能看不出我脸上有什么不对——至少我朋友玛丽是这么说的。但大家都看得出来，只不过太客气而没多说，除非这个人不满四岁又出奇的诚实，才会指着我的脸问他们的母亲，这位女士的脸到底出了什么问题。

虽然创伤已经褪色，但是我眼里看到的仍然是意外刚过之后的模样：一道猩红扭曲、犹如闪电般的伤口撕裂我对称的脸孔。就这点而言，我猜，我和得了厌食症的女孩一样，体重不到四十五公斤，却觉得镜子里有个胖女人在回瞪自己。事实上这对我不仅仅只是个伤疤，还是地图，从这里开始，我的人生开始步入歧途。

走出洗手间时，我差点撞倒一个老人。我个子高，看得到他头上一圈白发当中的粉红色秃顶。“我又迟到了，”他说话带着浓浓的英国腔，“我走失了。”

我们大概都一样吧。所以我们才会来到这里，和失去的事物拴在一起。

这个老人是辅导小组的新成员，才刚来两个星期。到目前为止，未曾在任何聚会里发言。然而我第一次看到他就认出了他，只是不记得为什么。

现在我想起来了，是面包店。他经常带他的腊肠狗光顾面包店，而且永远点新鲜的奶油餐包和黑咖啡，然后花好几个小时在黑色小记事本上写字，小狗乖乖睡在他脚边。

当我们走进会议室时，乔瑟琳正在分享她的纪念品，看起来像根扭曲毁损的骨头。“这是罗拉的，”她说，双手拿着牛皮骨头轻轻转动，“在我们让它安乐死之后，我在沙发下面捡到的。”

“你为什么到这里来？”斯图尔特说，“那不过是只该死的狗而已！”

乔瑟琳眯起双眼。“至少我没帮它做个青铜面具。”

他们吵了起来，我和老人在这时候坐进了圆圈里。玛吉利用这个机会分散大家的注意力。“韦伯先生，”她说，“欢迎你加入。乔瑟琳正要告诉我们她的宠物对她意义非凡。你有没有养过宠物呢？”

我想起他带到面包店来的狗，他总是和它对半分享奶油面包。

但是他没说话。他低着头，仿佛有人将他压在座位上。我认得这个姿势——他希望自己能消失。

“对宠物的爱有可能胜过爱一个人。”我突然发言，连自己也吓了一跳。大家都转头看着我，因为我和别人不同，极少主动开口让自己成为焦点。“重点不在于你心里为了什么才会有个洞、有个遗憾，而是在于缺口确实存在。”

老人缓缓抬起眼睛。即使透过遮住脸的头发，我仍然可以感受到他炽热的目光。

“韦伯先生，”玛吉也注意到了，她说，“你今天是不是也带了什么纪念品来和大家分享……”

他摇摇头，蓝眸的目光淡定，看不出任何情绪。

玛吉没插话，让沉默的片刻成为祭坛上的献品。我能了解，因为有些人来这里是为了发言，而有些人只是想聆听。但宁静无声却仿佛心跳的节拍，震耳欲聋。

失去，就是这么自相矛盾，已经不在的事物怎么会让我们感觉到如此的沉重？

时间临近尾声，玛吉感谢所有成员的参与，大伙儿收起折叠椅，回收纸盘和餐巾。我把没吃完的松糕全送给了斯图尔特。把糕点带回面包店就好像把一桶水倒进尼加拉瓜瀑布。接着，我走出去，准备回去工作。

如果你在新罕布什尔州住了一辈子，就像我，那么，你也嗅得出天气的变化。这天虽然热到难以忍受，但是天空中仿佛有人用无色墨水写了雷雨将至。

“打扰一下。”

听到韦伯先生的声音，我转过头。他背对着我们刚才聚会的圣公会教堂站着，虽然外头的温度至少有三十度，但他仍然穿着长袖衬衫，扣子一路扣到领口，还系着窄版领带。

“你刚才真体贴，为那个女孩说话。”

他讲话有个腔调，会带出字尾本该无声的子音。

我移开视线。“谢谢。”

“你叫作塞奇？”

嗯，这是什么高深难解的问题吗？对，我叫塞奇①，但是我一向有愧于这个名字。在这一生中，我曾经太多次差点走岔路，情绪对我的牵动远胜过理智。

“对。”我说。

让人尴尬的静默宛如面团一样慢慢发酵。“这个辅导小组……你参加很久了吗？”

我不知道自己是否该有所防备。“对。”

“这么说，你觉得辅导小组有所帮助？”

若真有帮助，我也不会一直来到这里。“大家都是好人，真的。只是，有时候，每个人都认为自己承受的哀痛比任何人都沉重。”

“你的话不多，”韦伯先生若有所思地说，“可是你一开口……你是个诗人。”

我摇摇头。“我是烘焙师傅。”

“难道一个人不能兼具双重身份吗？”他问道。接着，他慢慢地走开了。

我脸红气喘地跑回面包店，看到我的老板正挂在天花板下方。“对不起，我迟到了，”我说，“圣母圣坛挤满了人，而且某个开休旅车来的笨蛋还占了我的位置。”

---

① 塞奇（Sage）：字义可作“鼠尾草”或“贤人、哲人”。——译注（本书中注释如无特别说明，均为译注）

玛丽拼凑出一个鹰架，躺在上面画面包店的天花板。“那个笨蛋应该是主教，”她答道，“他上山前路过店里。他说你烤的橄榄面包犹如天赐的美味。这话出自他口中，应该是极高的评价。”

玛丽·德安吉利斯在过去一度是玛丽·罗伯特修女。她对栽培植物特别有天分，在马里兰州的修道院里以精于园艺闻名。某年的复活节，当她听到修士说“救主已复活”时，她从长椅上站了起来，走出教堂大门。她离开教会，把头发染成粉红色，还到阿帕拉契山径远足。在她来到新罕布什尔州白山一带的总统农庄附近时，耶稣基督在她眼前现身，他告诉玛丽，她有太多灵魂等待喂食。

六个月后，玛丽在新罕布什尔州，位于威斯布鲁克的慈悲圣母圣坛山脚下开了家“每日食粮”面包店。慈悲圣母圣坛占地十六英亩，有一处冥思专用的静室，一座和平天使雕像，苦路十四处十字架以及圣梯，另外还有塞满十字架、天主教教义书籍、宗教音乐唱片、圣人纪念章和马槽摆设的商店。但一般来说，来这里参观的人多半是为了看用新罕布什尔州花岗岩圆石打造，以链子串接，而且长达七百五十英尺的玫瑰经念珠。

圣坛只有在天气好的时候才看得到游客，在新英格兰的冬季，到访人数直线下滑。玛丽眼中的卖点就是在这里：还有什么比现烤面包更入世的呢？何不借由可同时吸引信徒和非教友的面包店来提升圣坛的收入？

唯一的困难是她完全不懂烘焙。

于是，我登场了。

父亲在我十九岁时突然过世，也就是在那一年，我开始烘焙。葬礼过后，我回到大学校园，却发现一切都变了。教科书里尽是我看不懂的文字，我爬不起床，没办法去上课，考试一次又一次缺席，不再交作业。某天晚上，我在宿舍醒过来，闻到面粉的味道——而且味道浓到仿佛是我在面粉团里打过滚。我冲了个澡，但仍然摆脱不掉这个气味。这味道让我想起小时候的星期日早晨，在父亲烘烤的贝果和洋葱小面包香味中醒来的感觉。

他一直想教我们几个姐妹如何烘焙，但我们多半不是忙着课业，就是急着到曲棍球场去，或是听男孩子们说话。应该说，我以前真是这么想的，直到有一天，住校的我溜进学校餐厅的厨房里，开始每晚烤面包。

我把一条条面包像弃婴般留在我敬爱的教授的办公室门口，摆在那些脸上微笑足以让我惊叹到哑口无言的男孩的宿舍里。我还会在讲桌上放一排用老面发酵的小面包，将大一点的面包偷偷塞进自助餐厅女服务生的大包包里——她老是说我太瘦，总爱在我的餐盘里加上额外的松饼和培根。在指导老师表示我四门学科中有三门不及格的那天，我无法为自己作任何辩护，只能给她一条加了茴香、苦甜兼备的蜂蜜法国面包。

一天，母亲突然到学校来。她住进了我的宿舍，从小处着手，开始改变我的生活。从确认我是否吃了东西，一直到陪我走到教室，询问我是否有作业。“如果连我都没放弃，”她告诉我，“你也不行。”

我担心自己没法在四年内完成课业，但最后还是毕业了。当我走上讲台接下证书时，我母亲站起来大吹口哨。但接下来，一切却陷入了地狱。

我受了不少折磨。我原来站在世界的最高点，下一刻，却是在岩石脚边爬行。我经历的一切，几乎都能以其他方式解决，而且若我真的那么做，结果一定截然不同。但光是想不能改变任何事实，对吧？

所以，事发之后，当我的眼睛仍然充满血丝，太阳穴上仍有科学怪人般的弯曲缝痕，而且脸颊伤疤和棒球缝线一样时，我给母亲的建议，和她当年的话一模一样：如果连我都没放弃，你也不行。

刚开始她的确没有放弃。在这段将近六个月的时间里，她器官功能一个接着一个衰竭。我每天坐在医院里陪着她，晚上才回家休息。只不过我没有真正休息。我又开始烘焙——这对我来说是理所当然的治疗方式。我送手工面包给她的医师，为护士们制作盐味脆饼。而我的母亲呢，我为她做的是她最喜欢的肉桂卷，淋上浓浓的糖霜。我每天做，但是她一口也没吃到。

哀伤辅导小组的辅导员玛吉鼓励我找个工作，建立某种程度的日常规律。她说："假装你已经做到了，直到你真的做到。"但是我没办法想象自己在大白天里工作，那么一来，大家都会盯着我的脸看。我从前就很害羞，现在更是孤僻。

玛丽说，她会遇见我，是上天的旨意。（她自称修女还俗，但事实上，她放弃的是修女服而不是信仰。）至于我呢，我不相信上帝。听了玛吉的建议——烘焙师傅也在她建议的工作当中，我一翻开分类广告，便看到这个在夜间独自干活，而且可以在顾客走进店里之前就能离开的工作。这纯属运气。面试时，玛丽完全没提起我毫无工作经验，没有值得一提的暑期打工，也没有推荐人。重点是，她看到我的伤疤。她说："我想，到了你想说的时候，你自然会告诉我。"事情便如此这般决定了。日后我逐渐了解这个人，才明白一件事，她在莳花弄草时看到的不是种籽，而是预先想象植物往后的模样。我猜，她和我见面时，看到的应该也是如此。

在"每日食粮"工作的最大恩典，是我母亲没能活着看到这件事。她和我父亲一样，都是犹太人。我的姐姐派波和莎凡在二十岁时接受了犹太成年礼。虽然面包店里也卖犹太传统的贝果、安息日吃的白面包和十字面包，而且面包店的附属咖啡店还叫作“希伯来”，但是我知道母亲会说：世上面包店这么多，你为什么偏偏要选一家非犹太人开的店工作？

然而，我母亲也会比任何人都早一步告诫我：好人就是好人，与宗教无关。我想，不管母亲现在在哪里，她一定知道玛丽不止一次发现我在厨房里泪流满面，然后先帮着我打起精神，再特意将开店时间往后延。我想母亲应该也知道，玛丽在她过世周年那天，把店里当天的营业所得全捐给了犹太复国组织。唯有在玛丽面前，我不会主动掩饰自己的伤疤。她不只是我的老板，同时也是我最好的朋友，我希望，对我母亲而言，这一点比玛丽祈祷的场所更重要。

一大滴紫色油漆滴到我脚边，我抬头往上看。玛丽正在画她的另一个幻影。她经常看到幻影，一年至少三次，而面包店的设置和菜单通常也会随之变动。比如咖啡吧是她的一个幻影，暖房的窗户也是，窗边挂着一排排雅致的兰花，花朵像是一串串珍珠，垂挂在茂密的绿叶之间。一年冬天，她在“每日食粮”办了编织聚会，而另一年则是开了瑜伽课。她不时告诉我，饥饿和肚皮无关，一切都攸关心灵。说实在的，玛丽经营的不是面包店，而是一个小区共同体。

玛丽也在墙上写了几句她的格言：“寻找，必有所获”“偏离正轨的人，并非个个迷途”“生命不在长短，而在于意义”。有时候我难免怀疑，这些陈腔滥调究竟是玛丽自己瞎编的，还是她从印在T恤上的励志文句中抄来的。但我猜这不打紧，因为来店里的客人似乎都对此很欣赏。

今天，玛丽写下她的最新箴言：“你揉出的全是爱（*All you knead is love*）”。我念了出来。

“你觉得怎么样？”她问道。

“我觉得小野洋子[①]会告你侵权。”我回答。

店里的咖啡师傅洛可正在擦拭吧台，他说：“列依太有才。你们请想象[②]，若他还在世。”

洛可今年二十九岁，辫子头上有过早出现的白发，重点是，他只用俳句般的诗句说话。这是他的风格，他应征时就告诉过玛丽。但由于洛可在拿铁、玛奇雅朵的奶泡拉花上有惊人的天分和创意，玛丽决定放过他在谈吐上的惯性顿挫。他不但有办法在奶泡上画出蕨叶、爱心、独角兽、女神卡卡和蜘蛛网，还曾经在玛丽生日时，为她画出教宗本笃十六世的肖像。而我呢，我则是因为洛可说话风格之外的另一个特色喜欢他：他从不直视别人的双眼。他说：“一个人的灵魂可能会在四目相望时被偷走。”

对此，我只能说：阿门，感谢主。

“长棍面包销售一空。”洛可告诉我，“顾客气冲冲，咖啡免费送。”他顿了一下，思索诗句字数是否正确，“今晚多做点。”

玛丽慢慢垂吊而下。“聚会如何？”

“和往常一样。今天一整天都这么安静，没有客人吗？”

她碰到了地板，发出“咚”的一声轻响。“才不是，家长送孩子们上学之前忙了一阵子，午餐时间也是。”她站稳身子，在牛仔裤上擦了擦手，然后跟我走进厨房，“还有，撒旦来过电话了。”她说。

“我猜猜看。他要帮乌干达游击队的头子约瑟夫·孔尼订制一个

① “knead”与“need”同音，《All you need is love》是披头士经典名曲，由约翰·列侬所作。小野洋子是列侬的遗孀。

② 原文此处用的是“imagine”，一字双关，影射约翰·列侬所作另一名曲《想象》（Imagine）。

生日蛋糕？”

“我说的撒旦，”玛丽仿佛没听到我的话，“指的是亚当。”

亚当是我的男朋友。但称不上我真正的男朋友，因为他已经是别人的丈夫了。“亚当没那么糟。”

“他很浮躁，塞奇，而且他在感情上的杀伤力太大。如果你觉得这么做真的没错……”玛丽耸耸肩，“我要上圣坛去除草，让洛可当家。”圣坛虽然没聘请她，但似乎没有人会介意让一个精通园艺的前任修女去整理花草。拿铲子挖土、扯草根、拖树枝等让人汗流浃背的园艺工作，是玛丽的舒压方式。有时候我觉得她根本不用睡觉，而是和她心爱的植物一样，进行光合作用就够了。她似乎比我们这些凡人更有精力，行动更敏捷，和她相比，“小飞侠”里的小叮当简直像树懒。“玉簪花闹革命了。”

“祝你玩得开心。”我一边说，一边系上围裙，把注意力放在这天晚上的工作上。

我的烘焙室配备了大型螺旋搅拌机，因为我会同时烘烤几种面包。我准备了一些在不同温度下预先发酵的面种，装在贴有标志的罐子里。我用计算机程序计算烘焙材料百分比，但错乱的计算功能总会加出超过百分之百的比例。然而，我最喜欢的烘焙方式是拿出容器和木勺，加上四种材料：面粉、水、酵母和盐。接着，一切就靠时间来决定了。

烤面包是场运动，你不仅要在烘焙室的几个工作台之间迅速走动，检查面团膨胀程度，加入材料搅拌，使劲拿起搅拌机的容器，还得花一番力气搅揉，让面筋加速形成。就算分不清新面种和预发酵面种有什么不同的人，也知道你得动手揉，在工作台上有节奏地推开再卷起来，推平再折好。如果你的动作正确，称之为面筋的蛋白质会随之出现，产生二氧化碳，形成大小不一的气孔。经过七或八分钟之后——这段时间足够你决定家中琐事的先后顺序，或是在脑子里回放自己稍早和另一半的对话，思索对方的弦外之音——面团会变得平滑柔韧。

到了这时候，你必须放下手上的面团。把面包当人看实在好笑，但是我就是喜欢面团必须静置，从碰触、噪音和戏剧化过程中恢复过来之后，才能再进化。

我不得不承认，我自己经常有这种感觉。

烘焙师傅的工作时间会对大脑带来奇特的影响。如果你每天从下午五点开始，工作到隔天凌晨，你也会听到烤箱定时器跳动的声音，会看到藏在阴影下的动静。你辨认不出自己说话时的回音，会开始怀疑自己是否是世上最后的幸存者。谋杀案之所以多半发生在夜里，我深信其中一定有其原因。对我们这些天黑后才活过来的人而言，这个世界完全不同，比平时更脆弱，更虚幻，是个复制品，是让我们模仿其他人居住的地方。

我日夜颠倒了太久，所以，要我在日升时上床睡觉，日落时开始工作，已经不算难事。在多数日子里，这表示我大概可以睡六个小时，再回到“每日食粮”重新开始工作。然而，当个烘焙师傅表示你能接受边缘人的生活，而我对此则是敞开双臂欢迎。我可能遇见的人只有便利商店员工、甜甜圈店驾车外带窗口收银员和换班的护士。另外，当然就是玛丽和洛可，他们在我抵达之后负责面包店的打烊工作。他们把我锁在店里，好比《格林童话》中成了皇后的女郎。只不过，我不是被关在里头数谷粒，而是在第二天变身成摆放在架上和玻璃橱窗里的糕点面包。

我一向不爱与人群接触，但到了现在，我更喜欢独处。这个安排再恰当不过：我独自工作，玛丽负责站在第一线和顾客聊天，吸引他们再次光顾。而我躲在后面。

对我来说，烘焙是沉思的方式。在我切下一大块面团放到磅秤上，看到上面出现了完美手工面包所需的数字时，喜悦油然而生。我爱极了搓揉法式长棍面包时面团在我掌心的震动；我喜欢穿着宽头厨师鞋蜷起脚趾，喜欢左右摆头松松筋骨。我就是喜欢这样：知道电话不会响，没有干扰。

我每晚进度到了完成半百公斤的面包时，我听到玛丽从山上的花园回到店里打烊。我在工业用水槽里洗了手，脱下工作时包住头发的厨师帽，走到前头的店面。洛可正要拉上摩托车夹克的拉链。透过厚厚的橱窗玻璃，我看到闪电如虹，划过阴暗的天际。

“明天见，”洛可说，“除非我们死于睡梦中。这死法未免绝妙。”

我听到一声狗叫，这才发现面包店里还有别人。这唯一的顾客是和我参加同一个哀伤辅导小组的韦伯先生，他牵着他的小狗。玛丽坐在他身边，双手捧着一杯茶。

看到我，他忙着站起来，朝我笨拙地点个头。“又见面了。”

“你认识约瑟夫？”玛丽问我。

哀伤辅导小组和戒酒无名会一样，除非得到同意，否则你不会“泄漏”某个人的身份。“我们见过面。”我回答，将头发往前甩，遮住脸。

他牵着的腊肠狗朝我走近了些，想舔沾在我裤子上的面粉。“爱娃，”他斥喝它，“守规矩！”

“没关系。”我告诉他，随后蹲下来拍拍他的狗，总算松了一口气。动物不会瞪着你看。

韦伯先生把牵狗绳的拉环套在手腕上，站了起来。“我害你不能下班。”他带着歉意对玛丽说。

“别这么说，有你陪着，我很高兴。”她低头看老先生八分满的杯子。

我不知道自己为什么会开口，毕竟，我手边还有很多事要做。但这时外头已经下起了暴雨。停车场里只剩下玛丽的哈雷机车和洛可的丰田，这表示韦伯先生要不就走路回家，要不就要等巴士。“你可以留在这里等巴士。”我告诉他。

“喔，不，”韦伯先生说，“这样太麻烦你们了。”

“一定要。”玛丽附和我。

他感激地点点头，又坐了回去。他双手握住咖啡杯，爱娃在他的左脚边躺了下来，闭上眼睛。

“祝你有个愉快的夜晚，”玛丽对我说，“烘出你的心型小面包。”

但是我没和韦伯先生一起留在店里，而是跟着玛丽走向后面她放机车雨具的房间。“他走了以后，我不负责清理。”

“没关系。”玛丽雨裤穿到一半，停下来说。

“我不招呼客人的。”事实上，当我在早上七点踩着疲惫的步伐离开烘焙室，看到店里挤满了来买贝果的上班族和正要把一条条小麦面包塞进自备购物袋的家庭主妇，我总是有些惊讶地想起：原来，我的烘焙室外头还有个世界。我猜想，如果哪个病人在监视器上的心跳本来已经呈一条直线，而在经过电击，心脏恢复跳动，重返忙碌嘈杂的人世间之后，一定也会有同感——一下子涌进太多信息，感官知觉皆负荷不起。

“开口请他留下来的人是你。”玛丽提醒我。

“我一点也不了解这个人。万一他想抢劫或有更糟的企图怎么办？”

“塞奇，他九十岁都不止。你觉得他可能用假牙咬断你的喉咙吗？”玛丽摇摇头，“在你有生之年，约瑟夫·韦伯很有可能封圣。威斯布鲁克没有人不认识他。他当过孩子的棒球教练，组织过义工队清理河口公园，在高中教了几百万年的德文。他是所有人心中最亲切的祖父。我不认为他会溜进厨房，趁你转身时，拿面包刀往你背后刺。”

“我从来没听说过这个人。”我喃喃地说。

“那是因为你躲在井底。”玛丽说。

“应该说是躲在厨房里。”如果你白天睡觉晚上工作，你不可能有闲暇读报纸或看电视。本·拉登死后三天，我才知道这个消息。

“晚安。”她很快地拥抱我一下，“约瑟夫不会伤害人，真的。顶多是话多到足以烦死你。”

我看着她拉开面包店的后门，冲向滂沱的大雨中，头也不回地挥了挥手。她出门之后，我拉紧门上锁。

当我回到面包店的餐饮区时，韦伯先生的杯子已经见底，他将小狗抱在腿上。“对不起，”我说，“店里的事。”

“你不必招呼我。我知道你要忙。”

我要揉出上百个面包，要煮贝果，要捏洋葱面包。没错，我的确要忙。然而我却讶异地听到自己说：“没差那几分钟。”

韦伯先生指指玛丽刚刚坐的位置。“那么，请坐。”

我是坐下了没错，但我也看了看手表。定时器再过三分钟会响，到时候我得回烘焙室。“呃，”我说，“天气真坏。”

“我们老是遇到坏天气。”韦伯先生回答。他这串话太精准。“可是今天晚上我们不是因为天气不好才来的。”他抬起眼睛看着我，问，“你为什么会参加辅导小组？”

我直盯着他的双眼。辅导小组有个规矩，如果成员心理还没做好准备，还不想吐露心事，旁人就不能施压。韦伯先生本身当然还没准备好，由他来质问连他自己都不愿回答的话，这似乎失礼。但是话说回来，我们现在也不是在辅导小组的聚会当中。

“是我母亲，”我把聚会时不愿对任何人说的话告诉他，“癌症。”

他同情地点点头。“我为你感到难过。”他生硬地说。

“你呢？”我问道。

他摇了摇头。“太多了，数不完。”

我不知该如何回应。从前我奶奶经常说，到了她的年纪，朋友一个个陨落，好比往下掉的苍蝇。我试着站在韦伯先生的角度看，我奶奶说的没错。

“你当烘焙师傅很久了吗？”

“有好几年了。”我回答。

“年轻女人会选择这个行业很奇怪。社交机会不太多。”

他难道没看到我的模样？“很适合我。”

“你的手艺很好。”

“任何人都可以烤出好吃的面包。”

厨房里传来定时器的声音，被吵醒的爱娃开始吠。几乎在同一时间，巴士正要停进路口的巴士站，由远而近的灯光照进面包店橱窗。“谢谢你让我留下来等车。”他说。

“不客气，韦伯先生。”

他的脸色柔和，说：“请你叫我约瑟夫。”

我看着他把爱娃藏进大衣里，撑开雨伞。“改天再来。”我说。因为我知道玛丽会希望我这么说。

“就明天吧。”他宣布时间的方式，好像我们订下了约定。他走出面包店，斜斜地朝巴士大灯的方向走过去。

我刚刚虽然告诉玛丽我不会清理善后，但是我仍然动手收拾脏杯子和盘子，而且发现韦伯先生——约瑟夫——忘了拿他的黑色小本子，每当他坐在店里，总是会打开日志写东西。他用松紧绳圈住日志。

我抓起本子便冲进风雨中，一脚踩进了大水坑，鞋子完全浸湿。“约瑟夫！”我不顾湿发贴在头上，大声喊他。他转过身来，爱娃睁着珠子般的眼睛从他风衣前襟里往外看。“你忘了拿这个。”

我高举黑本子，朝他走过去。“谢谢，”他把日志好好地放回口袋里，说，“少了这东西，我还不知道该怎么办才好。”他斜拿着伞，好遮住我。

“你打算写一本美国畅销小说？”我猜。自从玛丽在店里设置了无线网络之后，这地方常有未来的作家出没。

他似乎很惊讶。“喔，不是。只是记录自己的想法，否则我老是忘东忘西的。比如说，假如我不记下我喜欢你做的凯撒面包，下次来的时候就会忘记点。”

“我想，大多数的人都会需要这样的本子。”

巴士司机按了两下喇叭。我们同时朝着声音来源看过去。强光扫过我的脸，我不禁为之退缩。

约瑟夫拍拍口袋。“要记得去‘记住’。”他说。

在我们相识之初，亚当就说我很漂亮。我早该拿这句话当作第一个线索，来判断他的确是个骗子。

在我这辈子最痛苦的日子——也就是我母亲过世当天，我认识了亚当。我姐姐派波联络了殡仪馆，他是殡仪馆经理。我依稀记得他向我们解释流程，带我们挑选棺木。但是我第一次真正注意到他，是当我在母亲葬礼上出丑的那一刻。

我们姐妹都知道母亲最喜欢的歌曲是《彩虹彼端》。派波和莎凡想雇个专业歌手在葬礼上献唱，但是我另有计划。母亲爱的不只是歌曲本身，也爱茱蒂·嘉兰的诠释。而且我答应过母亲，茱蒂·嘉兰会在葬礼上献唱。

“最新快报，塞奇，”派波说，“除非你是灵媒，否则你没办法和茱蒂·嘉兰约时间。”

但最后她们还是让我如愿，主要的原因，是我把这件事解释为母亲的遗愿。我必须把CD交给殡仪馆经理，也就是亚当。我把《绿野仙踪》电影原声带里收录的《彩虹彼端》下载到iTunes，让他在葬礼开始时透过播音系统放送。

糟的是，那首曲子不是《彩虹彼端》，而是电影中小矮人唱的另一首《呦喝！巫婆死了！》。

派波哭了出来，莎凡太难过，只好先行离席。

而我，竟然咯咯发笑。

我不知道为什么，但笑声就从我口中蹿了出来，宛如迸溅的火花。突然间，礼堂里的每个人都向我瞪来，用愤怒炽热的眼神，将我的脸和我口中冒出的不合时宜的笑声一分为二。

“天哪，塞奇，”派波怒气冲冲地说，“你怎么做得出这种事？”

我惊慌失措，感觉自己被逼进绝路，从前排座位上站了起来，往前走两步便晕了过去。

我在亚当的办公室里醒了过来。他跪在沙发旁边，拿着打湿的毛巾压在我的伤疤上。我立刻缩着身子躲开，用手遮住自己的左脸。

“知道吗，”他说话的方式，仿佛我们正好聊到一半，“我这行没有任何秘密。我知道谁做过美容，谁经历过乳房切除手术。我晓得哪个人开过盲肠或疝气手术。这些人身上有伤疤，但是他们各有各的故事。再说，”他说，“我第一次看到你也不是因为你的伤疤。”

“讲得像真的一样。”

他伸手搭着我的肩膀。“当时我就觉得，”他说，“你很漂亮。”

他有一头黄棕色的头发和蜜棕色的眼睛。他温暖的掌心贴着我的皮肤。我未曾美丽过，事发之前没有，事发后更不必说。我摇摇头，想推开这个想法。“我早上没吃东西……”我说，“我得回里头去——”

“放轻松。我刚才建议大家先休息十五分钟再开始。”亚当犹豫了一下，“也许你会想从我的iPod里找另一首曲子来替代。”

“我可以发誓，我下载的是正确的曲子。我姐姐一定恨死我了。”

“我见过更糟糕的场面。”亚当回答。

“我怀疑。”

“我见过喝醉的情妇爬进死者的棺材，最后是遗孀把她拉出来，还把她打得半死。”

我瞪大了眼睛。“真的吗？”

“是啊。所以这次……”他耸耸肩，“算不上什么。”

“可是我笑了出来。”

“很多人会在葬礼上笑，”亚当说，“那是因为我们无法坦然面对死亡，笑是一种反射反应。而且我敢说，你母亲宁愿知道你以笑声庆祝她的生命，而不是以泪眼相看。”

“我母亲会觉得好笑。”我轻声说。

“来。”亚当把放在套子里的CD交给我。

我摇摇头。“你留下来好了。说不定娜奥米·坎贝尔会成为你的客户。”

亚当咧嘴一笑。“我猜也是，我敢说你母亲一定会觉得好笑。”他说。

一星期过后，他打电话来关心我。我觉得这有点奇怪，一来，我从没听说殡仪馆也提供售后服务；二来，当初决定找他的是派波，不是我。听到他的关心慰问，我在感动之余，为他烤了一个波兰式海绵蛋糕，在某天上班途中，绕道拿去殡仪馆送给他。我本来想留下蛋糕就好，不必和他碰面，没想到他也在公司里。

他问我是否有空一起喝杯咖啡。

要知道，即使在那天，他仍然戴着婚戒。换句话说，我很清楚自己走进了什么局面。我唯一的辩词是我从来没想到会有男人看上我，尤其在我出事之后。没想到亚当出现了——有魅力而且事业有成——我竟然会吸引这种人。我的每一丝道德神经都在说：亚当属于另一个人。但是我脑中压倒性的低语则说：乞丐没资格挑三拣四；能得到的就收下，否则，还有谁会爱上像你这样的人？

我知道自己不该和已婚男人发展任何关系，但是这没能阻止我爱上他或希冀他的爱。我重新调适过自己的生活，为的是独自生活、工作，孤单走完自己的后半辈子。就算我曾经找到声称无视我左脸疤痕的人，我又怎么能知道对方是爱我或是可怜我？这些人都很像，而我一向不擅看人。亚当和我之间的关系暗不见光，躲在关闭的门后。换句话说，正好是我的安全地带。

在你开始表示意见，说让一个处理尸体的人来碰触你未免让人毛骨悚然之前，让我先说句话：你错得太离谱。任何逝者——包括我母亲在内——若能在亚当这么温柔的手下获得最后的修饰，都是幸运的。他是唯一能真正欣赏生者躯体之美的人。在我们温存时，他总是会爱抚我的颈侧、腕际、膝窝这些脉搏跳动的位置。

亚当如果来我的住处找我，我会牺牲一两个小时的睡眠时间，来换取他的陪伴。他的工作性质必须二十四小时待命，但他也几乎随时能溜班。也就是这样，他的妻子既没发现也没起疑。

“夏依好像知道了。”这天当我躺在亚当怀里时他这么告诉我。

“真的吗？”我努力抗拒他这句话带给我的感受，我就像搭着云霄飞车来到顶点，再也看不到前方的轨道。

“今天早上，我车子的保险杠上多了一张新的贴纸，上面写的是‘我爱妻子’。”

“你怎么知道是她贴的？”

“因为不是我贴的。”亚当说。

我想了一下。“保险杠贴纸不见得是嘲讽，说不定是一种幸福的无知。”

亚当的妻子是他高中女友，到了大学期间还一直在一起。他工作的殡仪馆是妻家的事业，有五十年的历史。他一星期至少会告诉我两次，表示他会离开夏依，但我知道这不是真话。首先，他这么一来等于放弃自己的事业，再者，他要放下的也不止夏依，还要加上葛丽丝和布莱恩这对双胞胎。当他提起这对子女时，音调完全不同。我希望他也会用这样的语气说起我。

然而，他应该不可能说起我。我是说，他会对谁说起自己的外遇对象？我只向玛丽一个人说过这件事，然而她没把这件事当作亚当和我的共同错误，依照她的反应来看，更觉得是亚当勾引了我。

“我们这个周末去度个假吧。”我提议。

我星期日不必工作，面包店每星期一公休。我们可以失踪宝贵的二十四小时，而不是躲在我的卧室里，拉下窗帘遮挡阳光和他停在转角处中国餐厅停车场里的车——外加保险杠上的新贴纸。

夏依曾经来过面包店。我透过隔开烘焙室和店面的窗口看到她。我认得出夏依，因为我在亚当的脸书上看到过她的照片。我以为她是来找我算账的，然而她买了几个黑面包之后就离开了。之后，玛丽走进烘焙室，看到我松了一口气，无力地坐在地上。当我把亚当的事情说出来时，她只问了我一个问题：“你爱他吗？”

我说：“爱。”

“不，你不爱他。”玛丽说，“你无法自拔地爱上了躲躲藏藏的感觉。”

亚当轻抚我脸上的疤。尽管过了这么久，而且医学上也不可能成立，但我的皮肤仍然会刺痛。“你想离开。”他重复我的话，“你想和我在阳光下走在马路上，让每个人都看到我们在一起。”

听他这么说，我明白这根本不是我想要的。我想和他躲进白山国家公园的豪华旅馆，或是关在蒙大拿的小木屋内。但是我不想让他知道正确的，所以我说：“说不定就是这样。”

“好，”亚当用手指卷绕我的头发，“去马尔代夫。”

我撑起手肘。“我不是开玩笑。”

亚当看着我。“塞奇，你连镜子都不肯照。”

“我上网搜寻了东南航空公司的航班，到堪萨斯市的机票只要四十九美金。”

亚当用指头上上下下划过我的肋骨。“我们为什么要去堪萨斯市？”

我推开他的手。“别让我分心，”我说，“因为堪萨斯市不是这里。”

他翻个身，趴在我身上。“订票吧。”

“真的吗？”

“真的。”

“如果有人找你呢？”我问道。

“反正人死都死了。”亚当实事求是地说。

我的心跳乱了节拍。公开出现在大众面前——这个想法太诱人了。如果我和一个明显想陪伴我的英俊男人手牵手走在一起，我是否会因此变得“正常”？“你要怎么向夏侬解释？”

“就说我疯狂地爱上你。”

我常常想，倘若我早点遇到亚当，一切会有什么转变？我们念的是同一所高中，但前后差了十届。我们都回到了自己的家乡，都独自作业，工作时间和别人都不一样，一般人绝对不会选择这样的行业。

“说我没办法不想你，”亚当又补了一句，他轻咬我的耳垂，“说我无可救药地爱上了你。”

我必须说，我最爱亚当的就是他无法和我朝夕相处。当他爱一个人的时候，他会贯注所有感情，全心全意地投入。他对他的双胞胎儿女就是如此，他每天晚上都在家里听葛丽丝的生物考试成绩，或听布莱恩报告他如何打球队本季的第一支全垒打。

“你认识约瑟夫·韦伯吗？”我突然想起玛丽的话。

亚当翻身躺回去。“我无可救药地爱上了你，”他重复刚刚的话，“你认识约瑟夫·韦伯吗？对，这个回应一点也不奇怪……”

“听说他在高中教书？教德文。”

“双胞胎修的是法文……”他突然弹了一下手指，“他是少棒裁判，布莱恩当时应该只有六七岁。我记得当时就觉得那家伙至少有九十岁，主办单位一定是疯了，没想到他精力旺盛得很。”

“你对这个人有什么认识？”我侧躺着问他。

亚当用双手抱住我。“韦伯吗？他是个好人。他对球赛了如指掌，一次也没有误判。我只记得这些。你为什么要问这个？”

我露出一丝微笑。“我要离开你，投进他的怀抱。”

他慢慢地、带着爱意地亲吻我。“我要怎么做，才能让你改变心意？”

“我想，你一定能想出办法的。”说完我用双手圈住他的脖子。

威斯布鲁克是个小地方，居民的血脉传承多半来自五月花号移民。身为犹太人，我们三姐妹显得特别与众不同，和班上同学相比，我们好像长了一身天蓝色的皮肤。每年，约摸在同学的午餐盒里都会带着复活节白煮蛋的时候，我都会问父亲为什么我们要暂停一星期不吃面包。父亲的回答是：“适度调整钟形曲线。”但没有人因此作弄我，相反，当小学老师教我们除了圣诞节以外的假日时，我和朱里厄斯一起成了名人——他是学校里唯一的非裔美国孩子，而且他祖母庆祝的是宽札节①。我会去上希伯来学校，是因为我两个姐姐都去，但将近成年礼

① 宽札节：每年十二月二十六日至来年一月一日，为美洲国家非裔人士的庆典活动。

时，我便吵着不肯去。我父母不肯，于是我开始绝食。我的家人已经和其他家庭不同了，我不想让自己引来更多不必要的注意。

我的父母都是犹太人，但是他们并没有遵循饮食戒律或宗教仪式（除了在派波和莎凡接受成年礼之前的那几年不得不参加时除外。星期五晚上，我坐在祷告席上听领唱者唱诗歌，不解诗歌为什么多半是小调。就《获选的子民》来说，这些作曲者似乎不太快乐）。然而我父母仍然在赎罪日禁食，并且拒绝摆设圣诞树。

对我而言，他们信仰的似乎是简易版的犹太教，所以，他们凭什么告诉我该如何信仰，或我该信仰什么宗教？这句话是我躲避成年礼的说词。我父亲安静以对。他说：信仰之所以重要，是因为你能够去相信。接着他要我进房间去，不准我吃晚饭。这个决定让人震惊，因为我家人一向鼓励大家发表自己的意见，无论会引发多大争议都一样。最后，我母亲溜到楼上，拿了个涂了花生酱和果酱的三明治给我。“你父亲虽然不是犹太教祭司，”她说，“但是他坚信传统，觉得父母应该要把一切都传承给下一代。”

“好，”我争辩说，“我可以在七月去买开学要用的文具，在感恩节时准备撒了棉花糖的烤甜番薯。妈，我不是反对传统，我只是不想去上希伯来学校。宗教不是与生俱来的，人不能跟着父母去信仰。”

“敏卡奶奶穿毛衣，”我母亲说，“永远都穿着毛衣。”

这句话听起来似乎不着边际。我的奶奶住在备有医疗照护的住宅小区，她在波兰出生，说话时带着浓浓的口音，听来就像在唱歌。还有，没错，就算外头的温度足足有三十二度，敏卡奶奶也永远穿着毛衣，外加过浓的腮红和豹纹花样的衣裤。

“许多幸存者都借由外科手术去除掉刺青，但是她说，每天早上看到那个记号，可以让她记得自己赢得了胜利。”

好一会儿之后，我才听懂她的话。我奶奶曾经被关进集中营？我都十二岁了，怎么不知道这件事？为什么我的父母要瞒着我这件事？

“她不喜欢提，”母亲简要地说，“她也不喜欢让别人看到她的手臂。”

我们在社会课学过纳粹大屠杀。我实在很难将教科书图片里的活骷髅和我丰腴的奶奶连在一起，她身上有一股紫丁香的气味，绝对不可能错过每星期和发型设计师约定的时间，她公寓的每一个房间里都放着彩色拐杖，方便她走动。她不是历史的一部分。她是我的奶奶。

“她不上犹太教堂，”母亲说，“我想，有过那段经历，人和上帝之间的关系会变得相当复杂。但你父亲反而开始上教堂了，这应该是他面对你奶奶遭遇的处理方式。”

为了融入群体，我想尽办法排除我的宗教，结果没想到我是个货真价实的犹太人，而且是大屠杀幸存者的后代。我既沮丧又愤怒，而且自私地把头埋进枕头里。“那是爸爸自己的问题，和我一点关系都没有。”

母亲犹豫了，“如果她没活下来，塞奇，今天也不会有你。”

有关敏卡奶奶的过去，我们只讨论过那么一次。但那年，当我们邀她到家里来共度光明节时，我发现自己仔细端详着她，想在她脸上找出真相的影子。然而她和往常一样，趁我母亲不注意时，偷偷撕掉她不想吃的烤鸡皮；把她皮包里专为我两个姐姐搜集来的香水和化妆品样品拿出来；把电视剧《我的孩子们》里的人物当成她一起喝咖啡的朋友一样批评。如果她在第二次世界大战期间待过集中营，当年的她，一定不是今天这个人。

在母亲把奶奶故事告诉我的那晚，我梦到一段自己完全没印象的儿时时光。我坐在敏卡奶奶腿上，她正在翻书，读故事给我听。我现在才发现那个故事不对。书上画的是灰姑娘，但是奶奶脑子里想的是另一个故事，因为她口中的故事是黑暗的森林、怪物，还有用麦片和谷粒铺出来的小径。

我还记得自己不怎么专心，因为我迷恋地看着奶奶手腕上的金镯子。我一直想去摸，不停地拉她的袖子。突然间，她的毛衣袖口往上卷起，刚刚好让我发现她前臂内侧有个褪色的数字。“那是什么？”

“我的电话号码。”

前一年还在幼儿园时，我背下了家里的电话号码，如果迷路了，我可以让警察帮忙打电话回家。

“如果你搬家怎么办？”我问道。

“喔，塞奇，”她笑着说，“我在这地方住定了。”

第二天，当我在烘焙室里烤面包的时候，玛丽走了进来。“昨晚我做了一个梦，”她说，“你和亚当一起烤法式长棍面包。你要他把揉好的面团放进烤箱里，但他却把你的手臂塞进去。我大声尖叫，想把你从火里拉出来，但是我动作不够快。当你离开烤炉边时，你原来的右手变成一条面包。亚当说：没事。然后拿起一把刀，削下你的手腕，一根根切下你的指头，从大拇指到小指一个也没漏，而且还带着血。”

“呃，”我说，“你也午安。”接着我拉开冰箱，拿出里面一盘小圆面包。

“就这样？你连想都不想一下其中的含意？”

“我想，你睡前喝了太多咖啡，”我提出看法，“记不记得你上次梦到洛可不肯脱掉鞋子，因为他长了双鸡爪？”我面对着她说，“你见过亚当吗？你知不知道他的长相？”

“就算是最美丽的事物，也可能带来危害。比如说附子花、铃兰，圣坛阶梯上方你最喜欢的莫奈花园里种了这些花，但如果没戴手套，我可不想靠近。”

“圣坛不必负责吗？”

她摇摇头。“多数来参访的游客都懂得自制，不会把风景吃进肚子里。但这就是我要说的重点，塞奇。重点是这场梦就是征兆。”

“要开始了。”我喃喃地说。

“汝不可奸淫，”玛丽开始说教，“十诫中的这个指示再清楚不过了。如果你犯下这条戒律，坏事便会临头。你的邻居会朝你扔石头，你会被孤立。”

“而且手还会被人吃下肚。”我说，“玛丽，别在我面前摆出修女的架势，别管我在自己的时间做什么事。而且你也知道，我不相信上帝。”

她跨出几步挡住我的去路。“这不表示上帝不相信你。”她说。

我的伤疤又开始搔痒。我的左眼流下眼泪，和手术刚过的那几个月一样。当时，我因为将来会失去的一切而哭泣——尽管在那个时候，我还不清楚自己会有什么损失。古时候或在《圣经》里——这真是讽刺，丑陋的内心会表现在外表上，疤痕或胎记是内在缺陷的外在表征，而就我的情况而言，这句话正好得到印证。只要我做了坏事，我就会瞥见自己的倒影，仿佛是警钟。大部分和已婚男人发生关系的女人都做错了吗？当然，然而，我不是大部分女人。也许这是原因，虽说，过去的我绝对不会爱上亚当，但是这个“新的我”，却偏偏这么做了。我并不觉得自己有权如此，也不觉得自己理当和另一个女人的丈夫在一起。我只是不觉得我配得上更好的对象。

我不是反社会的人，这段关系也不会让我引以为傲，但是，在大多数时间里，我都能找到借口。玛丽今天之所以能看穿我的心思，代表我累了，比自己想象得脆弱，或者两者皆是。

“那可怜的女人呢，塞奇？”

那可怜的女人是亚当的妻子。那可怜的女人拥有我爱的男人和两个美好的孩子，而且平滑的脸上没有伤疤。那可怜女人想要的一切，全都被放在银托盘上送到了她面前。

我伸手拿来锐利的刀子，切开刚出炉的十字面包的表面。“就算你为自己难过，”玛丽继续说，“也该找个不会摧毁其他人生命的方式。”

我拿刀尖指着脸上的伤疤。“你觉得我想要这样？”我问道，“你难道以为我不想和其他人一样度过生命中的每一天，有个朝九晚五的工作，走在街上不会遇到孩子瞪着我看，还有个认为我漂亮的男人陪在身边？”

“你能拥有这一切。”玛丽将我拥入她的怀里，“只有你自己说不行。你不是坏人，塞奇。”

我想要相信她，我真的好想相信她。“那我猜，好人偶尔也会做坏事。”说完话，我从她怀里抽开身子。

我听到约瑟夫·韦伯来到面包店里，口齿清晰地表示要找我。我拉起围裙，用裙边擦擦双眼，然后拿起我特别放在一旁的面包和小袋子，把玛丽一个人留在烘焙室。

“你好！”我的语气轻快，太轻快了。我强装欢笑的模样让约瑟夫有些惊愕。我把一小袋为爱娃烤的狗饼干和面包塞到他手里。洛可不习惯看到我这么友善地招待客人。他本来正要把洗好的杯子放到架子上，却中途停了下来。“纳闷永不止息，涌自最阴沉黑暗之深处，遁世之人重返世间。”他说。

“‘深处’多了一个音节。”我狠狠指正洛可。我招手要约瑟夫走到空桌边。虽然我对于是否该主动找约瑟夫聊天仍有犹豫，但两者权衡之下，当然取其轻：我宁愿留在店里，也不想承受玛丽的质问。“我把昨晚烤得最成功的面包留给你。”

“法式短棍面包（*bâtard*）。”约瑟夫说。

这让我大感佩服，没有多少人说得出这种法国面包的正确名称。“你知道这名字怎么来的吗？”我切下几片面包，尽可能不去想玛丽和她的梦，“因为它不是圆形也不算长棍。就字面上来说，这个字是混种的意思。”

“谁想得到呢？连烘焙界都有阶级观念。”约瑟夫若有所思。

我知道这个面包烤得很好，光是闻就知道了。手工面包出炉会带着一种隐约的大地气味，就像森林深处的味道。我骄傲地看着面包上的气孔，约瑟夫愉快地闭上眼睛。“我太幸福了，能认识烘焙师傅本人。”

“说到这里……你曾经在我朋友儿子参加的少年棒球赛担任过裁判。他叫布莱恩·兰卡斯特。”

他皱着眉，摇摇头。“那是好几年前的事了。我记不住每个球员的名字。”

我们闲聊着天气、爱娃，也提到我最喜欢的糕点配方。在玛丽在关店时，我们仍然在聊天。她先是热切地拥抱我，然后表示不只上帝爱我，而且她也同样爱我。定时器响起时，我虽然必须在店面与烘焙室之间来来回回，但我们仍然继续聊天。这对我来说太不寻常，因为我从不聊天。谈话中，我甚至会忘记低头或用头发掩饰我脸上的疤痕。但约瑟夫若不是太有礼貌，就是尴尬到不想讲，或者说——仅仅是可能罢了，他觉得我有更吸引人的地方。看他的表现，好像面包店是他此时此刻在这个世上的最佳去处，而且他只想和我交谈。一定是这个特质，让他成为所有人心中最好的老师、裁判和祖父人选。成为某个人出自善意的关注对象，而不是被拿来当怪物看，这种晕陶陶的喜悦让我忘记隐藏。

“你在这里住多久了？”聊了超过一个小时之后，我这么问他。

“二十二年。”约瑟夫说，“我本来住在加拿大。”

“嗯，如果你想找的是一个从未发生任何大事的小区，那么你真是找对了地方。”

约瑟夫微笑着说：“我想也是。”

“你有亲人住在这里吗？”

我发现他拿起咖啡杯的双手轻颤。“什么人也没有。”约瑟夫回答，接着他站了起来，说，“我该走了。”

我的胃部一阵翻搅，我让他不自在了。没有人比我更了解什么叫作不自在。我脱口说：“对不起，我不是故意这么没礼貌的。我不常和人聊天。”我对着他毫不矫饰的微笑，以唯一我知道的方式来弥补，说出自己不轻易说出口的上锁的秘密，如此一来，我也和他一样失去了遮掩。“我也没有亲人，”我开始自白，“我今年二十五岁，双亲都过世了。他们没办法看着我出嫁，我也不可能在感恩节带着他们的孙子去探视。我的两个姐姐和我完全不同，她们开的是休旅车，会去看足球联赛，事业有成而且有奖金可领，虽然她们否认，但她们其实恨我。”这些话从我嘴里像流水般冒了出来，光这么说，我觉得自己就要溺毙，“但这些都不是我身边没人的最重要原因。”

我用颤抖的手拨开遮住脸的头发。

我熟知他看见的每一寸皮肤：盘踞在左眼角的皱褶，划过眉毛的银痂，不甚成功的植皮手术所留下的不规则痕迹，因颊骨受伤而跟着上扬的歪斜嘴角，以及头皮上被我刻意用刘海遮住、再也长不出头发的秃痕。这是一张怪物的脸孔。

我无法解释，不懂我为什么会选择一个像约瑟夫这样的陌生人来表白。也许是因为寂寞就像镜子，会辨认出同类。我放下手，让头发再次遮住伤疤。我只希望掩饰内心的伤痕也能这么简单。

约瑟夫没有辜负自己的好名望。他不显得惊愕也没有退缩，反而直视我的双眼，“也许现在，”他回答我，“我们有了彼此。”

第二天早上，我在开车下班路上经过了亚当家。我停在街上，摇下车窗盯着横过他家庭院的足球网、家门口的脚垫，和阳光下斜靠在车道上的莱姆绿脚踏车。

我开始幻想起坐在餐桌边，由我分盛面条而亚当递上色拉的感觉。我纳闷地想，厨房墙壁不知会是黄色还是白色，不知道在某人做了法国土司当早餐之后，流理台上还有没有面包——我略带批评地想，面包很可能是店里买来而不是自己烤的。

他家大门突然打开。尽管不相信夏侬会看见我，我仍然大声咒骂，压低身子往椅背缩。她边走边拉皮包的拉链，按下汽车遥控器打开门锁。“快点，”她大声说，“我们要迟到了。”

不一会儿，咳得厉害的葛丽丝摇摇晃晃走出来。

“遮住嘴巴。”她母亲说。

我发现自己屏住了呼吸。葛丽丝很像夏侬，仿佛是缩小版。这对母女有相同的金发、精致的五官，连走路的样子都像。“我还能去夏令营吗？”葛丽丝可怜兮兮地问。

“如果你支气管发炎就不能去。”夏依说完话，两个人都坐进车里，开车离开。

亚当没说他女儿病了。

但话说回来，他何必告诉我？我无权干预他的家庭生活。

我开车离开时，明白自己不会去订飞往堪萨斯市的机票，我绝对不可能去订机票的。

结果我不是开车回家，而是在iPhone里搜寻约瑟夫的地址。他住在一条死巷的尽头，就在我把车停在路边车位，正想为自己编出个来探望他的理由时，他敲了敲我的车窗。“真的是你。”约瑟夫说。

他拎着爱娃狗绳的拉环，小狗在他脚边绕圈圈。“什么风把你吹到这里来的？”

我考虑是否该说自己只是恰好路过，说我转错了路口。要不然，就是说我有个朋友住在这里。但结果我没找理由，而是说出实话。“来找你。”

他的脸上出现了一抹笑容。“那你一定得进来喝杯茶。”他坚持道。

他家的装潢和我想象的不同。花布沙发靠背上披着蕾丝编织，看得见灰尘的炉台上放了几张照片，架子上摆了几尊德国喜姆瓷偶。这地方充满了看似无形却真实存在的女性痕迹。“你结婚了。”我喃喃地说。

“曾经是，”约瑟夫说，“我和玛塔度过了五十一年美好的婚姻生活，和不怎么美好的一年。”

我顿时明白了，这一定是他来参加疗愈辅导的原因。“真遗憾。”

“我也是。”他沉重地说。他拿出他杯子里的茶包，仔细地缠在茶匙上，“每星期三晚上，她会提醒我把垃圾桶拿到路边去。五十年间我从来没忘记过，但她从来也没让我有那种机会。她逼得我简直要发疯。但是现在呢，我愿意不计一切换回她的提醒。”

“我大学差点被退学，”我回应，“我母亲亲自搬进我的宿舍，拉我起床，要我和她一起念书。我当时觉得自己是世上最失败的人。现在我才知道自己有多幸运。”我伸手拍爱娃毛发柔顺的脑袋，“约瑟夫，”我问，“你曾经有那种感觉，觉得自己就要失去她吗？比如说，你没办法在脑子里清楚听到她说话的音调，或是你不记得她香水的味道？”

他摇摇头。“我的问题正好相反，”他说，“我忘不掉他。”

“他？”

“她，”约瑟夫更正，“都这么久了，我还是会混淆德文和英文。”

我的目光停留在约瑟夫身后餐具柜上的棋组。棋子雕刻精美，士兵刻得像小独角兽，车成了人马兽，一对马则像极了武士，皇后人鱼般的尾巴盘在底座边，造型像吸血鬼的国王歪着头，露出白牙。“太漂亮了。”我倒抽一口气，靠上前去看个仔细，“我从来没看过这样的棋组。”

约瑟夫轻声笑了出来。“那是因为世上只有这一组，是我家族的传家宝。”

我以更加钦羡的目光凝视这棋盘上毫无瑕疵的樱桃木和槭木镶工，端详美人鱼的珠宝眼眸。“美极了。”

“没错，我弟弟很有艺术天分。”约瑟夫轻柔地说。

“他自己做的？”

我拿起吸血鬼国王，抚过棋子光滑的头顶。

“你下棋吗？”我问道。

“好几年没玩了。玛塔没耐心下棋。”他抬起头，“你呢？”

“我的棋艺不太好。下棋至少要能看出五步棋。”

“下棋全靠策略，”约瑟夫说，“还有，要保护你的主子。”

“为什么会以神话里的动物来造型？”我问道。

“我弟弟相信所有的神话人物，包括小精灵、龙、狼人和诚实的人。”

我发现自己又想到了亚当，想到他女儿边咳边请小儿科医师检查她的肺。“说不定，”我说，“你可以把你下棋的技巧教给我。”

约瑟夫成了“每日食粮”的常客。他通常在打烊前到，这样一来，我们可以在他晚上离开、我开始工作之前聊半个小时。每当约瑟夫出现，洛可便会朝烘焙室喊，说我的“男朋友”到了。玛丽从圣坛帮他摘来萱草，教他如何在后院栽种。她甚至以为在她关上店门打烊之后，我会确认约瑟夫安全回到家。到最后，我为爱娃烤的狗饼干也被列入了面包店的菜单。

我们提到约瑟夫还在高中任教时我的几名老师。马曲尼克先生曾经在监考时睡着，连假发都掉了。费爱罗女士在保姆请病假时会把幼龄小儿子带到学校来，硬把他放在计算机实习室里，要他玩芝麻街的游戏。我们聊到他奶奶的奥式派饼配方，他告诉我，在爱娃之前，他养了一只名叫威利的雪纳瑞犬，如果他没关好洗手间的门，威利会扯下卫生纸裹在自己身上。约瑟夫承认，在既不工作也没固定当义工的情况下，他不太知道该怎么打发时间。

而我呢，我发现自己娓娓道出压抑许久的话题，像是猛然打开了纺织娘的嫁妆箱。我告诉约瑟夫，有次，我和母亲一起去逛街，她试穿了一件尺寸太小的衣服，最后我们不得不买下，因为除非用扯的，否则衣服脱不下来。我也告诉他，在那次试穿事件过后的好几年当中，只要一提到无袖洋装，我们仍然会笑个不停。我说，我父亲在逾越节会模仿唐老鸭的声音诵读经文，他并非不敬，只是这么说话可以逗他的几个女儿开心大笑。在我们的生日那天，我母亲会让我们拿最喜欢的甜点当早餐；我们姐妹发烧时，她光是用手碰触我们的额头，就可以测得我们的温度，误差不超过零点二度。我告诉他，我小时候相信我衣柜里住了怪物，结果有连续一个月的时间，父亲不得不坐在百叶双拉门前睡觉，以免怪兽在夜里跑出来。我母亲教我们怎么拉出折角笔直的床单；我父亲则教我们把西瓜籽从两排牙齿之间吐出来。回忆宛如魔术师从袖口变出来的纸花朵：从原本的不见踪影到最后变得既真实又生动，让我无法相信自己将这些回忆隐藏了这么久。而就像这些纸花一样，回忆一旦得到释放，便无法收回。

逐渐地，我陆续取消和亚当的约会，在我眼皮沉重、不得不回家休息之前，会把那个小时拿来在约瑟夫的家里下棋。他教我如何坚守棋局，除非绝对必要，否则连小兵都不可放弃，也教我如何衡量每个骑士、主教、车和士兵的价值，才能作出判断。

在我们下棋时，约瑟夫会问我问题。我母亲是否和我一样都有一头红发？我父亲转行到工业界当业务员之后，是否怀念餐厅业？他们有没有品尝过我烘焙的糕点？就算是最难以启齿的答案——比如说我从来没有为我父亲或母亲烘焙——也不会像一两年前一样，好像一出口就灼伤我自己的舌头。我发现，与另一个人分享过去，是一种和自己闷着头回想完全不同的经验。比较不像创伤，而像是在伤口上敷药。

两星期后，约瑟夫和我一同开车参加哀伤辅导小组的聚会。我们比邻而坐，在其他成员发言时，我们之间仿佛有一种微妙的心电感应。有时候他会发现我在看他而强压下笑容，有时候我则会对他翻翻白眼。我们突然成了共谋的伙伴。

这天，我们的谈话主题是人死后的遭遇。“我们会暂时停留下来，”玛吉问道，“照顾我们心爱的人吗？”

“我觉得会。我不时会感觉到席雅拉还在我身边，”斯图尔特说，“在那种时候，空气会变得比较潮湿。”

“嗯，我觉得这种想法——认为灵魂会和我们留在一起——很自私，”茜拉立刻接着说，“他们会上天堂。”

“每个人都会上天堂？”

“每个有信仰的人都会。”她修正自己的发言。

茜拉是个经过体验之后才接受基督教福音的人，她会这么说并不让人惊讶。但是这个说法仍然让我不太舒服，好像她是刻意要指出我的失格。

“我母亲住院时，”我说，“祭司说了一个故事。不管在天堂还是地狱，所有人都坐在一张摆满美食的桌边，但是没有人能够弯曲肘关节。在地狱，每个人都处在饥饿状态，因为他们没办法自己进食。但是在天堂呢，大伙儿都吃得很饱，因为彼此喂食不需要弯曲肘关节。”

我可以感觉得到，约瑟夫正看着我。

“韦伯先生？”玛吉催促他发言。

我本来以为约瑟夫会不理她，要不就是和平常一样摇摇头。但是我惊讶地听到他开口说：“人死了就死了，一切都结束了。”

这番直率的发言犹如一面布幕，罩住了所有人。“请允许我先离开。”说完话，他走出了会议室。

他在教堂的走廊上等我。“你刚刚说的，有关盛宴的故事，”约瑟夫说，“你真的相信吗？”

“我想要相信，”我说，“为了我母亲而相信。”

“但是你的祭司——”

“不是我的，是我母亲的祭司。”我朝门口走去。

“你相信死后还有另一个世界？”约瑟夫好奇地问。

“而你不相信。”

“我相信地狱……但这里是人间。”他摇摇头，“好像好人坏人真就这么容易区分似的，每个人都可以同时是两者。”

“你不觉得其中有一个角色会比另一个强？”

约瑟夫停下脚步，说：“你说呢？”

这几个字仿佛有热度，我的伤疤开始发烫。“你为什么从来没问过，”我突然说，“事情是怎么发生的？”

“什么事情是怎么发生的？”

我比划手势，在脸孔前面凭空画个圆圈。

“哦，好。很久以前，有人曾经告诉过我，如果时候到了，故事会为自己说个分明。我猜，时间还没到。”

这个念头很奇怪，我的遭遇不该由我来叙述，而是一件与我完全无关的事。我怀疑这可能就是我长久以来的问题所在，我没办法区分这二者。“我出了车祸。”我说。

约瑟夫点点头，等我继续说。

“受伤的不只我一个人。”尽管这些话让我窒息，但我仍然说了出来。

“但是你活了下来。”他轻轻地碰触我的肩膀，“也许这才是重点。”

我摇摇头。“我希望我能这么想。”

约瑟夫看着我。“我们难道不都如此。”他说。

隔天约瑟夫没到面包店来，又过了一天仍然没出现。唯一有可能的结论是，约瑟夫陷入昏迷躺在床上，要不然就是更糟。

我在“每日食粮”工作这么多年，从未让面包店在晚上无人看顾。夜间工作紧凑，我必须以军事化的精准度来安排分割面团、揉出上百条面包的进度，让它们在送进烤炉之前发酵完成。晚上的面包店活了过来，仿佛会呼吸，每个工作台上都有新的舞伴。只要时间没掌握住，我会发现自己独自置身在一团混乱当中。这天，我意识到自己情绪狂乱，我想在最短的时间内制作出数量相同的面包。随后我才明白，如果不先到约瑟夫家里看看，确认他是否还在呼吸的话，我怎么做都没有用。

我开车过去，看到他家厨房亮着灯。爱娃立刻吠了起来，约瑟夫拉开前门。“塞奇。”他惊讶地喊我。他拿着一条白手帕用力擤鼻子。“没事吧？”

“你感冒了。”我说出显而易见的事实。

“你跑大老远过来，就为了告诉我一件我早已知道的事？”

“不是的，我以为——我是说，我想过来看一下，因为我好几天没看到你了。”

“啊。你自己也看得见，我好好站在这里。”他招呼我，“要进来坐吗？”

“没办法，”我说，“我得回去工作。”但是我没有转身离开，

“你没到店里来，所以我才会担心。”

他犹豫了，手仍然握着门把。“所以，你来看我是不是还活着？”

“我来探望朋友的状况。”

“朋友，”约瑟夫重复我的话，笑了开来，“我们现在算是朋友了吗？”

一个二十五岁的毁容女人和一名九旬老翁？我想，这个组合一定很奇特。

“衷心希望如此。”约瑟夫用正式的措辞说，“塞奇，我们明天见。你现在得回店里去，好让我明天喝咖啡时有面包可以吃。”

二十分钟之后，我回到烘焙室，按下五六个响个不停的定时器，评估在我这个擅离职守的期间有多少损失。有些面团发酵过度，有些已经变形塌陷。我这一整晚的心血都受到了影响，而玛丽一定大惊失色，明天上门的顾客可能得空手而回。

我哭了出来。

我不确定自己为什么哭，是为了烘焙室一团乱，还是因为我不知道自己在刚认识约瑟夫时就可能失去他，会带来多大的伤痛，我不知道自己还能承受多大的损失。

我只愿自己能替母亲烘焙，为她烤圆面包、巧克力面包和松软的吐司，高高堆在她在天堂里的桌子上，我希望自己是那个喂她吃东西的人。但是我不行，就像约瑟夫说的，无论我们这些留下来的人有多想让自己相信死后的世界，一切都结束了。

但是这些，我环顾烘焙室，我能够收拾眼前的情况。我可以迅速处理面团，让面团再次膨胀起来。

于是我开始动手揉，不停地揉。

第二天，奇迹发生了。

一开始，玛丽紧抿着嘴，我昨晚表现欠佳，让她生气了。她切开意式巧巴达面包，叹着气说："我该怎么办，塞奇？要客人多走几步，到鲁迪的店里去买面包？"

鲁迪是我们的竞争对手。"你可以给他们兑换券。"

"拿兑换券换来的花生酱三明治最难吃了。"

她问我昨晚究竟发生了什么事，我说谎，告诉她我头痛，睡了两个小时。"不会有下一次了。"

玛丽撇下嘴，这表示她还没原谅我。接着，她拿起一片面包准备涂上草莓果酱。

但是她没动手。

"耶稣，圣母，圣约瑟夫！"她倒抽一口气丢下面包，仿佛被烧到了手指。她指着面包。

切开的面包内侧气孔排列出一个图案。你可以从大小不一的气孔分辨出面包是否是手工制作，机器生产的面包（其实就营养成分而言，几乎不能算是面包）则有均匀的小气孔。

"你看到他了吗？"

我眯起眼睛用力看，勉强看出类似一张脸孔的图案。

但接着就越来越清楚了：胡子，荆棘头冠。

看来，我在面包里烤出一张耶稣的脸孔。

最早前来观赏店里这个小奇迹的，是在圣坛纪念品店工作的几个女人，她们拿着那片面包一起拍照。接着，圣坛的杜普瑞神父也来了。“真是惊人。”他透过变焦眼镜的边缘凝视那片面包。

到了这时候，面包已经不新鲜了。当然了，玛丽还没切开的另一段面包上也有对称的耶稣脸孔。我突然想到，面包切得越薄，我们就会看到越多耶稣的化身。

“真正的重点不在于主耶稣现身，”杜普瑞神父告诉玛丽，“他一直都在。问题是，他为什么选择在这个时间点出现。”

洛可和我置身事外看这件事，我们双臂交叠，靠在柜台上。“天哪。”我喃喃地说。

他嗤之以鼻。“就是说，看来，你烤出了圣父、圣子和圣吐司。”

门被人推了开来，一个满头棕色鬈发的记者走进来，后面跟了个虎背熊腰的摄影师。“耶稣显灵的面包在这里吗？”

玛丽往前踏出几步。“是的。我是玛丽·德安吉利斯，面包店老板。”

“太好了。”记者说，“我是WMUR电台的哈莉叶·亚洛。我们想找你和你的员工聊聊。去年我们做了一个很有人情味的报道，内容是一个伐木工在砍下的树干上看到圣母玛利亚，于是他把自己锁在残株上，以阻止伐木公司砍伐这片森林。那是二〇一二年收视率最高的报道。我们开拍了吗？开始了？好。”

在她采访玛丽和杜普瑞神父的时候，我躲在洛可身后。洛可这时已经卖出了三条法式长棍面包，一杯热巧克力和一条杜兰小麦粉面包。接着，哈莉叶把麦克风递到我面前。“这位是烘焙师傅吗？”她问玛丽。

摄影机巨大的镜头上方有个红灯，录像时会亮起。我瞪着灯，想到全国观众都会在午间新闻里看到我，简直吓坏了。尴尬让我涨红了双颊，我俯下头，想抹灭我的脸。摄影师录下了多少镜头？在我低下头之前，他是否短暂录到了我的伤疤？还是说，拍摄的时间足够让电视机前的孩子看了会吓得把汤匙掉进碗里，孩子的母亲会关掉电视，免得孩子晚上做噩梦？“我得走了。”我含糊不清地说完话，立刻冲进烘焙室，然后从后门离开。

我每天走两趟圣梯。每个人来到圣殿多半是为了看那座辽阔玫瑰园，但是我喜欢山丘顶上的小静室，玛丽把这里的花草种植得像是莫奈的花园。这地方少有人来，这也是我钟情此地的原因。

正因为如此，听到有脚步声接近，我才会觉得惊讶。我看到约瑟夫气喘吁吁地依着扶手，赶忙上前扶他。“店里发生了什么事？有哪个名人来喝咖啡吗？”

“应该是吧。玛丽觉得她在我烤出来的面包上看到了耶稣的脸。”

我以为他会出口嘲笑，但约瑟夫歪着头，思考起来。“我的看法是，上帝倾向在我们意想不到的地方出现。”

“你相信上帝？”这下我真的惊讶了。在我们讨论过天堂与地狱之后，我以为他也是个无神论者。

“是啊，”约瑟夫回答，“我们到了最后一刻，都会由他来审判。我说的是旧约里的上帝，你是犹太人，一定懂。”

遭到隔离、不被认同的痛苦又出现了。“我从来没说过我是犹太人。”

这会儿，轮到他惊讶了。“但是你的母亲——”

“——不是我。”

他的脸上闪过好几种不同的情绪，似乎进退两难。“犹太女人生下的孩子就是犹太人。”

“这要看你问话的对象是谁。现在我想知道的，是你为什么要问。”

“我无意冒犯，”他生硬地说，“我想请你帮忙，只是想先确认自己找对了人，确认你是不是我心里想的对象。”约瑟夫深吸了一口气，然后一口气说，“我想请你帮我结束我的生命。”这串话悬在我们两个人之间。

“什么？”我惊讶地问，“为什么？”

他大概是老糊涂了。然而约瑟夫的双眼炯炯有神。“我知道这是个让人惊讶的要求……”

“惊讶？说疯狂比较恰当——”

“我自有理由，”约瑟夫很固执，“请你相信我。”

我往后退了一步。“你该走了。”

“拜托你，”约瑟夫恳求地说，“就像你形容下棋一样，我只是提前看出了五步棋。”

这番话让我顿住了。“你病了吗？”

“医生说，我的身体比实际年龄健康多了。这是上帝开的玩笑，他让我身强体健，就算我想死也走不了。我罹患癌症两次，出过一次车祸，摔断过髋骨，愿上帝宽恕我，我甚至吞过一整瓶安眠药，刚好被一个挨家发传单的耶和华见证人从窗口看到我倒在地板上。”

“你为什么想自杀？”

“因为我该死，塞奇，我理当要死。而你可以帮我的忙。”他犹豫了，“你那天让我看了你的伤疤，我只希望你也能看看我的。”

我突然发现，除了他对我透露的信息之外，我对这个男人一无所知。而如今，他显然已经作出选择，要我协助他自杀。“听着，约瑟夫，”我轻柔地说，“你需要协助，但不是你想的那样。我不会随便谋杀人。”

“你也许不会。”他伸手从口袋里掏出一张揉皱的老照片，塞进我手里。

照片里的男人比约瑟夫年轻多了，但是他们的发际前端同样有个风流尖，有相同的鹰勾鼻，五官也几乎一模一样。年轻男人穿着纳粹党卫队的黑衫制服，脸上带着微笑。

“可是我会。”他说。

达米安高举着手，士兵在他身后大笑。我往上跳，想抓下铜板，但是我不但没拿到，还绊了一跤。这时虽然才十月，但冬天的第一道冷风已经出现，凉意让我的双手发麻。达米安伸出钳子般的手臂拉住我，让我紧贴在他身边，他制服上的银扣子压着我的脸。“放开我。”我咬着牙说。

“听听看，”他龇牙咧嘴地笑着说，“用这种态度和付了钱的客人说话好吗？”他买下最后一条长棍面包，只要我拿到他的钱，就可以回家找父亲。

我四处张望，看着其他商贩。老萨正在搅拌她桶子里剩下的鲱鱼；法鲁克收拾他的丝布，刻意避开这场冲突。他们清楚得很：最好不要和警卫队长为敌。

“你的礼貌哪里去了，安妮雅？”达米安责骂我。

“请你放开我！”

他看了手下士兵一眼。“她开口求我了，听起来顺耳多了，对吧？”

别的女孩疯狂迷恋达米安闪亮夺目的银色眼眸，想知道他的头发究竟是和黑夜还是和乌鸦的羽翼一样黑；想知道他的微笑为什么会像魔法一样，夺走她们思考或说话的能力。但是我看不出他的吸引力何在。达米安可能是村里最有价值的黄金单身汉，但是他会让我联想到万圣节后在门廊下放了太久的南瓜——看起来可爱，但是碰触之后，才发现连瓜心都烂透了。

不幸的是，达米安喜欢挑战。从十岁到一百岁的女人当中，既然只有我一个人不受他的魅力所惑，那么我注定成为他的目标。

他放下仍然拿着铜板的手，掐住我的脖子。我感觉得到铜板压挤着我的颈动脉。他将我压在菜贩手推车的木板上，仿佛想提醒我：对他来说，杀我是一件易如反掌的事，他远比我强壮。但接着他往前靠，嫁给我，他低声说，你再也不必担心缴不出税金。他抓着我的喉咙，硬是吻了我。

我猛地咬上他的嘴唇，咬得他流血。他一放手，我立刻抓起装面包到市场卖的篮子往前跑。

我决定不要把这件事告诉父亲，他的烦恼已经够多了。

我越往林子深处跑，就越是能闻到家里火炉燃烧的泥煤味。要不了多久，我就可以回到家，父亲会把他特别为我烤的面包拿给我，让我坐在桌边，把村里发生的故事告诉他：双胞胎躲到法鲁克一捆捆布匹下，他们的母亲找不到孩子，差点发疯；胖泰迪坚持试吃市场上每个摊位上的起司，肚子越吃越大，但什么也没买。我要告诉他，今天有个我从来没见过的男人到市场上来，他带了一个少年，应该是他弟弟，但是这个弟弟看起来应该是弱智，头戴皮面罩，只有口鼻处挖了孔来呼吸，手上也套了皮手铐，由哥哥紧紧拉住系在手铐上的拉绳。这个男人经过我的面包摊、果菜摊和其他卖杂货的摊位，到肉摊买了一块肋排，但他身上钱不够，于是脱下毛外套。他说：拿去，我只剩这个了。接着，他边发抖边穿过广场，他弟弟紧紧抓着刚买来的肉。他说：你马上吃得到了。随后便消失了踪影。

父亲会为这对兄弟编故事。他们应该是从马戏团的火车上跳下来的，说不定是谋杀犯，正在观察巴鲁克·贝勒的大宅。这时候，我会边笑边吃爸爸为我烤的面包，在火炉前面取暖，而父亲则要准备下一批面包。

茅屋和主屋之间有条小溪，父亲在上面架了一块木板，方便我们来来去去。今天我走到溪边，弯下腰喝水，掬水想洗掉刚才达米安留在我嘴唇上的苦味。

溪水是红色的。

我放下手上的篮子，沿着木板往前走，靴子陷进了湿泥当中。接着，我看到了。

有个男人躺在溪水中，半个身子浸在水里。他的喉咙和胸口被扯了开来，血肉模糊，血水喷得好远，划下一片让我不想靠近的疆界。我放声尖叫。

到处都是血，沾在他的脸上，黏在他的头发上。

血水太多，许久之后，我才认出那男人是我父亲。

塞奇

照片里的军人在笑，仿佛有人刚说了个笑话。他的左腿以木板支撑固定，右手拿着手枪，站在营房前面，整个画面让我想起从前看过的一些照片，出征士兵脸上虚张的声势，宛如涂抹过量的刮胡乳液。这张脸孔的主人对自己的角色没有质疑，显然乐在其中。

照片里没有别人，但是在白框之外，人影犹如盘旋的鬼魂：每个俘虏都知道，最好不要在纳粹士兵身边出现。

照片里的男人有一头浅色的头发，双肩宽阔，一副信心十足的模样。我实在难以将他和那个诉说自己一路走来失去太多亲友的男人连在一起。

但是话说回来，这种事何必撒谎？你骗人是为了说服别人，让他们以为你不是怪物……而不是相反。

但如果约瑟夫说的是实情，那么他何必让自己在小区里如此引人注目？他教书、训练球员，在光天化日之下四处走动？

“你看到了，”约瑟夫想把我手上的照片收回去，“我是纳粹党卫队骷髅军团的成员。”

“我不相信。”我说。

约瑟夫惊讶地看着我。“如果不是真的，我何必向你坦承自己做过骇人听闻的事？”

“我不知道，”我回答，“你说呢？”

“因为你是犹太人。”

我闭上眼睛，想拨开脑子里一团混乱的思绪，从中找出一条路。我不是犹太人，虽然约瑟夫认定这是事实，可是这么多年来，我不曾把自己当犹太人看。但如果我不是犹太人，为什么看着他身穿亲卫队制服的照片会让我如此反胃，觉得整件事冲着我而来？

而且，为什么听到约瑟夫将我定位、贴上标签，想到在这么久之后，他仍然觉得犹太人可以彼此替代交换，我会这么恼怒？

当下，我打心里觉得厌恶。在那一刻，我认为我能够杀了他。

“上帝让我活这么久是有理由的。他要我体验他们的感受。他们求生却不得其门而入，我只求一死，却不能如愿。就因为这样，我才想请你帮忙。”

你问过任何一个犹太人他们想要什么吗？

以牙还牙，以一己换太多条性命。

“我不会杀你的，约瑟夫。”我说完，推开了他，但他的声音让我停下动作。

“拜托。这是垂死之人的最后愿望，”他恳求，“或者你可以当作是求死之人的心愿。这两者没有不同。”

他糊涂了。他觉得他是某种吸血鬼，是他棋盘上的国王，困在自己的罪孽当中。他以为，若我杀了他，《圣经》中的正义便得以伸张，业障得以消除，他取走太多犹太人的生命，理当死在一个犹太人手中。我知道这个想法的逻辑不正确，而就情感而言，我也不想顺他的心，我不会让他以为我真的会考虑。

但我不能就这样走开，假装我们从未谈过这番话。就算我走在路上碰到有人来找我告白，说他犯过谋杀案，我也不能置之不理。我会找个知道怎么处理的人来解决这件事。

这件谋杀案虽然发生距今有将近七十年，但这没有差别。

我仍然没回过神，看着这张党卫队军官的照片，我想知道他怎么会成为今天站在我面前的男人，在众目睽睽之下躲藏了半世纪之久。

我曾经和约瑟夫一同欢笑，向他吐露过秘密，也一起下过棋。他身后就是玛丽打造的莫奈花园，里头种了大理花、甜豆、玫瑰、绣球花、飞燕草，还有附子花。我想起几星期之前她说的话：就算是最美丽的事物，也可能带来危害。

两年前，约翰·德米扬鲁克[①]的审判案登上新闻版面。我没有持续追踪这条新闻，但是我记得这个垂垂老人坐在轮椅上被人从家里推出来的场面。显然，这个世界上仍然有人在起诉从前的纳粹分子。

但那些人是谁？

如果约瑟夫说的是谎话，我必须弄清楚原因。但如果他说的是实情，那么，我在无意间踏入历史，成为了当中的一部分。

我需要时间来思考，而且我必须让他以为我和他站在同一阵线。

我转身将照片交给他。我想着年轻的约瑟夫穿着军服，拿起枪射杀他人。我想到我在高中历史课本上看到的照片：形销骨立的犹太人扛着另一个犹太人的尸体。“在我决定是否要帮你之前……我必须知道你做了什么事。”我慢慢地说。

憋了许久之后，约瑟夫终于呼出一口气。“所以，你没有拒绝，”他谨慎地说，“很好。”

---

① 约翰·德米扬鲁克（John Demjanjuk，1920–2012）：于一九五二年移民至美国，以美籍汽车工人身份退休。一九八六年被引渡至以色列，以二战期间之战争罪行受审，经指认曾于大屠杀中谋杀残害众多集中营里的犹太囚犯。二〇一一年审讯结束，谋杀罪名成立，判处监禁五年。

“一点儿也不好。”我纠正他。

然后跑下圣坛阶梯，丢下他一个人。

我连续走了好几个小时。我知道约瑟夫从圣坛下来之后会到面包店找我，到时候我不想在场。等我走回面包店时，我的极乐之地已经破碎。一群坐在轮椅上的虚弱长者缓缓从前门离开，几个修女在洗手间走廊旁边的夹竹桃丛边跪下来祈祷。不知怎么的，我才离开一会儿，面包上出现耶稣脸孔的消息便已经流传了出去。

玛丽站在洛可身边。洛可把辫子头扎成一把整齐的马尾，用垫着酒红色布巾的托盘端着那条面包。有个母亲站在他们面前，她推着电动轮椅上二十来岁的儿子。“基思，你看，”她拿起面包，靠在儿子半握的拳头边，“你碰得到他吗？”

玛丽看到我回来，于是要洛可接手继续。她勾起我的手臂，带我走进厨房。她双颊红润，经过梳理的深色头发闪闪发光，而且，天哪，难道她化了妆？“你跑到哪里去了？”她责难地说，“你错过了所有精彩场面！”

那是她片面的看法。“是吗？”

“午间新闻开播后的十分钟，人潮就开始涌现了。老的、病的，所有想摸那条面包的人都来了。”

我只想到如果真有那么多人摸过，那条面包上应该都是细菌了。

“我的问题可能有点儿蠢，”我说，“但是，为什么？”

“想得到疗愈。”玛丽回答。

“对极了。疾病管理局早该从面包里找到癌症解药才对。”

“去告诉发现青霉素的科学家吧。”玛丽说。

“玛丽，如果那根本与奇迹无关呢？如果只是面筋凑巧黏在一起呢？”

“我不这么想。总之，这仍然称得上奇迹，”玛丽说，“因为这让绝望的人重新燃起希望。”

我又想到了约瑟夫和集中营里的犹太人。当一个人因为信仰而遭到凌虐，那么宗教是否还是明灯？刚才那个带着重残儿子的母亲相信什么？是面包里可以帮助他们的救世主，还是一开始就让她儿子用这种方式来到人间的神？

“你应该要兴奋才对。每个来看这块面包的人，都带走了一些你烤出来的面包。”玛丽说。

“你说得对，”我低声咕哝，“我只是真的累了。”

“那么，赶快回家去。”玛丽看看手表，“因为我觉得明天的来客量会加倍增长。”

然而，离开面包店时，我遇见了好些来店里拍摄自己看到面包的客人，这时我已经打定主意去找个代班烘焙师来接替我。

亚当和我有个不成文的协议：我们不会在对方的工作场合出现。你永远不知道有谁会路过、有谁会认出你的车，何况他老板正好是夏侬的父亲。

我把车停在距离殡仪馆一个街口的位置，正因为这样，我再次想起了约瑟夫。他是否曾经有这种遭遇，某个刚认识的人对他勾勾指头，和颜悦色地说：“我好像在哪里见过你……”让他浑身冒冷汗？他是不是会盯着每一扇窗户看——但为的不是看自己的倒影，而是确认身后无人监视？

当然了，这也让我不得不怀疑我们的相遇是否纯属巧合，或是他经过一番搜寻，才找到像我这样的人。在这个少有犹太人的城市里，我不但是犹太后裔，而且还有张受伤的脸，这无疑是额外的好处，因为我太封闭，不可能冒着让大家注意到我的风险而把他的故事公之于世。我从来没对约瑟夫提起亚当的事，但他仍然在我身上看出了和他自己一样的愧疚之情，是这样吗？

还好，这时候没有葬礼。亚当的业务平稳，一直都有生意，但如果这时候正好在举行葬礼，那么我也不可能去打扰他。我一直到走近他公司后门的回收箱和大垃圾桶旁边时，才发简讯给他："我在后门外，有事找你谈。"

没一会儿，他便出来了，而且穿得像个外科医师。"你来这里做什么，塞奇？"尽管这里只有我们两个人，他仍然压低声音说话，"罗伯在楼上。"

罗伯是他的岳父。

"我今天过得很糟。"我几乎要哭出来了。

"我今天的工作很多。不能等吗？"

"拜托，"我恳求他，"五分钟就好。"

在他开口之前，他身旁的门口突然出现了一个满头白发的高个子男人。"你要不要告诉我，亚当，防腐室明明躺着客户等你处理，门为什么还大开？我以为你已经戒烟——"他这时才看到我。注意到我犹如毕加索画中的半张脸，他勉强露出笑容，"真抱歉，我可以为你效劳吗？"

"爸，"亚当说，"这是塞奇——"

"塞奇·麦菲，"我赶紧插嘴，并且稍微侧过脸，掩饰我的伤痕，"我是《缅因快报》的记者。"

等我发现报社名称听起来拗口时，已经太迟了。

“我正在准备一篇殡葬从业人员的报道。”我说。

亚当和我同时看着罗伯，后者则是上下打量我。我一身烘焙师傅的装扮：宽松T恤搭配宽长裤，脚上套着防滑塑料鞋。我相信，任何稍懂得自重的记者穿这身衣服来采访，一定会觉得无地自容。

“她上星期打过电话来，想安排时间。”亚当也跟着说谎。

罗伯点点头。“当然了，麦菲小姐，我很乐意解决所有亚当无法回答的问题。”

亚当显然松了一口气。“你何不跟我进来里头聊。”他握着我的手臂，带我走进他的公司。当他碰到我裸露在T恤外的皮肤时，我吓了一跳。

他带我走进大厅，我打了个冷战。殡仪馆的地下室很冷。亚当走进右边的一个房间，等我走进去之后立刻关上门。

桌上躺着一个一丝不挂，只盖着床单的老妇人。

“亚当，”我咽下口水，说，“她是不是……”

“呃，她不是在睡午觉，”他笑着说，“别这样，塞奇，你知道我是做哪一行的。”

“我没打算亲眼看你工作。”

“说是记者要写报道的也是你。你本来可以说自己是警察，要带我去警局。”

这地方闻起来像死亡，再加上冰冷的感觉和消毒药水的味道。我想投入亚当的怀里，但是门上有个窗户，罗伯或其他人随时可能从门前经过。

他犹豫了。“要不然，你可以朝其他方向看？因为我不能停下手边的工作，况且现在的天气太热。”

我点点头，瞪着墙壁看。我听到亚当拿起金属器械的声音，接着，有个东西开始嗡嗡作响。

我把约瑟夫的故事当成橡木的果实藏了起来，我还不打算分享，但是我也不想让种子生根。

一开始，我以为亚当用的是锯子，用眼角余光偷瞥之后，我才发现他正在为老妇人修脸。“你为什么要这么做？”

他拿着嗡嗡作响的电动刮胡刀修她的下巴。“每个人都要除毛，连小孩子也一样。细毛会让脸上的妆更明显，遗容是留给心爱的人看的，任何人都想让最后的容貌显得自然一些。”

他利落的动作和效率都让我着迷。我对于他生命中的这个层面了解太少，而我饥渴地想带走他的每个生命切片。“什么时候要开始为遗体作防腐处理？”

他抬起头来，显然没想到我会感兴趣。“在我整理过她的脸之后。在防腐剂进入她的血管之后，尸体会开始僵硬。”亚当在尸体的左眼皮下塞进一块棉花，然后在上面放了一片像是超大隐形眼镜般的塑料盖。“你来这里做什么，塞奇？你看来也没有急着想当入殓师的样子。你今天碰到什么事？”

“你有没有这种经验，有些人会告诉你一些事，但是你宁愿他们没说。”我脱口而出。

“我遇见的人通常都不能说话了。”我看着亚当拿线穿过针头，“但是他们的亲戚倒是滔滔不绝。通常他们说的，都是些在心爱的人死前早该说的话。”他拿着针头穿过下牙龈，接着穿过上牙龈，将缝线往鼻孔的方向拉，“我猜，我等于是最后一站，你懂吗？大家把遗憾都托付给我。”亚当带着微笑，说，“听起来有点诡异，对吧？”

针线经过横膜，穿到另一侧鼻孔，然后再拉回嘴里。“你为什么要问这些？”他问道。

“我今天和某个人谈了一些事，让我心里不舒服，我不确定该怎么处理。”

“说不定他根本不想要你处理。说不定，他只是需要听众。”

但事情没那么简单。亚当从逝者家属口中听到的都是“早知如此不该当初”的悔恨，而不是我真的做了某些事。一旦拉开手榴弹的安全插销，你就得行动。你得把手榴弹交给某个懂得拆卸炸弹的人，要不然，就是把它塞回当初拉开插销的那只手上。假使不这么做，你自己会被炸开。

亚当轻轻拉上缝线，让下巴不会脱开，但又必须显得自然。我想象约瑟夫死后也缝上了嘴，把所有秘密全封在里头。

在前往警察局的路上，我打了电话给罗贝娜·费纳托。她今年七十六岁，是意大利后裔，退休之后搬到威斯布鲁克。她已经不再具备全职烘焙师傅所需的精力，但是我曾经在一两次感冒无法工作时，请她代班。我告诉她该用哪些预先培养的预发酵母，以及计算面包生产量的配方表格放在哪里，以确保她的成果足以让玛丽放弃开除我的念头。

我要她转告玛丽，说我今晚会迟到。

自从我念高中时脚踏车被偷之后，我再也没走进警察局。当时，我母亲带我去报案。我记得，在同一时间，学校里一个风云女孩的父亲也被带进警局，时间不过下午四点钟，但他已经衣冠凌乱，满身酒气。他是本地保险公司的负责人，也是城里少数几户家里有游泳池的人。我记得那是我首次学到一件事——一个人表面上的模样不见得与真正的内在一致。

小窗口内值勤人员戴了鼻环，理着小平头，也许就是这样，她看着我靠近，连眼睛都没多眨一下。“有什么事需要我为你效劳吗？”

要怎么说出我的朋友好像是个纳粹，而不被人当疯子看待？

“我想找警探谈谈。”我说。

“有关于什么事呢？”

“情况很复杂。”

她眨眨眼。“说来听听吧。”

“我掌握了一些犯罪信息。”

她有点犹豫，似乎正在衡量我说的是否属实。接着，她写下我的名字。“请坐。”

警局里有一排椅子，但是我没坐下，而是站着看巨大布告栏上的通缉犯照片：全是些抛家弃子的老爹。上面还贴着一张消防安全讲座的传单。

“辛格小姐？”

我转过头，看到一个高个子男人，他一头灰发理得很短，皮肤和洛可端出来的拿铁颜色相同，他的腰带上系着配枪，脖子上挂着识别证。“我是威克斯警探，”他说话时看着我的脸，眼神停留得似乎太久了点，“可以请你进里头来吗？”

他输入密码打开一扇门，带我穿过狭窄的走廊，走进会议室。“请坐，要我帮你拿杯咖啡过来吗？”

“谢谢，我很好。”我告诉他。虽然我知道自己不是要接受审讯，但是当他关上门时，我还是有种陷入困境的感觉。

热潮沿着我的脖子往上爬，我开始出汗。如果警探觉得我在说谎怎么办？如果他开始细究呢？说不定我根本不该管这件事。我并不真的了解约瑟夫的过去，而且，就算他告诉我的是实话，事情都过了七十年，我们还能怎么办？

然而……

当纳粹带走我奶奶时，有多少德国人用相同的借口，对整件事视而不见？

“嗯，”威克斯警探说，“你要谈什么事？”

我深呼吸。“我认识一个可能曾经是纳粹的人。”

警探撇下嘴。“新纳粹组织的成员？”

“不是，是二次大战的纳粹分子。”

“这家伙几岁了？”威克斯问道。

“我不知道他的正确年龄，但大概九十多了。总之，推算起来，他的年龄符合。”

“你为什么会觉得他是纳粹分子？”

“他让我看过一张他穿制服的照片。”

“你能确定照片没经过处理？”

“你觉得这全是我编出来的。”我说。我太惊讶，想都没想就直视着警探的双眼，“我为什么要做这种事？”

“为什么会有上千个疯子打电话到警察局，唠唠叨叨地提供失踪儿童的信息？”威克斯耸耸肩，说，“我不想去推测人的心理。”

他话中带刺，我觉得脸上的伤疤变得滚烫。“我说的是实话。”为了省事，我没说出那个男人要求我杀了他。如果我说出来，无异是让他觉得我根本在开玩笑。

威克斯歪着头，我看得出来，他已经自有判断，但不是针对约瑟夫，而是冲着我来。很明显的，我想尽办法隐藏自己的脸孔，他一定会觉得我是否还藏了什么秘密。“这个人有没有什么特别的举止，能够证明他参与了当年纳粹的作为？”

“如果你要问的是他前额有没有贴纳粹党徽，没有。”我说，“但是他说话有德文腔，而且他曾经在高中教过德文。”

“等等，你说的是约瑟夫·韦伯吗？”威克斯说，“他和我上同一个教堂，一起唱圣诗。去年七月四日国庆节，他以年度市民楷模的身份带领游行队伍。这个人连一只蚊子都没杀过。”

“说不定他喜欢昆虫的程度胜过犹太人。”我冷冷地说。

威克斯往后靠向椅背。“辛格小姐，韦伯先生是不是说了什么让你觉得不舒服的话？”

“是的，”我说，“他说他是纳粹分子！”

“我是说，你们有没有争执，或是有什么误会。还是说，他是不是对你的……外貌作出什么不礼貌的批评。是不是有什么原因让你提出……这种指控。”

“我们是朋友，就是因为这样，他才会告诉我。”

“这不无可能，辛格小姐。但是，在掌握具体证据、相信遭指控者确实犯罪之前，警方不能逮捕他。没错，韦伯先生说话的确有德国口音，而且年纪很大。但是我从来没听过他发表任何种族或宗教歧视的言辞。”

“这不就是重点吗？我以为连续杀人魔在公开场合都表现得非常迷人，所以才没人猜得出他们的真面目，你打算拿我当疯子看吗？你甚至不肯去调查他做过什么事？”

“他做过什么事？”

我低头看着桌面。“我不知道他确实做了哪些事，这也是我来警局的原因。我原本以为你们可以帮我找出答案。”

威克斯久久地看着我。“留下你的联络方式好吗，辛格小姐，”

他向我提议，将纸笔推过来，“我来查查看，我们保持联络。”

我什么话也没说，草草写下自己的资料。怎么会有人相信我呢？塞奇·辛格，只在夜晚出没的毁容鬼魂。反观约瑟夫，在过去二十二年之间，他为自己建立了良好的名声，不但是威斯布鲁克备受欢迎的成员，还是个人道主义倡导者。

我把写下资料的纸交还给威克斯警探。“我知道你不会和我联络，”我淡淡地说，“我知道，只要我一走出门，你就会把纸条丢进垃圾桶里。但是我走进警局不是要说我在自家后院里看到飞碟。大屠杀是一件确实发生过的事，纳粹也曾经真的存在，当战争结束之后，这些人不会凭空消失。”

“但那是将近七十年前的事了。”威克斯警探说。

“我认为谋杀是没有追诉期限的。”我说完话，便走出了警察局会议室。

奶奶只用玻璃杯喝茶。从我有记忆以来，她一直都坚持这才是正确的喝茶方式，在她小时候，她的父母便是这么喝茶。当我坐在她厨房桌边，看着她忙碌地烧水、把犹太传统甜酥卷放在托盘上时，我突然惊觉：在她轻松聊起童年、谈着爷爷的时候，其实，在她的生命中有好几年的岁月，时光仿佛脱轨般完全静止。“真是惊喜，”奶奶说，“当然是美好的惊喜，但我还是很意外。”

“我来到附近，”我撒谎，“怎么可能不顺道过来？”

奶奶把托盘放在桌上。她个子娇小，大概只有一百五十公分出头，但以前我觉得她很高。她永远佩戴最美丽的珍珠耳环——那是爷爷送她的结婚礼物。她在炉台上放了一张纪念照，照片里，她深色的头发梳成了大波浪，苗条的身上裹着层层蕾丝和丝缎，看起来就像个电影明星。

从前她和爷爷一起经营古董书店，袖珍的小书店里走道狭窄，堆了几百本旧书。我母亲一向买新书，她不喜欢古老的精装本，也不爱裂开的书脊和破旧的布质封面。的确，你走进书店里不可能找到最新的畅销书，但是当你拿起一册旧书时，你会觉得仿佛在翻阅另一个人的生命。某人曾经和你一样爱过这个故事，某人曾把那本书放在背包里，或是在早餐桌旁、在巴黎的咖啡座里边喝咖啡边贪婪地阅读，接着在读完终曲之后哭着入睡。旧书店里的味道太容易辨认，弥漫着些许的湿霉，飘着一点灰尘。对我而言，那是历史的气味。

在买下旧书店之前，爷爷在一家小型学术出版社担任编辑，而据说奶奶曾经想当作家，但是我童年时期从来没看她写过比信件更长的文章。但是她真的爱读故事，这倒是千真万确。她总会让我坐在收款机旁边的玻璃柜台上，然后从上锁的柜子里拿出米恩①和巴里②的书，让我看书里的插图。等我再长大一些之后，她教我怎么从整捆牛皮纸中抽纸来为顾客包装，再和她一样，拿绳子在包装纸上打个结。

爷爷奶奶终究把书店卖给了土地开发商，这些人强势买下小型商店，着手改建成大卖场。我不知道确切的金额，但在爷爷过世这么多年之后，奶奶仍然可以靠这笔钱过日子。

“你才不是真的到附近来，”这时，她说了，“你这样子，和你爸爸从前对我说谎的时候一模一样。”

我笑了。“怎么说？”

“你们都好像吞下了一颗柠檬。有一次，你爸爸当时大概五岁左

---

① 米恩（A. A. Milne，1882–1956）：英国作家，作品包括《小熊维尼》。
② 巴里（J. M. Barrie，1860–1937）：苏格兰作家，《小飞侠彼得·潘》之作者。

右吧，他偷了我的洗甲水，我问他时，他还说谎。最后我在他放袜子的抽屉里找到，也告诉了他，结果他开始歇斯底里。原来他看了罐子上的标签，以为洗甲水会让原籍波兰的我消失①。他想在洗甲水发挥作用之前，先把东西藏起来。”奶奶笑了。“我真爱那个小男孩，”她叹了一口气，“做母亲的不该活得比孩子久。”

“活得比父母久也不是什么好玩的事。”我回答。

好一下子，阴霾罩住了她的脸。接着她靠上前来拥抱我。“瞧，你现在就没在说谎了。我知道你过来是因为你寂寞，塞奇。这没什么好难为情的。说不定现在，我们可以拥有彼此。”

我突然想到，约瑟夫也曾说过这句话。

“你该剪剪头发，”奶奶说，“没人看得清楚你的长相。”

我轻轻地哼了一声。我宁愿上街裸奔，也不要剪短头发露出我的脸。“那正是重点所在。”我说。

她歪着头。“我真不懂，是什么魔法让你眼中的自己和我们看到的都不一样，”她思索了一会儿，“也许你该改变生活方式，不要像怪物一样只在天黑之后才出门。”

“我是烘焙师傅。我必须在晚上工作。”

“是这样吗？还是说，你是因为工作时间的关系，才选择了这个职业？”奶奶问道。

“我来这里，不是为了听你质问我的职业选择……”

“当然不是。”她伸手拍拍我的脸——我受伤的那侧脸颊，还刻意让拇指在我皮肤上的伤痕上停留了一会儿，让我知道她不在意，而且我也不该放在心上，“你姐姐她们怎么样？”

---

① 洗甲水英文为“nail polish remover”，其中“polish”与波兰人（polish）同字异义，“remover”意为“去除剂”，因此会有文中的误会。

“我最近没和她们说话。”我喃喃地说。

这是保守的说法。事实上，我积极避开她们的来电。

“你知道她们爱你，塞奇。”奶奶这么说，但是我耸耸肩。没有任何理由足以让我相信派波和莎凡没把母亲过世的责任放在我身上。

烤箱的定时器响了，奶奶取出一条犹太辫子面包。她也许放弃了宗教，但仍然坚守犹太文化。她做的逾越节薄饼汤可以疗愈一切病痛；每个星期五，她都不烘焙面包。她的居家医疗照护员黛西——奶奶口中的“女孩”——负责用搅拌机搅拌面团，待面团膨胀之后，奶奶才将面团编出辫子的形状。奶奶花了两年的时间，才将家族的烘焙配方教给黛西。我在“每日食粮”用的也是相同的配方。

“好香。”我说。我极尽一切地想转移话题。

奶奶把一个辫子面包放在桌台上，再回头一次拿出一个面包，总共三个。“你知道我是怎么想的吗？”她说，“我觉得啊，就算将来我忘了自己的名字，我也不会忘记辫子面包的做法，这是我爸爸的功劳。从前，不管是我下课回家、和朋友一起读书，或是到市中心去散步的时候，他都会考我。他会说：敏卡，要放多少糖？几个蛋？他还会问我烤箱该设定几度，但这个问题不好答，有陷阱。”

“要热到足以让酵母发挥作用，让湿料混合均匀，但又要凉到能够保持湿料的均衡。”

奶奶回头看我，点了点头。“我爸爸如果知道他的辫子面包烘焙技术后继有人，一定会很高兴。”

听到这话，我知道机会来了。我等着奶奶把一条辫子面包拿到桌上的砧板上。她用面包刀切开面包，蹿出来的热气像是路过的灵魂。“你和爷爷为什么不开面包店而要开书店？”

她笑了。“你爷爷连开水都不会烧，何况是做贝果。烤面包也要有天赋，我爸爸就是个例子，你也是。”

“你很少提你的双亲。”我说。

她握着刀柄的手微微颤抖，如果不是我仔细观察，可能不会发现这难以察觉的颤抖。“有什么好说的呢？”她耸耸肩，“我妈妈是家庭主妇，爸爸是波兰中部城市罗兹的烘焙师傅，这些你都知道。”

“他们怎么了，奶奶？”

“他们很早就过世了。”她轻松带过。奶奶把面包递给我，但她没给我奶油，因为，如果你做的是正统的辫子面包，奶油只是多余。“啊，你看看，应该可以发得再蓬松一点。我爸爸说过，如果面包烤得好，隔天还可以吃，但是没烤好的面包就得当场吃掉了。”

我抓住她的手。她的皮肤犹如薄纸，骨头凸出。“他们怎么了？”我再问了一次。

她勉强发出笑声。“你问这个做什么，塞奇！难道你突然想写书了吗？”

我没有回答，而是拉过她的手臂，轻轻地将她衬衫袖子往上推，露出蓝色刺青模糊的边缘。“奶奶，我不是家族里唯一有伤疤的人。”我低声说。

她抽身离开，拉下袖子。“我不想谈这件事。”

“奶奶，”我说，“我不再是个小女孩了——”

“没错。”她唐突地说。

我想把约瑟夫的事情告诉她，我想问她对党卫队的看法，但是我知道我不会提。

原因不在于奶奶不愿意和我讨论，而是我为这个一度被我当作朋友的人感到羞耻——我为他下过厨，一起坐着聊天，一起大笑——而这个人有可能曾经让她饱受惊恐。

“我来到这里，来到美国的时候，我的生命才开始，”奶奶说，“之前的一切……嗯，全发生在另一个人的身上。”

如果奶奶可以替自己建立一个新身份，约瑟夫·韦伯为什么不行？

“你是怎么做到的？”我轻柔地问，不仅仅是为了她和约瑟夫才问这个问题，我同时也为自己而问，“你怎么做，才能每天起床，而不去回想？”

“我没说我不记得，”奶奶说，“我说的是：我宁愿忘记。”她突然笑了，为这个话题和接下来她要说的话作出切割。“好了，我漂亮的孙女大老远跑到这里来不是为了聊些老掉牙的故事，对吧？说说面包店的工作吧。”

我故意忽略“漂亮”这两个字。“我烤出一条面包，切开一看，里头出现耶稣的脸孔。”我说出最先想到的事。

“真的吗，”奶奶说，“谁说的？”

“我想，大概是相信上帝可能会在手工面包上现身的人说的。”

她噘着嘴。“从前，我也曾经在面包上看到过上帝。”

我听出她想借着透露过去的蛛丝马迹，来递出和平的橄榄枝。我打直腰杆坐着，等着听她是否会继续说。

“你知道我们最想念的是什么吗？不是床，不是家，甚至不是自己的妈妈。我们说起食物，烤马铃薯配鸡胸肉、波兰面饺和波兰式蛋糕。当时，我甚至愿意用性命换来我爸爸刚出炉的新鲜辫子面包。”

原来就是这样，奶奶才会每个星期烤四条面包——而她自己连一条都吃不完。不是因为她打算放着慢慢吃，而是因为她想大方地和肚子填不饱的人分享。

听到自己的手机响起，我扮了个鬼脸。可能是玛丽看到罗贝娜取代我走进烘焙室工作，打电话来训斥。我掏出口袋里的手机，发现不认得显示的来电号码。

“我是威克斯警探，想找塞奇·辛格。”

“哇。”我听得出自己的惊讶，“没想到你会打电话来。”

“我稍微调查了一下，”他回答，“我们还是帮不上忙。但是如果你想举报，我建议你联络联邦调查局。”

联邦调查局。从本地警察局到联邦调查局，这一步似乎跳得好远。这个单位逮捕过银行大盗迪林杰和俄国间谍罗森伯格夫妇，凭指纹起诉刺杀民权领袖马丁·路德·金的凶手。联邦调查局处理的是备受瞩目、会对国家造成立即危险的案件，而不是延宕几十年的事件。如果他们接到我的电话，可能没等我说完，就会先笑掉大牙。

我抬起头，正好看到奶奶站在厨房桌台边，用锡箔纸包起一条辫子面包。

“他们的电话号码是多少？”我问道。

以我这么疲倦的状态，还能毫不失控地将车子开出路面安全回到威斯布鲁克，这真是个奇迹。我用自己手上这副钥匙开门，结果发现罗贝娜坐在一大袋面粉上，头靠着木板工作台睡着了。但是往好的方面看，架上放着正待冷却的面包，炉子里也传来烘烤的味道。

“罗贝娜，”我轻轻摇醒她，说，“我回来了。”

她坐直身子。“塞奇！我不过是打个盹，才一分钟而已……”

“没关系的，谢谢你来帮忙。”我套上围裙，绑紧腰上的系带，“玛丽怎么样，从一到十，你给她的怒气评几分？”

“大概有十二分吧。她情绪激动，因为她觉得明天会有很多人为了耶稣面包来店里光顾。”

“哈利路亚。”我不带感情地说。

开车回来时，我打过电话给本地的联邦调查局办公室，只不过，他们表示我应该要联络位于华盛顿的法律部门，随后又给我另一个电话号码，但显然人权暨特侦小组恪遵标准上下班时间，我只听到语音消息：如遇紧急事件，请拨打另一个号码。

以约瑟夫守住自己秘密的漫长时光来判断，这实在算不上什么紧急事件。

于是我决定先完成这天晚上的烘焙工作，把烤好的面包放进玻璃柜里，然后在玛丽来开店之前离开，回到我自己家里私下打电话。

罗贝娜带我看了她在烘焙室里的定时器设定。这些定时器有的用来计算烘焙时间，有的计算面团发酵时间，有的则是控制面团静置的时间。当我觉得自己可以全盘掌握之后，便陪她走到前门向她道谢，等她出门之后再锁上门。

我的视线很快落在耶稣面包上。

就算要我回想，我也没办法告诉玛丽我为什么会那么做。

面包已经变得和石头一样硬，出自不同谷麦颗粒和颜色的耶稣脸孔也褪了色。我拿起平常用来将面团送进烤箱的铲子，把耶稣面包放到炉子中，让炽热的红焰吞噬面包。

罗贝娜已经烤好了长棍面包和餐包，在黎明之前，我必须准备好其他种类的面包。但是我没有依照平时的方式烘焙，而是改变了今天的品项。我在心里计算好糖、水、酵母、油、盐和面粉的比例。

我闭上眼睛，呼吸小麦甜美的香味。我开始想象店门挂着铃铛的面包店，顾客进门，铃铛跟着响起，铜板落进收款机的声音宛如跳动的音符，让埋头看书的小女孩抬起眼睛看。在那天晚上接下来的时间，我只烤了一种面包，于是，在太阳从地平线探出头时，“每日食粮”的架上摆满了我曾祖母家传配方的辫子面包，多到让人无法想象饥饿的感觉。

我在市场里不停地打瞌睡。父亲下葬之后，我一直没睡觉。葬礼上没有他玩笑中提到的钟响或鼓号声，而他的葬身之地不过是茅屋后面的一小块土地。然而，我的失眠并非出自哀伤，而是不得不如此。

我没钱缴税，我们没有存款，家中的唯一收入，是我在市场卖面包的所得。从前，当我扛着面包到村里广场去卖的时候，是父亲在家里烤面包，但现在家里只剩下我一个人。

我日夜没一刻得闲。晚上，我卷起袖子揉面团，在等待前一批面团发酵时继续揉下一批。阳光像是意外般在地平线乍现时，我必须取出砖炉里最后一批面包。接着，我在篮子里放满面包走到市场，一路上还得努力挣扎，才能保持清醒。

我不晓得自己还能撑多久，但是我不会让巴鲁克·贝勒夺走我仅存的一切——我父亲的家和工作。

然而，进城的顾客越来越少了，外头太危险。包括我父亲在内，村郊这个星期已经有三名死者，其中还有个逛进树林却终究没能回家的幼儿。三个人都被撕毁了容貌，身上有相同的啃噬伤口，仿佛遭到饥饿的野兽攻击。村里的人都吓坏了，决定以自己花园种的蔬菜和罐头食物维生。昨天我只有十来个顾客，今天更是减到了六人。有些小贩甚至宁愿躲在安全的家中，不出来做生意。市场成了灰暗阴森的空间，呼啸吹过鹅卵石地面的风声犹如警讯。

我睁开眼睛，才发现是达米安摇醒了我。“梦到我了吗，亲爱的？”他问道。他伸手越过我，捏下一截长棍面包，手指还刷过我的脸。他把面包扔进嘴里。“嗯。你烤的面包几乎要像你爸爸烤的一样好吃了。”那一瞬间，他脸上闪过一抹同情的神色，“我对你父亲的过世感到遗憾，安妮雅。”

其他顾客也说过一样的话。“谢谢。”我低声说。

“我可完全没这么想。”巴鲁克·贝勒走了过来，站在达米安队长的背后说，“因为这让我大大减低课征他税金的可能性。”

“这个星期还没结束。”我惊慌地说。

如果他将我赶出家门，我能去哪里？我看过出卖自己的女人，她们目光呆滞，在村里的巷弄里像阴影般徘徊不去。或者，我也可以接受达米安的求婚，但那不过是换了另一个方式和魔鬼打交道。但是话说回来，如果我无家可归，村外那头虎视眈眈的野兽不必花多久时间，就可以找到我。

我透过眼角余光看到有人接近。来的是最近才到村里，用皮绳牵着弟弟的那个男人。他从我面前经过，看都没看面包一眼，直接走向肉贩原来摆摊的位置，那地方如今只剩下空无一物的木板台面。他转头朝我看过来，我感觉到胸腔下仿佛燃起了一把火。“肉贩呢？”他问道。

“他今天没出来做生意。”我喃喃地说。

我发现他比我最初想的年轻，也许只大我几岁。他的双眼闪烁着我从未看过的金色，光线似乎来自深处。他的皮肤泛红，脸颊上有浅色的斑点，棕色的乱发遮住了眉毛。

他只穿了一件白衬衫。上次，他在广场上脱掉外套换食物时，也是穿着同一件衣服。我纳闷地想，不知道他今天要拿什么来交换。

他什么话也没说，光是眯着眼睛瞪着我看。

“摊贩都吓跑了，”巴鲁克·贝勒说，“和这个凄凉小村落的其他人一样。”

“又不是每个人都有栅门抵挡动物冲进家门。”达米安回答。

“或是把野兽关在家里。”我压低了声音，但贝勒仍然听见了我的话。

“十块波兰币，”他怒气冲冲地说，“期限是星期五。”

达米安从军服外套里掏出皮夹，数出几个银币放在手掌上，丢向贝勒。“税金缴清了。”他说。

贝勒跪下来捡钱，站起来之后耸耸肩说：“下个月见。”他往自己的大房子走过去，进门后锁上栅门，消失在偌大的石砌屋子里。

我看得到，那个年轻男人和弟弟站在空无一物的肉贩摊位前面看着我。

“怎么样？”达米安看着我，“你爸爸没告诉你要有礼貌吗？”

“谢谢。”

“说不定，你想要表示感激，”他说，“你欠贝勒的税款还清了，但现在你亏欠了我。”

我用力吞咽了一下，踮起脚来亲吻他的脸颊。

他抓住我的手，贴向他的裤裆，我挣扎想脱身，他却用嘴贴向我的嘴。“你知道的，只要我想要的，我随时都可以取走。”他轻声说道，双手托起我的头，同时用力压挤我的太阳穴，力道之强，让我无法思考，几乎听不见，“我纯粹是一片好心，才会向你求婚。”

没想到下一分钟他已经消失无踪。我往下跌，冰冷的鹅卵石贴着我的脚。这时，金眼男人将达米安从我身边拉开，将他扭倒在地。“她已经作出选择了。”他对着达米安的脸，咬牙切齿地说出每一个字。

我勉强从他们身边爬开，戴着皮面罩的男孩看着我。

在这一瞬间，我和他同时意识到他哥哥松开了皮绳，他是自由的。男孩回头开始狂奔。他跑过空无一人的广场，脚步声的回音犹如枪响。

他的哥哥一分心，愣住了。这个空当儿让达米安扎扎实实地对他挥拳。男人的头跟着往后仰，但踉跄地站稳身子，随即往弟弟跑走的方向追了上去。

“你可以跑，”达米安擦掉嘴角的血水，说，“但是你躲不掉。”

里欧

打电话过来的女人上气不接下气地说："我找你们找了好几年了。"

这是第一面值得警戒的红旗。我们没那么难找。你只要打电话到司法部说明事由，就会被转接到人权暨特侦小组来。我们不但每通电话都接，而且认真看待，所以，我开口询问女人的姓名。

"米兰达·昆慈，"她说，"但那是我夫家的姓氏，我娘家姓舒兹。"

"昆慈太太，"我说，"我听不清楚你的声音。"

"我必须压低声音说话，"她说，"他正在听，只要我想开口说出他的真实身份时，他总是能想办法进来……"

她继续说下去，我等着她说出纳粹，或是第二次世界大战。我们这个单位负责起诉违反人权罪行的案件，包括种族灭绝大屠杀、虐待刑囚，以及战争罪。我们是货真价实的纳粹猎人，但绝对不像电影或电视里那么风光。我不是丹尼尔·克雷格、冯·迪索或艾瑞克·巴纳，我只不过是平凡的老里欧·史坦罢了。我没配枪，而是精挑细选了另一种武器：珍薇拉。她是个历史研究员，精通七种语言，从来不会忘记提醒我剪头发，或是我的领带和衬衫颜色不搭。我这个工作的难度越来越高，因为参与纳粹大屠杀那个年代的罪犯正在逐渐凋零。

我连续听米兰达·昆慈讲了十五分钟，她表示她自己家中有人跟踪她，她起先以为这个人是联邦调查局派来的杀手。到了这时候，我心里第二面红旗竖了起来。首先，联邦调查局不会到处杀人；再者，如果调查局真的要杀她，她早就不在人世了。“你知道吗，昆慈太太，”我趁她停下来换气的时候说，“我不觉得你找对了单位……”

“如果你能耐心听我把话说完，”她向我保证，“你会发现一切都合乎逻辑。”

这已经不是第一次了，但我实在不懂，为什么我这样的人——三十七岁的哈佛法律系优等生——会放弃波士顿法律事务所优渥的薪水和保证到手的合伙人条件，来领取公务员薪资，担任人权暨特侦小组的副组长。如果身处在另一个世界，我可能正在起诉某些白领罪犯，而不是设法举证，想把一些可能会在引渡之前就先咽了气的纳粹党卫队前任成员送上法庭；或以眼前例子来说，在办公室里和昆慈太太说话。

然而话说回来，我在公司法的圈子里打滚了短暂的时间之后，便发现真相往往在开庭之后才会出现。事实上，大多数的审判都是如此。但是在第二次世界大战期间，曾经有六百万人受到欺瞒，应该要有人出面替他们讨回公道。

“……你听说过约瑟夫·门格勒吧？”

我竖起了耳朵。我当然听过门格勒，他是当年波兰奥斯威辛死亡集中营的医官，对俘虏进行人体实验，还有个恶名昭彰的绰号：死亡天使。门格勒掌控俘虏的生杀大权，可以裁定俘虏向右转去服劳役，或是向左转走进毒气室。尽管我们从历史中得知门格勒本人不可能见到每一批送进集中营的俘虏，但几乎我见过的每个奥斯威辛集中营幸存者都坚称，在他们到达集中营时，无论他们抵达的时间早晚，门格勒本人都会在场作出生死裁决。这是个例子，有关奥斯威辛的文献太丰富，存活下来的受难者经常会把这些信息和自己的经验混为一谈。我完全不怀疑他们相信自己在抵达集中营时看到了门格勒，但无论这家伙是何等怪物，他仍然需要睡眠。这表示，除了门格勒之外，奥斯威辛还有其他的怪物负责决定俘虏的生死。

“大家都以为门格勒逃到了南美洲。”昆慈太太说。

我压下想叹息的冲动。事实上，我知道他生前在南美洲住过，死在巴西。

“其实他还活着，”她压低声音说，“转世投胎成了我的猫。我不能背对着他，也不能睡觉，因为我觉得他会杀我。”

“天哪。”我低声抱怨。

“我懂，”昆慈太太显然很同意我的评语，“我本来以为自己从动物之家领来了一只甜蜜的虎斑猫，没想到隔天早上醒来，发现胸口有血痕——”

“我没有要冒犯你的意思，可是，昆慈太太，你这个想法——以为约瑟夫·门格勒如今变成一只猫——的确有点夸张。”

“我胸口的血痕，”她严肃地说，“是纳粹党徽的形状。”

我闭上眼睛。“说不定你该换只宠物。”我建议她。

“我养过金鱼，最后不得不把鱼丢进马桶冲掉。”

我实在不太敢开口问原因。“为什么？”

她犹豫了一会儿之后，才说：“这样说吧，我也掌握到了希特勒转世投胎的证据。”

我借口会请个历史研究人员来调查她的案例——这是实话——终于挂掉她的电话。下次，珍薇拉要是做了什么事惹毛我，我会拿这个案子当作报复手段。才刚挂掉米兰达·昆慈的电话，我的秘书又拨了内线进来。“你今天月亮的相对位置有偏差，还是另外有什么问题？”她问道，“因为二线又有电话找你，她住家当地的联邦调查局办公室要她和你联络。”

我看看办公桌，上面堆的全是珍薇拉刚送进来的文件。将嫌犯送审是漫长又辛苦的过程，而以我的情况来说，还经常得不到结果。上次我们把案子成功送上法庭是二〇〇八年的事，而且被告在审判最后期间过世。我们和警察正好相反，我们办案时不是看“谁下的手”，而是从人名开始，经过抽丝剥茧，比对数据库是否吻合，这个活着的人与他的名字是否相符，然后挖掘出他在战时做过了哪些事。

我手上的名单很长。

我再次拿起话筒，报上姓名：“我是里欧·史坦。”

“嗯，”电话那头的女人回答，“我不确定是否找对了单位……”

“如果你能告诉我来电的原因，我可以回答这个问题。”

“我认识一个人，他过去可能是纳粹党卫队军官。”

我们将这个类型的电话归类为：我的邻居是纳粹。一般来说，这个地狱来的邻居会踢你的狗，穿越两家之间的界线，或是看到你家庭院里橡树落叶满地，立刻打电话给地区政府报备。他还可能说话时带着欧洲腔，穿长皮衣，养了一只德国狼犬。

“请问你尊姓大名？”

“塞奇·辛格，”女人说，“我住在新罕布什尔州，这个人也住这里。”

听到这句话，我稍稍坐正了身子。新罕布什尔州不是理想的纳粹藏身处——如果他真的是纳粹分子。没有人会去新罕布什尔州找他。

“这个人的名字是什么？”我问道。

“约瑟夫·韦伯。”

“你认为他是纳粹，是因为……”

“因为他这样告诉我。”女人说。

我往后靠向椅背。“他告诉你他是纳粹？”我在这个单位十年，这是我第一次听到这种说法。我的工作不少，其中有一项是剥下罪犯的伪装。这些人认为，既然谋杀案发生在七十年前，他们当然可以躲掉刑罚。在我出示所有证据，把被告逼得无路可退、不得不说出实情之前，我从来没听过任何人自首。

“我们……认识，”塞奇·辛格回答，“他希望我能帮助他结束生命。”

“要你像杰克·凯沃尔基安[1]那样帮他？他是不是生病，已经到了末期？”

“不，正好相反，以他的年龄来说，他很……健康。他想要我协助他完成计划，可以伸张某种程度的正义——因为我的家人是犹太人。”

“那么你呢？”

“这有关系吗？”

没有，没有关系。我是犹太人，但是这个单位里有半数人不是。

“他有没有提到自己管理过哪个集中营？”

“他说的是德文，好像是……骷……髅什么的。”

“骷髅兵团吗？”我问道。

“对了！”

骷髅兵团并不是地点，而是为第三帝国管理所有集中营的党卫队单位。

① 杰克·凯沃尔基安（Jack Kevorkian，1928–2011）：美国病理学家，倡导通过医师协助自杀。

一九八一年，我所属的单位赢得了一场可谓追本溯源的案子：费铎伦科对美国一案。最高法院决定——以我不具影响力的看法，这是个明智的决定——任何曾经在纳粹集中营担任警卫的人，必定参与了纳粹在集中营内犯下的罪行。集中营的运作环环相扣，要能够运转，每个人都必须在岗位上做好自己的职责。如果有人失职，这个种族屠杀的单位可能暂时中止运转。所以，真的，无论一个人做——或没做——过哪些事，无论他有没有扣下扳机，有没有将化学毒气施放进毒气室里，都一样，只要确认他曾经是集中营里党卫队骷髅军团的一员，就足以成为起诉的基础。

当然，要走到那一步，还有一段遥远的距离。

“他叫什么名字？”我又问了一次。

“约瑟夫·韦伯。”

我问出正确的写法，抄在笔记本上，在名字下画了两条线。“他还说了什么？”

“他拿了一张自己的照片给我看，他当时穿着制服。”

“什么样的制服？”

“党卫队的黑衫制服。”她说。

“你认得出来，是因为……”

“嗯，”她承认，“看起来就像电影里的制服一样。”

对话进行到这里，我看见了两个警讯。第一，我不认识塞奇·辛格，说不定她刚从精神病院逃出来，整个故事都是编的。再说我也不认识约瑟夫·韦伯，说不定这个人才真的是出逃的精神病患，想借此寻求关切。第二，这十年来，我从未接过如此让人始料未及的电话，一位平凡公民提报住家附近有个纳粹分子。我们的线报多半来自离婚诉讼案的女方律师，这些人声称男方——有相当年纪，而且来自欧洲——是纳粹战犯。想想看，如果离婚法庭的法官相信男方对你的委托人残暴不仁，你会有什么收获。然而这些指控通常不可采信。

“照片在你手上吗？”我问道。

“没有，”她承认，“在他那里。”

那当然。

我揉揉前额。“这问题我不得不问……他是不是养了德国狼狗？”

“是德国腊肠狗。”她说。

“那是接下来的选项。”我喃喃地说，“听着，你认识约瑟夫·韦伯有多久了？”

“大概一个月。那个时候他才加入哀伤辅导小组，而我自从母亲过世后就已经是小组成员了。”

“我很遗憾。”我不假思索地说出这句话，但我听得出来，她并不期待我的致意，“这么说起来，你对他的个性并没有深入的了解，也不知道他为什么要说自己做过这些他没做过的事……”

“天哪，你们这些人是怎么了？”她终于爆发了，“先是警察，接着是联邦调查局，在开始质疑之前，你们最起码也该暂且相信我的话，不是吗？你又怎么知道他说的不是实情？”

“因为这不合逻辑，塞奇女士。为什么会有人在躲了超过半个世纪之后，突然放下假面具？”

“我不知道。”她直截了当地说，“是愧疚，还是害怕面对最后的审判？说不定他只是累了，不想继续生活在谎言当中，你懂吗？”

这些话打动了我。因为这太符合人性了。大众对纳粹战犯有个错误的观点，以为这些人全是怪物，不管在战前、战时或战后都一样。但事实并非如此。他们曾经是一般人，能够分辨善恶，这些人回到世俗人间之后，他们作出选择，不得不为自己的余生编织借口。“你会不会正好知道他生日是哪一天？”我问道。

“我知道他大概九十多岁……”

“嗯，”我告诉她，“我们会试着用他的名字去调查，看能不能找到符合的对象。我们手上的记录并不完整，但是我们有全世界最庞大的数据库，里头保存了超过三十年的研究记录。”

“然后呢？”

“假设我们能够证实他的身份，或找出其他理由，让我们判定应该采取法律行动，我会请你和我们的主任历史学专家珍薇拉·雅斯坦诺普罗进一步沟通。她会请你回答一些问题，协助我们继续调查。但是我必须先让你知道，辛格女士，我们办公室接过上千通民众打来的电话，但是，没有任何一通电话，能让我们成功指认出任何纳粹战犯。事实上，在一九七九年——当时这个小组还没成立——的确有一通电话让位于芝加哥的检察官办公室成功起诉所谓的战犯，结果却发现，他不但清白，还是纳粹手下的受害者。在所有我们接到的民众线报当中，还没有成功起诉的例子。”

塞奇·辛格停了好一会儿之后，才说：“那么我得说，这次，你们再怎么样也该成功。”

无论从哪方面来看，米歇尔·托马斯都算是幸运儿。他曾经是集中营里的犹太俘虏，从纳粹手中逃脱后先加入法国反抗军，接着成了突击队的一员，协助美军反间情报单位。在二次大战的最后一星期，他接到线报，得知慕尼黑附近的卡车车队可能运载了某种重要物资。他抵达德国费莱曼一处纸厂仓库，发现里头全是纳粹打算拿来制成纸浆的文件：全世界上百万名的纳粹党员资料卡。

这些数据在纽伦堡大审时派上用场，审判之后，则是用来辨识、寻找和起诉战犯。人权暨特侦小组的历史研究员会从这里着手找资料。这不代表名字不在其中的人就不是纳粹，但这可以让案件较容易成立。

我到珍薇拉的座位找她。“我要请你查一个名字。”我说。

自从东西德在一九九〇年代统一之后，美国政府将美军于二战后取得的纳粹党员及党卫队成员名单交还柏林文献数据中心统一管理，但事先存留下整批文件的微缩胶卷。不管是柏林文献中心也好，苏联解体后曝光的资料也好，我知道珍薇拉一定会挖掘出有效的信息。

但先决条件是：必须有信息可供挖掘。

她抬头看着我。“咖啡溅到你的领带了。”她将金黄色鬈发盘成了鸟巢般的发髻，这时，她抽出插住发髻的铅笔，“去约会之前最好换掉。”

“你怎么知道我有约会？”我问道。

“因为你母亲早上打电话告诉我，如果你六点半还待在办公室里，要我用蛮力推你出门。”

我一点也不惊讶。不管是光纤、宽带或任何网络，讯息传输的速度都远远比不上犹太家庭。

“提醒我别忘记杀了她。”我告诉珍薇拉。

“办不到，”她想了想，“我不想当你的共犯。”她从眼镜上方看着我，咧嘴笑了，“再说，里欧，你母亲就像一股清新的空气。我整天读到的不是想掌控世界，就是有种族优越感的人，相较之下，想抱孙子这个想法简直是太美好了。”

“她已经有孙子了，而且有三个，多亏有我姐姐。”

“她不喜欢看你把工作当成结婚对象。”

“当初我和黛安娜结婚的时候，她也不怎么高兴。”我说。五年前，我终于办好了离婚手续，我得承认，整件事中最悲惨的经验是我不得不承认我母亲的判断正确。我以为黛安娜是我梦寐以求的女子，结果她一点也不适合我。

不久之前，我搭地铁时巧遇黛安娜。她已经再婚，有个孩子，肚子里还怀了另一个。就在我们说笑时，我的手机响了，我姐姐打电话问我是否可以参加周末我外甥的生日派对，她听到我和黛安娜道别。接着，我母亲在一个小时之内就打电话帮我安排好相亲约会。

我不是说过了吗，犹太家庭网络发达。

“我要请你查一个名字。”我又说了一次。

珍薇拉接过我手上的纸。“六点三十六分了，”她说，“别逼我打电话请你母亲出马。”

我回到自己的办公桌边，抓起公文包和笔记本电脑，留下这两件东西不带，就像要我留下手脚一样奇怪。我本能地伸手摸腰间的手机套，确认自己带了黑莓机。接着我坐下来，迅速地上网搜寻塞奇·辛格。

我当然经常使用搜索引擎，而且多半是用来查证某个人（例如米兰达·昆慈）是否是个疯子。但我之所以想查塞奇·辛格，是因为她说话的声音。

她的声音听来迷蒙，感觉像是你在入秋的第一个夜里升起炉火，啜饮浓郁的波尔多甜葡萄酒，怀里抱着小狗入睡。我不是要说我养了狗或喝波尔多酒，反正你应该懂我的意思。

光是这一点，就证明我该冲出门去相亲。塞奇·辛格的声音听起来好像很年轻，但她很可能垂垂老矣，毕竟这个约瑟夫·韦伯是她的朋友。她母亲最近才过世，也可能是年迈体衰的关系，而她充满磁性的声音说不定来自长年的烟瘾。

然而新罕布什尔州只有一个塞奇·辛格，她是一家咖啡糕饼小店的烘焙师。当地杂志刊登了她的莓果塔配方，当作夏日花果盛宴的题材。玛丽·德安吉利斯经营的面包店开幕时，报纸上的宣传也列出了她的名字。

我点选新闻链接，看到了当地电视台的一段影片，上传日期是昨天。“塞奇·辛格，”记者旁白，“烘焙出耶稣面包的师傅。”

什么面包？

这段影片拍到一名随意将头发绑成马尾的女人，她发现镜头，立刻将脸转开。在她从镜头前完全消失之前，我瞥见她脸颊上的面粉。

她和我想象的完全不同。任何平凡市民在打电话给人权暨特侦小组时，通常都会说到自己，而且远多于他们想指控的人，他们可能有尚待解决的纷争，心里有怨恨，或是想吸引别人注意。但我的本能告诉我，这次的情况不同。

也许珍薇拉会比对出相符的人。如果塞奇·辛格成功地让我讶异一次，说不定她会再次成功。

我敢说，我车上有全世界最后一套八轨卡带音响系统。我堵在环线高速公路上，边听着“面包合唱团”和“芝加哥合唱团”的歌曲。我喜欢假装周遭车内的每个人都同样在听八轨卡带，假想时光倒流，回到单纯的年代。我知道这有多奇怪，因为科技让这个世界变得更紧密，而我的办公室也因此受益。但最酷的是八轨卡带不再只是奇怪而已，而是复古。

除了这件事之外，我还在想是否该让老妈安排的约会对象知道，我极度热衷于拍卖网站上买到的音乐，而不是下载来的iTunes。我上一次约会（某个同事安排我和他妻子的表妹见面）时，整顿晚餐时间，我谈的尽是纳粹的立陶宛战犯亚历山大·里雷克斯的案例，结果对方声称头痛，在甜点上桌之前就搭地铁离开了。老实说，我不善于闲聊。我可以详细讨论发生在达佛的种族灭绝事件，但是大多数美国人可能没办法说出达佛在哪个国家。（顺便让你知道吧，达佛在苏丹。）但换个角度来看，我没办法聊美式足球，说不出我最近读过的小说讲的究竟是什么故事，也不知道好莱坞明星谁和谁约会。重点是，我根本不在乎。相较之下，世界上有太多更重要的事。

我从黑莓手机的行事历里找出餐厅的名字，走了进去。我看得出来，这是那种会端上“尊贵”菜色的餐厅——比如蘑菇大小的开胃小点，而且菜单上的每一道菜都会列出看得到却读不懂的材料，让你不得不怀疑这些食材的真实性，例如鳕鱼精子佐野生茴香花粉，或者牛颊、蛋白饼屑或是醋灰。

我向领班报上名字，他带我走到餐厅的最后方。这角落太昏暗，我纳闷地猜，不知能否看出今晚的约会对象究竟漂不漂亮。她已经坐定座位，在我眼睛适应了昏暗的光线之后，我发现，是的，她很可爱——但发型除外。她梳了一个高高的发髻，像是想用时髦的装扮来掩饰脑炎。“你一定是里欧，”她带着微笑说，“我是艾琳。”

她佩戴着不少银饰，其中有大半卡在她的乳沟之间。“布鲁克林？”我猜。

“不对，”她放慢速度重复地说，“是艾——琳。”

“不，我是说，你的口音……你来自布鲁克林区吗？”

“新泽西州，”艾琳说，“纽瓦克。”

“那是全世界窃车贼最多的地方。你知道在纽瓦克失窃车辆的数字，比洛杉矶和纽约的加起来还多吗？”

她笑了出来，听起来有点儿像气喘发作。“而现在我住在乔治王子郡，我母亲竟然还会担心。”

侍者走过来念出一串今日特餐，问我们想点什么饮料。我点了我一窍不通的葡萄酒，选择的依据是酒单上不是最贵，但也不是最便宜的酒——那未免太寒酸。

“这很怪吧，不是吗？”她说。她若不是对我眨眼，就是有东西跑进眼睛里了，“我们的父母亲彼此认识？”

根据我听到的说法，我母亲的足科医师和艾琳的父亲是兄弟，并不是什么一起长大的邻居。“是很怪。”我同意。

“我为了工作才搬到这里来，所以我认识的人不多。”

“这个城市很大。”我不假思索地回答——尽管我自己并不全然这么想。这里的交通拥塞程度近乎疯狂，每两天就有一场示威——活动最初虽然其来有自，但没多久便失去了理想，而且会在你必须准时赴约时让你碰到全面封路，成了你的肉中刺。“我母亲一定告诉过我，但我忘了——你在哪里高就？”

“我是领有证照的合格内衣试穿师，”艾琳说，“在诺斯彤精品百货公司上班。”

“领有证照。”我重复她的话。我真不晓得哪里有内衣试穿师的认证单位，而且要怎么评分？A、B、C、D，还是DD？“这个工作听起来很……独特。”

“而且要懂得掌握，”艾琳说完又笑了，“听懂了吗？”

“嗯，懂。”

“我现在会当内衣试穿师，是为了将来继续念书，做我真正要做的事。”

“乳房摄影吗？”我猜。

“不是，是法庭记者。电影里的法庭记者都很懂时尚。”她微笑着说，“我知道你做什么工作，我妈妈告诉过我。这个职业有亨弗莱·鲍嘉的风格。”

“其实不怎么像。我们的部门不在卡萨布兰卡[①]，我们只是司法部一个冷门小组而已，和巴黎没有往来，勉强拉关系，也只有个咖啡机而已。”

她困惑地眨眨眼。

“算了。”

“你逮捕过几个纳粹分子？”

“嗯，这有点复杂，”我说，“在对纳粹战犯的法庭诉讼里，我们赢得了一百零七件，到目前为止，已经有六十七人被遣送离开美国国境。但不是那一百零七个人里头的六十七人，因为他们并非全都是美国公民，这些数字还是要注意一下。不幸的是，有些我们遣送出境或引渡的战犯并没有遭到起诉，对于这一点，我真为欧洲感到羞愧。这当中，有三件案子在德国开庭，一个在南斯拉夫，一件在解体前的苏联。其中有三名战犯定罪，一名开释，另一个因为健康状况而休庭，但在重新开庭之前就死了。在我们这个部门成立之前，曾经有另一名纳粹战犯由美国引渡到欧洲受审，她不但被判刑定罪，而且也入狱服刑。我们目前还有五件诉讼案正在进行，有许多案子正在调查当中，还有……你的目光有点呆滞。”

“没有，”艾琳说，“是因为我戴了隐形眼镜，真的。”她犹豫了一下，又说，“但是你们在追踪的人现在不都已经……很老了吗？”

“是的。”

---

① 卡萨布兰卡为鲍嘉主演之电影《北非谍影》的英文片名，也是故事发生地。

“所以他们跑得没那么快。”

“所谓的追踪不是字面上的意思，”我解释，“他们曾经对一些人做过可怕的事，不可以就这样放过。”

“对，但那是好久以前的事了。”

“但仍然很严重。”我告诉她。

“就因为你是犹太人？”

“犹太人不是纳粹的唯一目标。他们还杀害了不少吉普赛人、波兰人、同性恋，以及精神和肢体有功能障碍的人。大家都应该支持我们部门的做法，否则，美国向那些屠杀异己和种族的人释放出什么讯息？随着时间流逝，他们就可以逃避责任吗？他们可以躲在我们的国家里，不受任何责难？我们每年遣送成千上万非法停留在美国的外国人，只因为他们的签证过期，或是入境数据有误，然后这些侵犯人权的人却可以留下来？得到善终？然后埋在美国的土地上？”

在隔壁桌的男人开始慢慢地用力地拍手之前，我完全没有注意到自己升高了音调，而且情绪激动。邻近几桌的客人也加入拍手的行列，我尴尬地坐低身子，希望自己能消失。

艾琳拉住我的手，指头和我交缠。“没事的，里欧，其实我觉得这太性感了。”

“什么太性感？”

“你声音飘扬的感觉，好像在挥动旗帜。”

我摇摇头。“我不是什么超级爱国主义分子，我只是做我该做的事，也懒得再为我的工作多作辩护了。总之，这档事没有时限，不可能过时。”

“嗯，其实应该是有可能的，我是说，那些纳粹分子又不会躲在大家都看得见的地方。”

我想了好一下子，才意识到她把“过时”（*obsolete*）当成“阴暗”（*obscure*），而我也同时想到了约瑟夫·韦伯。根据塞奇·辛格的说法，这几十年来，他正是在众目睽睽之下躲藏的。

侍者拿了一瓶酒过来，斟了一点儿让我品酒。我含着酒，点头表示同意。老实说，在这时候，只要饮料里有酒精，我都会对着月光竖起大拇指。

“我们不要一整晚都谈历史吧，”艾琳轻快地说，“因为我历史很差，我是说，有谁在乎哥伦布发现了美国，而不是西印度尼西亚——”

“西印度群岛。”我喃喃地说。

“谁在乎啊，那里的原住民说不定没那么可恶。”

我再次倒满自己的酒杯，不知道自己是否能撑到甜点时间。

我母亲若不是有第六感，就是在我出生时在我身上埋了芯片，否则她怎么可能随时掌握我的一举一动。对于她能在我踏出大门时分秒不差地来电这件事，我只能这样解释。

“嗨，妈妈。”我连来电显示的号码都懒得看，就接听电话。

“里欧，要你对那可怜的女孩子和善一点，难道会要你的命吗？”

“那可怜的女孩知道怎么逢凶化吉，而且，反正她不需要也不想要像我这样的人。”

“不过是晚餐不顺利而已，你怎么知道你们不合？”我母亲说。

“妈。她以为猪湾[①]是烧肉吧。”

---

① 猪湾：为卡索内斯湾的其中一个小湾，位于古巴南部海岸。一九六一年，部分逃亡至美国的古巴人在美国中情局协助下，在古巴西南岸的猪湾发动进攻，但终究失败。

“不是每个人都像你一样有机会接受良好的教育，里欧。”

“这是十一年级的教材！”我说，“而且，我对她真的是很和善。”

电话另一头，我母亲停顿了一下。“真的。因为你和善，所以才会接听了电话之后，说是办公室找你，你不得不离开，因为你们逮到银行大盗迪林杰。”

“我要为自己说句话，这顿晚餐已经吃了两个小时，但是连主菜都还没吃完。”

“别因为你是律师，就以为自己可以扭曲事实，我是你妈，里欧。你还在我肚子里的时候，我就知道你在打什么主意了。”

“好，首先，这太恐怖。还有，也许从现在开始，你和露西应该要让我自己找对象约会。”

“你姐姐和我只想看到你幸福，这犯法了吗？”她说，“何况，如果我们等你自己挑选约会对象，恐怕你只能把喜帖寄到‘亚伯拉罕之子’来给我了。”

“亚伯拉罕之子”是座墓园，我父亲埋在那里。“太好了，”我说，“记得留下转寄地址。”我拿开手机，和耳朵保持一段距离，然后按下井字键，“我有另一通电话进来。”我说谎。

“在这个时间？”

“是我的伴游服务中心，”我开玩笑，“我不想让甜心蜜糖等太久……”

“我会被你气死，里欧。”我母亲叹了一口气。

“‘亚伯拉罕之子’，我知道了，”我说，“我爱你，妈妈。”

“我更爱你，”她回答，“所以我要怎么把艾琳的事告诉我的足科医师？”

“如果她继续穿高跟鞋，也会拇趾外翻。”说完，我挂断电话。

我家看起来和《GQ》杂志上的照片很像。厨房桌台用的是黑色花岗岩，搭配某种灰色法蓝绒布套长沙发。我的家具简约摩登，厨房柜子下方配了蓝色的灯光，让整个空间看来宛如太空总署的任务控制中心。整体来说，就是足以让美式足球联盟的单身汉或企业律师舒适自在的地方。我姐姐露西是室内设计师，我家是她的作品。她这么装潢，是为了让我走出离婚的阴霾，所以我不能老实告诉她，这地方给我一种冷冰冰的感觉，让我觉得自己好像变成了培养皿上的有机物，而不是一个把脚跨在黑色咖啡桌上会觉得罪过的男人。

我扯掉领带，解开衬衫的扣子，小心翼翼地把西装挂进衣橱。单身生活的首要领悟：没有人会为你把西装拿去送洗。这表示，如果你把西装外套揉成一团丢在床脚，而且你每天晚上工作到十点才下班，那你就惨了。

我穿着四角裤和背心去打开音响——今晚是艾灵顿公爵的爵士之夜——然后将笔记本电脑拿过来。

没错，如果我留在波士顿担任企业界律师，生活会更精彩（谁知道呢，我有可能会喜欢这种装潢风格）。这时候我可能会和客户出去聊天，而不是在家阅读珍薇拉写的嫌疑犯报告。天知道我推走了多少退休金，说不定还推走了蜷在沙发另一头的某个蜜糖甜心。但无论我母亲怎么想，我很快乐。除了我现在的工作之外，我想不出其他我会做、会喜欢的事。

在人权暨特侦小组还只是特侦小组时，我就已经在里头实习了。我祖父是二次大战的退役军人，我从小听他讲战时的故事长大，而我童年时期最珍视的收藏品，是他给我的二战时期德军头盔，他还坚称头盔内侧的深色污渍是脑浆。（我母亲对此深恶痛绝，某天晚上趁我睡着时，拿走了头盔，到现在还没告诉我她如何处置我心爱的礼物。）大学时期，为了让将来进法学院的资历更丰富，我接下了特侦小组的实习工作，希望得到将来申请学校时的法务资历。然而，我得到的却是热情，小组里的每个人都是因为想做这件工作而做，因为他们真心相信自己所做的一切有其重要性，无视于这世界上像帕特·布坎南这类政治评论家的说法，这些人认为美国政府追捕一些老到无法威胁大众安危的人，纯粹是浪费钱。

我最后进了哈佛法学院，毕业时接到了几所波士顿法律事务所的邀聘。我挑了待遇最优渥，足以让我买下豪华房产和敞篷野马跑车的事务所。可惜我从来没时间开车兜风，因为我埋头工作，朝新晋合伙人的位置努力前进。我有了钱，有了未婚妻，在我经手辩护的案子中，有九成五比例都赢得胜利。但是，我怀念从前的热忱。

我写信给特侦小组的负责人，一个月之后，便搬到了华盛顿。

没错，我知道自己脑袋经常在一九四〇年代打转，而不是在二〇一〇年代。的确，如果你花太多时间活在过去，你永远没办法前进。但是话说回来，没有人可以说我现在做的是毫无必要的工作，如果历史注定会重复，难道不该有人留下来出声警告吗？如果我不做，谁做？

艾灵顿公爵的音乐结束了。为了弥补静默，我打开了电视。我看了十分钟斯蒂芬·科尔伯特的谈话节目，但拿他当背景声音未免太具娱乐效果，他连珠炮似的话语让我没办法专心读珍薇拉的报告。

听到笔记本电脑发出收到电子邮件的声音时，我低头看向屏幕。是珍薇拉。

希望我没打扰你和下一任史坦夫人的性感调情。只是，如果你这时正好和我一样（休想批评我），一个人坐在家里看回放的《小狗英雄铃叮叮》，你可能会想知道：我没找到符合约瑟夫·韦伯的资料。老板，祝你顺利。

我瞪着这封邮件看了好一会儿。

我必须告诉塞奇·辛格，她的运气不好。约瑟夫·韦伯基于某种原因而欺骗她，谎报了自己的过去。但如今那是塞奇·辛格的问题了，与我无关。

我在人权暨特侦小组工作了许多年，曾经盘问过不少嫌犯。尽管在面对其中某些人时，我可以确切证实他们担任过死亡集中营的警卫，但他们总会声称自己完全不知道集中营里的战俘遭到杀害。他们坚持自己只看过战俘服劳役，而且健康情况良好；他们记得看到了烟，听闻过焚烧尸体的谣言，但是从未亲眼证实，在当时也不可能相信。我称之为选择性记忆。而且，你自己想想看，他们的说法和我访问过的幸存者完全不同。侥幸逃脱的人可以清楚描述焚化炉烟囱飘出来恶心、刺鼻、油腻的恶臭，与其说是气味，还不如说是滋味。据他们说，除了把到处都闻得到的臭味吸进肺里之外，你别无选择，而且即使到现在，当他们醒来时，有时依然会嗅到烧焦的皮肉味。

斑马的条纹不会变化，战犯不可能悔改。

自白曾经是纳粹的约瑟夫·韦伯不是纳粹，这没让我惊讶。毕竟，我本来就这么想。让我惊讶的是，我真心希望塞奇·辛格能证明我是错的。

终将发生的事情无法避免，但若能拖延，总是好事。

正因为如此，野生的掠食者总是以追逐来展开序幕。这并不是如一般人所想的玩弄猎物，而是要激发猎物，让它们的肾上腺素与掠食者匹配。

但等待一定会有结束的时刻。你会在自己的脑海中听到猎物的心跳声，而那是你最后一丝理智的思考。一旦向原始本能投诚，你便成了旁观者，看着另一个你吞噬珍馐般的血肉。你饮下受害者的恐惧，但那滋味让你兴奋。你没有过去、未来，不懂怜悯，也没有灵魂。

然而，在你动手之前，你早已经知道了，不是吗?

塞奇

第二天晚上我去上班，发现有人在我的烘焙室里工作。他体型庞大，身高超过一百八十公分，手臂上刺着毛利人风格的刺青。我走进烘焙室时，他正在切面团，并且以无比精准的技巧把小块面团扔到秤子上。“嘿，”他的声音尖细，和体格完全不搭调，“你好哇。”

我的脑袋像个滤锅，得用筛子捞，才找得出足以应付这场对话的字句。同时，我惊讶地发现自己忘记遮掩伤疤。“你是谁？”

“克拉克。”

“你在做什么？”

他看向桌面、墙面，唯独不看我。“晚餐吃的餐包。”

“不对吧，”我说，“我是一个人工作的。”

克拉克还没开口，玛丽便走进了烘焙室。一定是洛可告诉她我来了。刚才我进门，他站在门口用神秘的诗句迎接我：“梦想要旅行？或许开始编织？说不定现在正是时机。”

“看来，你已经和克拉克打过照面了。”她对着巨人微笑，后者现在正飞快地削切面团。我怀疑他是否检查过我预先准备的酵母，有没有读过我的配方比例表。这就像有人未经我的同意，擅自翻动我放内衣的抽屉。“克拉克以前在佛蒙特州诺维奇的阿瑟王面粉厂工作。”

“很好。他可以再回佛蒙特去。”

“塞奇！克拉克只不过是来帮忙而已，帮你减轻一点压力。”

我拉着玛丽的手臂，将她带开。我不想让克拉克听到我的话。“玛丽，”我低声说，“我不想让人帮忙。”

“也许是这样没错，”她说，“但是你有需要。你要不要和我出去散散步？”

我努力克制眼泪，忍住大发脾气的冲动。我既生气又受伤。没错，我昨天晚上没报备就缺席，但是我为自己找来了职务代理人。而且我没有事先告知，就变动了店里面包的种类组合，可是我烤出来的辫子面包够湿够甜，几近完美。但让我最难过的是，玛丽不只是我的老板，我把她当成朋友看待，这让她毫无妥协余地的政策显得更可恶。

她带着我从店里最后几名顾客身边经过，洛可正在为他们结账。我们经过收款机时，我刻意转头不看他。玛丽是不是告诉过洛可，说她要解雇我？他是不是取代了我的地位，成为玛丽最新一任讨论业务的密友？

我在她身后经过停车场，穿过圣坛栅门爬上圣梯，来到约瑟夫对我说出他是纳粹的小静室。

“你打算开除我吗？”我忍不住了。

“你怎么会有这种想法？”

“喔，这我就不知道了。可能是因为我烘焙室里有个巨无霸先生正在烤我的晚餐餐包。我简直不相信，你竟然会换掉我，而雇用生产线上的工人……”

“阿瑟王面粉厂不是工厂，而且克拉克也不会取代你。他只是提供你一些空间。”玛丽坐在花岗岩长椅上。她有一双锐利的蓝眼睛，那片她种植的附子草就在她身后，“我不过是想帮你的忙，塞奇。我不知道是因为压力还是愧疚，但你最近不太对，变得好难捉摸。”

“我仍然在做自己的工作，一直都是这样。”我提出了抗议。

“你昨天晚上做了两百二十个辫子面包。”

“你试吃了吗？相信我，顾客在其他店里绝对找不到更好吃的辫子面包。”

“可是，如果他们想吃裸麦面包、天然酵母面包、普通的黑麦面包，或是其他你选择不做的面包，他们可能会去别的面包店。”她的声音和青苔一样柔滑，“我知道，是你把耶稣面包丢掉的，塞奇。”

“喔，老天哪，拜托——”

“我也这么祈祷。那条面包是一个征兆，要我们拯救某个人，现在我知道了，那个人就是你。”

“这是因为我旷工吗？”我问道，“我去探望我奶奶。她身体不舒服。”太神奇了，我发现谎言一个接着一个出现，像是层层的油漆，到最后，你甚至忘了最初的底色。

也许约瑟夫逐渐相信自己是所有人眼中的他，说不定就是这样，才让他决定说出真相。

“瞧瞧你，塞奇，你心不在焉。你究竟听到我说的话没有？你看起来一团糟，头发乱得像鸟巢，今天可能还没洗澡，黑眼圈深到让我怀疑你肾脏功能是不是出了问题。你像两头烧的蜡烛，晚上在这里工作，白天和那个淫妇上床，”玛丽皱起眉头，问，“男性的‘淫妇’要怎么称呼？”

“奸夫。”我告诉她，“听着，我知道你看亚当不顺眼，可是，在洛可问你大麻该施什么肥的时候，你也没有翻脸——”

“假如他因此危害到工作，我一定会。”玛丽坚称，“你可能不相信，但我不认为你和亚当上床是不道德的行为。事实上，我觉得这件事在你心底深处造成了压力，同样也让我不舒服。说不定就是这样，你们的恋情才会吞噬你的生活，影响到你的工作。”

我放声大笑。没错，有个男人占领了我所有思绪。只不过他恰好是个九旬老翁。

我突然有个主意，这个念头犹如蝴蝶般轻盈。如果我把事情告诉玛丽会怎么样？如果我能找个人来一起承当我背上的重担，说出约瑟夫的自白呢？“好，我这阵子可能真的有点沮丧。但问题不在亚当，是约瑟夫·韦伯。”我直视玛丽的双眼，“我知道了他的一些事，可怕的事。他是纳粹，玛丽。”

“约瑟夫·韦伯，我认识的那个约瑟夫·韦伯？那个会留下百分之二十五的小费，和小狗分餐包吃的人？拿到去年工商会颁发的‘善良的撒玛利亚人——爱人如己’称号的约瑟夫·韦伯？”玛丽摇摇头，“这就是我的重点，塞奇。你太累了，你脑袋运作出问题了。约瑟夫·韦伯是个善良的老好人，我认识他超过十年了。如果他是纳粹，甜心，我就是女神卡卡。”

“可是，玛丽——”

“你对任何人提过这件事了吗？”

我立刻想到里欧·史坦。

“没有。”我说谎。

“那好，因为毁谤他人，是得不到九日礼，不会有人连续为你祈祷九天的。”

我觉得全世界都站在望远镜的另一端观望，只有我站在正确的方向，能看清事实。“不是我指控约瑟夫，”我绝望地说，“是他告诉我的。”

玛丽撇着嘴。“几年前，几个学者翻译了一些古文件，他们认为那是犹大福音。据他们说，这些以犹大观点为出发点的纪录一发表，无疑是在基督信仰的世界里投下震撼弹。因为犹大不但不是举世皆知的叛徒，而且还是唯一深获耶稣信任、足以达成计划的人。正因为耶稣知道自己一定会死，所以才选了犹大，把计划告诉他。”

“所以说，你相信我！”

“不对，”玛丽的语气平淡，“我不相信。而且我也从来没相信过那些学者。因为耶稣的故事有两千年的历史在背后——我可以告诉你，塞奇，他是好人，和约瑟夫·韦伯一样。是犹大背叛了他。”

“历史不见得是正确的。”

“但是你总得有个起点。如果你不知道自己从哪里来，拜托，你要如何知道自己要往哪里去？”玛丽敞开双臂抱住我，“我这么做是因为我爱你。回家去，好好睡一个星期，去按摩、爬山，先放空，然后再回来，你的烘焙室永远等着你。”

我觉得自己就要哭出来了。“拜托，”我恳求玛丽，“别剥夺我的工作，这是我这辈子唯一还没搞砸的事。”

“我不是要剥夺你的任何东西。店里卖的还是你的面包，我要克拉克保证一定用你的配方。”

但是我想到的是刀痕。

在小区集体烘焙的年代，居民会从家中带来面团，然后所有村民一起烘焙。所以，当面包一起出炉时，你要怎么分辨？答案是：从不同烘焙师的切割刀痕来看。在面团外表划下刀痕有两个意义。一是让你知道烤好之后的面包该从哪里切开，而且可以让面团内部的结构有足够的空间膨胀，但同时，这也是烘焙师留下个人标记的方法。比如说，我一向会在长棍面包上划五刀，最长的刀痕一定靠边。

克拉克不会这么做。

这说来有点傻，客人可能根本不会注意到这个细节，但是那等于我的签名，是我印在每个面包的戳章。

看着玛丽走下圣梯，我开始怀疑这是否是约瑟夫·韦伯选择向我自首的另一个原因。如果你躲得够久——像藏身在人群当中的幽灵一样，就算你永远消失，也不会有任何人发现。人类出自于本能，会确保有人看到你留下的印记。

“我不知道你今天怎么了，”在我翻身离开他，躺在床上瞪着天花板的时候，亚当说，“但是我真的很感谢。”

我不会把我们刚才的活动称之为做爱，其实我比较想爬进亚当的皮肤之下，渗透到他骨子里，让他吸收。我想让自己迷失在他的体内，什么也不剩。

我的指头划过他的肋骨。“你觉得我最近变了吗？”

他咧嘴笑。“是啊，特别是刚刚那半个小时。但是我爱死了新的你。”他瞥了手表一眼，“我得走了。”

亚当今天要主持一场日本佛教徒的葬礼，他做了不少功课，以确保自己掌握到正确的仪式礼节。百分之九十九点九的日本人都选择火化，包括今天葬礼上的逝者在内。昨晚，是守灵夜。

“你不能待久一点吗？”我问他。

“不行，我有一大堆事要处理，”亚当说，“我怕把葬礼搞砸。”

“你火化过上百人了。”我就事论事。

“没错，但是日本人有整套不同的仪式。他们不是像我们那样直接碾磨焚烧过后的碎骨，而是要举行仪式。家庭成员会用特殊的筷子将碎骨拣在一起，然后放进骨灰坛里。”他耸耸肩，“而且你得睡个美容觉，再过几个小时，你又得回去揉甜甜圈了。”

我拉高被单，只露出下巴以上的部分。“事实上，我要休几天假，”我这么说，好像自己原本就有这种打算，“尝试新配方，重新评估一些事。”

“如果你不在，玛丽的面包店要怎么营业？”

“有个家伙会替补我的位置。”我答道。我再次惊讶地发现自己说起谎来毫不犹豫，甚至能品尝到谎言留在喉头的余韵，“他叫作克拉克。我觉得他应付得来。但这也表示我必须像正常人一样过日子，恢复正常作息。所以，知道吗，你也许可以整个晚上都住在这里。如果能和你一起入睡，一定很棒。”

“你经常躺在我身边入睡。”亚当指出事实。

但这不一样。他通常会等我像熄灯般睡着，然后冲个澡，蹑手蹑脚地离开我家。我要的是其他人视为理所当然的陪伴，让黑夜像收紧的绳套，笼罩住我们。我要的是能够开口问“你闹钟设定了吗？”能说“记得提醒我，牙膏快用完了。”能让我们在一起的时光不必充满浪漫与热情，而是能享受单调与无趣。

我伸出双手抱住亚当，把头埋向他的颈际。“假装我们是结婚好多年的老夫老妻一定很好玩，对吧？”

他挣脱我的拥抱。“我不必假装。”说完话，他下床走进浴室。

难道我还需要别人提醒？我等浴室传来他冲澡的声音之后，才裹着围巾慢慢走进厨房。我帮自己倒了杯柳橙汁，在笔记本电脑旁边坐下来。屏幕上，是我从面包店回家时开启的预发酵母计算页面。尽管我没在“每日食粮”工作，我还是可以在自家厨房试验，改进我的配方。

放在桌台上的预发酵母正在发酵，虽然再过几个小时才能用，但最顶端的酵母已经开始作用，看起来像是啤酒杯顶的泡沫。我关闭计算式，用浏览器开启YouTube。

我猜，我和这个国家许多二十五岁的人没有两样。我们对于第二次世界大战的知识来自高中的历史课，对于大屠杀的了解则是来自几本指定教材，例如《安妮日记》和埃利·维瑟尔的《夜》。尽管我知道奶奶和这些事有直接的关联——或许正因为如此——我学会以抽象的角度来看这场大屠杀。我看到的是奴隶般的苦役，这一连串的恐怖事件发生在许久以前，当年的世界和现在完全不同。没错，那是段艰苦的年代，但说真的，那和我有什么关系？

我在搜寻字段里输入“纳粹集中营”，屏幕上出现了许多缩略图，有希特勒狰狞的面孔、交叠堆放在坑里的尸体，还有堆满鞋子的仓库。我点选了一段一九四五年——也就是解放之后的新闻影片，趁着影片下载时阅读下方的评论。

> 大屠杀是一场骗局，犹太人，操！
>
> 造假的屠杀是犹太人的谎言。
>
> 我叔叔的农场就在附近，而且红十字会也称赞过集中营的状况。去读报告吧。
>
> 去你的纳粹猪猡，别再推托，直接承认。
>
> 我猜，证人也都是骗徒？
>
> 当我们和七十年前的德国人一样假装什么都没看到的时候，这种事在现今这个世上仍然持续进行。我们没学到教训。

新闻影片的长度是五十七分钟，我点选了中间的段落来看。我不知道影片拍的是哪一个集中营，但是我看到了堆放在火葬场外面的尸体，而且场面太恐怖，让我无法相信这并非吓人的好莱坞布景。我看到的不可能是真人，他们消瘦到骨头清晰可见，眼珠子都快掉出来了，原本是某个有妻子、有家室、有人生的人。我听到旁白：这个地方，是弃置尸体的场所，焚化炉每天可以焚烧超过一百具尸体。我看到堆置间，尸体全推进里头，和我用长铲把手工面团送进烤箱中的方式一样。我瞥见某个焚化炉中的骨骸，一堆烧过的碎骨，也看到了引以为傲的焚化炉制造商标志：托普夫父子企业。

我想到亚当的客户，从灰烬中挑出心爱之人的骨头。

接着我想到奶奶，开始觉得反胃。

我想关掉电脑，但是我非但没办法关机，还继续看着德国人穿着只有周末才穿的上好衣服，成群结队，面带微笑，在带领之下走进集中营，仿佛要去度假。接着，在进入营区之后，他们的表情变了，变得痛苦，有些人开始哭。我看着穿着西装的魏玛地区生意人被迫入内寻找尸体，重新埋葬。

这些人很可能知道集中营里发生了什么事，只是不愿意对自己承认，或者，干脆视而不见免得受到牵连。如果我不理会约瑟夫告诉我的事，我也会成为那种人。

“怎么样？”亚当冲过澡之后走进厨房时，头发仍然湿湿的，但他已经打上了领带，他抬起手揉肩膀，“星期三，老时间？”

我“啪”一声盖上笔记本屏幕。

“说不定，”我听到自己说，“我们应该缓一缓。”

他看着我。“缓一缓？”

“对。我觉得我需要一点时间独处。”

“五分钟之前你不是刚要我表现出老夫老妻的样子？”

“五分钟之前你不是说你已经是个丈夫了？”

我仔细思考玛丽说的话，她说，和亚当在一起所带给我的影响，可能比我愿意承认的更巨大。我想当一个愿意起身支持自己信仰，而不是否定眼前事实的人。

亚当很吃惊，但是他迅速控制了情绪。“随你需要多久都没关系，宝贝。”他无比温柔地亲吻我。他的吻像个承诺，也像祈祷。“不过你要记得，”他低声说，“永远不会有别人会像我这样爱你。”

亚当离开了，他这句出人意表的话可能是誓言但也可能是威胁。

我突然想起和我一起修世界宗教课程的一个大学同学，她是日本留学生，来自大阪。当教授讲到佛教时，她说起宗教的腐败。她的家人为了替死去的祖父取“戒名”，付了一大笔钱给和尚，“戒名”可以带着逝者进入天国。而你付的钱越多，“戒名”越长，你的家族也会增添更多声望。你觉得“戒名”对过世后的佛教徒有没有影响？教授当时这么问。

可能没有，我的同学回答，但这么一来，当有人提起你的名字时，你不必跟着回到这个世界。

现在想想，我真该和亚当分享这则故事。

若要隐姓埋名，我想，你一定得付出代价。

电话铃响时，我正在做噩梦。梦里，玛丽和我一起在烘焙室，她站在我背后，说我工作速度不够快。我已经用最快的速度切下面团送进烤箱，甚至烫伤了手指，连血都一起揉进了面团，但每次我拿出应该要烤好的面包时，我只看到和船帆一般白的骨头。玛丽责备我，这和时间拿捏有关，我还来不及阻止她，她便用筷子夹起一块，用力咬下去，结果咬碎的牙齿像珍珠般掉到地上，滚到我鞋子旁边。

我睡得好熟，事实上，我虽然伸手拿起电话，但在说出“你好”之后，就把电话掉到了床下。

“对不起，”我拿起电话，“你好？”

“是塞奇·辛格吗？”

“是，我就是。”

“我是里欧·史坦。”

我在床上坐直身子，突然醒了过来。“对不起。”

“你刚刚说过了……我是不是……听起来，我好像吵醒你了。”

“嗯，是啊。”

“那么应该道歉的人是我。我只是以为，十一点了——”

“我是烘焙师傅，”我打断他的话，“晚上工作白天睡觉。”

“你可以等方便的时候回拨电话给我——”

“快告诉我，”我说，“你查到了什么？”

“什么都没有，”里欧·史坦回答，“纳粹党卫队的名单里根本没有约瑟夫·韦伯的资料。”

“那就是某个环节出了错，你有没试着用别的写法查他的名字？”

“我负责研究历史的同事很仔细，辛格小姐。很抱歉，但是我认为你可能误会了他说的话。”

“我没有。”我推开遮住脸的头发，“你自己说过，纪录并不完整。你们是否只是还没找出正确的人？”

“有可能，但如果找不到正确的人，我们也无计可施。”

“你们会继续查吗？”

我听得出他声音里的犹豫，他知道，我无异是要他去干草堆里找出一根针。“如果这样查下去会没完没了，”里欧说，“我们会从柏林两个数据中心和我们自己的数据库里查。但是再怎么样，我们都需要有效信息当作起点——”

“等我到午餐时间。”我恳求他。

最后，是我初遇约瑟夫的方式——我们在哀伤辅导小组认识——让我开始想，里欧·史坦说不定是对的，约瑟夫有可能说谎。毕竟，他和玛塔共同生活了五十二年，对守住秘密来说，这是一段漫长的时间。

我抵达他家时正好下起大雨，而我没带雨伞。当我跑到门廊的屋檐下时，已经全身湿透，爱娃吠了将近半分钟，约瑟夫才来开门。我看到两个影像——不是因为视力问题而产生的双重影像，而是两个人影的重叠：眼前的老人和另一个我在YouTube上看到的年轻强壮、身着制服的军人。“你太太，”我说，“她生前知道你是纳粹吗？”

约瑟夫把门缝拉开了些。“进来。站在路边不好说话。”

我跟着他走进起居室，我们上次下的棋局还摆在里头，独角兽和龙依然停留在原来的位置。“我一直没告诉她。”约瑟夫承认。

“不可能。她一定会想知道你战时的行踪。”

“我说，当时我父母送我到英国念大学。玛塔从来没盘问过我。当你真的爱上一个男人时，你对他的信任程度会让你自己也吃惊。”约瑟夫说。

当然了，这句话立刻让我想到亚当。“要时时留意自己说过的谎言一定很辛苦，约瑟夫。”我冷冷地说。

我的话像是重击，约瑟夫缩回自己的椅子上。“所以我才要把真相告诉你。”

“可是……你不是吧？”

“什么意思？”

我没办法解释为什么我知道他在说谎，也不能说出我请司法部门的纳粹猎人调查过他的假故事。“因为兜不拢。一个从来没探求过真相的妻子，五十二年来都没有怀疑。在这个故事里，你曾经是个怪物，可是你拿不出任何证明。当然了，最矛盾的地方是，为什么你在守秘六十五年之后要全盘托出。”

“我告诉过你，我想死。”

“为什么挑这个时候？”

“因为我没有生活目标，”约瑟夫说，“玛塔是个天使。在我连镜子都不敢照的时候，她看到了我的好。我一心只想当她想象中的丈夫，于是我成了这个人。如果她知道我做过什么事——”

“她会杀了你？”

“不会，”约瑟夫说，“她会自杀。我不在乎自己会怎么样，但想到玛塔知道我这双永远无法真正洗净的双手碰触过她之后会有什么反应，我就受不了。”他看着我，“我知道她现在上天堂了。我答应过自己，在她走之前，我会当她想要我当的人。情况就是如此，我找上了你。”约瑟夫合起手掌，放在膝头，“我可以抱着希望，假设这代表你会考虑我的要求吗？”

他的措辞正式，像是要邀我和他在交谊厅里共舞，又像个业务往来的提议。

但是我蓄意误导他。“你知道这样做有多自私，对吧？你要我冒着被逮捕的危险。你觉得，基本来说，我已经放弃了自己的生命，所以你也可以这么做。”

“事情不是这样。如果有个老人过世，没有人会多想的。”

“假如你忘了过去的六十八个年头，我可以告诉你，谋杀是犯法的。”

“啊，但是你知道吗，就是因为这样，我一直在等待你这样的人出现。如果由你来下手，这就不是谋杀，而是慈悲。”他迎视我的目光，“知道吗，在你帮助我结束生命之前，我还需要你的恩惠。我想先请你宽恕我。”

“宽恕你？”

“原谅我当初做过那些事。”

“你该寻求宽恕的对象不是我。”

“的确不是，”他也同意，“但如今他们全都过世了。”

慢慢地，齿轮开始转动，在我眼前清楚排列出整个布局。我现在知道他为什么要找我自白了。约瑟夫不知道我奶奶的经历，然而，我却是他在这个城里所能找到的最接近犹太人的人选。这就像死囚室里的受害者家属。他们有权寻求正义吗？我的曾祖父母死在纳粹手中，这是不是让我成了替代品，成了第二选择？

里欧的声音在我脑子里回荡。我不知道怎么喊停。他的工作是复仇，还是正义？这两者之间隔着最细的界线，我越想专注，这道界线就越来越不清楚。

忏悔可能会为凶手带来内心的祥和，但对受害者而言呢？尽管我没把自己当成犹太人，但是，对于坚守宗教信仰并且因此遭到谋杀的亲人，我是否还背负着责任？

约瑟夫对我告白，因为他把我当成朋友，因为他信任我。但如果约瑟夫的说法属实，那么被我当朋友看待、让我信任的这个男人就只是个傀儡，是个虚构的想象。这个男人欺骗了上千人。

这个想法让我觉得很污秽，我应该要更懂得看人才对。

在这个时候，我对自己许下承诺：我一定要查清约瑟夫·韦伯是不是纳粹党卫队的成员。但若他真的是纳粹，我不会依他的愿望来结束他的生命。如同他背叛了他人一样，我也会背叛他。我要从他口中问出足够的信息，然后交给里欧·史坦，如此一来，约瑟夫才会死在牢房里。

但是，他本人不必知道这些。

“在我不知道你做了什么事之前，我没办法宽恕你。”我平静地说，“而且在我同意之前，你必须先给我一些有关你过去的确实数据。”

约瑟夫露出近乎痛苦的表情，明显松了一口气。他含着泪说：“那张照片——”

“什么也无法证实。我甚至看不出那是你，照片说不定是你上网买来的。”

“我懂，”约瑟夫抬头看着我，说，“那么你最该知道的，是我的真名。”

如果约瑟夫觉得奇怪，不懂我为什么隔了一会儿之后会跳起来借用厕所，他也没表现出来。他带我穿过走廊，走进一间小化妆室，里头贴着蔷薇花样的墙纸，一叠装饰用的香皂还裹着塑料包装。

我先扭开水龙头，才拿出口袋里的手机。

响了一声，里欧·史坦便接起电话。

“他的名字不是约瑟夫·韦伯。”我上气不接下气地说。

“喂？”

“是我，塞奇·辛格。”

“你为什么要压低声音说话？”

“因为我躲在约瑟夫家的洗手间里。”我说。

“我以为他不叫约瑟夫……”

“不是。是雷纳·哈特曼，曼妙的曼。而且我也问出了他的生日，一九一八年四月二十日。”

他刚才说：和元首同月同日。

“算起来，他今年九十五岁。”里欧计算出他的年龄。

“我以为你说过的，逮捕这些人永远不嫌迟。”

“是不嫌迟，九十五岁总比死了好。但是你怎么知道他说的是实话？”

“我不知道，”我说，“但是你会知道。先输入数据库之后再说。”

“事情没这么简单——”

“也不可能那么难。你的历史研究员在哪里？请她去查。”

“辛格女士——”

“听着，我躲在老人家的洗手间里。是你说的，有了名字和生日记录之后，会比较容易查证。”

他叹了一口气。“我来看看吧。”

在等待的这段时间里，我冲了两次马桶。我不确定约瑟夫——或雷纳，还是任何他此时此刻想要的其他称呼——会不会以为我跌进了马桶里，说不定他以为我用他的洗手槽沾水洗澡。

约摸十分钟之后，我听到里欧的声音，“雷纳·哈特曼是纳粹党员。”他说。

知道他找到了人，我心里涌起一股怪异的快感，但同时也觉得心情沉重。因为这表示门外的人曾经参与了大屠杀。我吐出憋了许久的一口气："所以，我是对的。"

"不能因为我们在柏林文献中心找到这个名字，就以为我们灌篮成功，"里欧说，"这只是个开始。"

"接下来要怎么办？"

"这就要看你还能挖出什么信息。"里欧回答。

就像是刀刃沿着我颈侧往下划。

我听到皮肤撕裂的声音，感觉到黏稠温热的血往下滴到胸前。他迅速地又一次袭向我，攫住我的声带。我只能等，等待他锐利如剃刀的牙齿，我知道他会再度攻击。

我听过嗜血怪物“巫皮欧”的故事，怪物挣脱裹尸的麻布死而复生，出来寻找维持生命的鲜血，因为他们自己的身上已经滴血不剩。他们贪得无厌，永远不知满足。我听过不少故事，如今，我知道那全是真的。

这不同于尖锐的白牙，也不是吸血。他咬住我，将我带到死亡边缘——他永无止境地在这里巡行。原来地狱就是这个样子：缓慢、无声地呐喊。我想动但是没有力气，想说却没有声音。然而，在他撕扯我的血肉时，我其他的感官越来越敏锐：触觉、嗅觉和听觉。他抓着我的头撞向地面，一次，又一次。我两眼一翻，黑暗罩了下来，像个断头台……

我突然跳起来。我流了一身汗，脸颊沾到了面粉。在等待面团发酵时，我睡着了。但我还是听到到砰砰作响的声音。我举手握住自己的喉咙，宽慰地发现颈子光滑又完整，接着，我又听到了：有人正在敲茅屋的门。

金眼男人背对着月光，站在门外。“我可以帮你烘焙。”他说。他的声音低沉又温柔，带着浓浓的腔调。我好奇他是从哪里来的。

我仍然半睡半醒，一下子没听懂。

“我叫亚历山大·勒伯夫，”他说，“我在村里见过你，我知道你父亲出了事。”他的视线落在我背后，看着放在麻布上，排列得犹如士兵一样整齐的长棍面包，“白天我得照顾我弟弟，他脑袋不太对，如果我放他一个人独处，他会伤害自己。但是，我也得找工作，找个让我在他晚上睡觉时上工的工作。”

“那你什么时候睡觉？”我问道。我提出昏沉脑袋里第一个冒出来的疑问。

他露出微笑，这一笑，让我没办法呼吸。“谁说我要睡觉？”

“我付不起——”

“你能给的，我全都接受。”他回答。

我想到自己有多累，想到，如果我让一个陌生人走进我父亲的烘焙室，他会怎么说。我还想到达米安和巴鲁克·贝勒，想到这两个人想从我身上得到的东西。

有人说，比起陌生的魔鬼，你还是和认识的魔鬼待在一起比较安全。我对亚历山大·勒伯夫一无所知，所以，我何必接受他的提议？

“因为，”他仿佛看穿了我的心思，“你需要我。”

约瑟夫

若你用另一个名字喊我，我不会响应。我只希望自己从来不是那个人。

但这不是真的。我们每个人的心里都有个怪物，也有个圣人。真正的问题是谁会击败对方。

要知道我为什么会变成那样的人，你必须先了解我的出身。我家住在帕德博恩区布衡市的维沃兹堡，我父亲是机械工，母亲是家庭主妇。我最早的记忆，是父母为钱而争吵。第一次世界大战过后，通货膨胀不断加剧，他们在几年间辛苦存下的钱贬得一文不值。我父亲刚领到的十年满额保险金甚至不够买一份报纸。当时的咖啡一杯要价五千马克，一条面包两千万。我记得我小时候会和母亲在发薪日那天跑去接我父亲，接着再疯狂冲进店家去采购，而商店里备货通常不足。这种时候，母亲便会要我带着弟弟法兰兹，在傍晚时分到维沃兹堡外围的农地去偷摘苹果，或去田里挖马铃薯。

当然了，不见得每个人都过着这种苦日子。有些人很早开始投资黄金，有些人买卖布匹、肉品、肥皂或农产品。但是大多数的德国中产阶级——例如我家——都处于破产状况。

战后成立的魏玛共和国是一场大灾难。我的父母什么都没做错，他们认真工作，节俭持家，但他们得到什么结果？经过了一次又一次的选举，但没有人能找出答案。

我想说这些，是因为大家都会问：纳粹怎么会取得权力？希特勒为什么可以独揽大权？嗯，让我来告诉你吧，绝望的人通常会做一些平常不可能做的事。如果你去看医师，而他表示你病入膏肓，你可能会垂头丧气地走出诊所。但是，若你告诉朋友你病重，然后听到某个人说："知道吗，我有个朋友也患了同样的病，而某某医师立刻治好了他。"这时候，就算他是庸医，或是一次看诊收费要价两百万，我敢说，你还是会立刻拿起电话和他联络。无论你受过多少教育，无论这事有多荒谬，你仍然会循着希望之光往前走。

德国国家社会主义工人党[①]就是那道光。只有纳粹能改变德国。所以何妨一试？他们保证让人民回到工作岗位，保证摆脱《凡尔赛合约》对德国的种种限制，让我们重新取回战时失去的土地，让德国回到应有的地位。

我五岁时，希特勒企图借由一场在啤酒馆——慕尼黑啤酒馆——举行的集会取得政权，结果一败涂地。但是他从中学到带领革命不需借由暴力，而是要合法进行。来年，也就是一九二四年，当希特勒受审时，他说的每一个字都刊登在德国的所有报纸上，成了国社党第一次的有力宣传。

你会发现，我完全没提到犹太人。那是因为我们多数人都不认识任何犹太人。六千万德国人当中只有五十万个犹太人，但这些人也管自己叫德国人，而不是犹太人。然而，早在希特勒掌权之前，反犹太主义风潮就已经出现了。我们在教堂里学到了许多事，其中一件，就是犹太人在两千年前杀害了我们的救主。而我们在犹太人身上看到

---

① 德国国家社会主义工人党（The National Socialist German Workers' Party）：德文缩写为NAZI，简称国社党或纳粹党。

了明显的特质：他们善于投资，在景气低迷，每个人都穷苦度日的时候，这些人仍然富有。要灌输这个想法，指称犹太人应该为德国所有的问题负责，并不是难事。

任何一个军人都会告诉你，要把分裂的团体结合在一起，就得先找出共同的敌人。当希特勒在一九三三年取得政权之后，他就是这么做的。他将这个观念带入纳粹，还将炮火对准左派人士。纳粹将犹太人与左派分子、犯罪，以及叛国行为联系在一起。如果有人已经为了宗教或经济等理由而憎恨犹太人，那么，再多加上一个罪名更是轻而易举。所以，当希特勒表示，伤害到德国民族的纯洁是德国最大的威胁，而我们必须不计一切代价维护祖国的独特性时——怎么说，我们有了再次骄傲的理由。犹太人带来的威胁是可以计算的。他们和德国人往来，以提高自己的地位，而这么做，无疑拉低了德国的优势。我们德国人需要生存空间，才能成为泱泱大国。若是没有发展的空间，那么我们就没剩下太多选择了：出兵征服领土，摆脱对德国造成威胁或是和纯种德国人不一样的人。

一九三五年，我已经是个少年了，这时德国也已经退出了国际联盟。希特勒宣布德国将成立自己的军队，无视第一次世界大战之后的禁令。当然了，当时如果有其他国家——例如法国或英国——出面阻止，那么这后续发生的种种很可能不会发生。但是，战争才刚过，怎么可能会有人想重燃战火？最简单的做法，就是把这个决定合理化，说希特勒不过是收回曾经属于德国的权力。与此同时，在国内，工作机会又出现了——生产军需品、枪支和飞机的工厂纷纷设立。大家钱虽然不如以往赚得多，而且工时拉长，但至少可以养家。一九三九年，德国人的生存空间越过了萨尔河，来到莱茵河区、奥地利、苏台德山脉以及捷克境内。最后，在德国人进入但泽、波兰时，英国和法国终于对德宣战了。

我想多讲些我童年的故事。我的父母一心想让孩子过更好的生活，而他们相信问题的症结在于教育。懂得以更好方式投资金钱的人，他的经济当然不可能陷入困境。我虽然不是特别聪明，但是我父母仍然希望我参加考试，进入德国教育体系中的高中。高中培养出来的学生一般会进入大学就读。当然了，进入高中之后，我不是打架就是胡闹，以此来掩饰自己的能力不足。校长每个星期都会约见我父母，不是因为错过考试，就是因为我在学校里和同学争吵，继而大打出手。

幸好，我父母可以把希望寄托在另一个人身上——我的弟弟法兰兹。法兰兹比我小两岁，用功不懈，永远把头埋在书本里。他经常信手在笔记本上涂鸦，然后把笔记本塞在床垫下，而我老是会偷拿这些笔记本来取笑他。我通常看不懂他画些什么，他的画里有因失恋而溺毙，漂浮在秋日水塘上的女孩；有饿到皮包骨的鹿在雪地里挖橡实吃；还有人由内而外地燃烧起来，烧到床具和整幢屋子。他的梦想，是到海德堡大学就读、学诗，而我父母也和他一起做梦。

到了某一天，一切突然改变了。我们的高中举办了比赛，看哪个班级以最快速度，能让全班百分之百的学生都加入希特勒青年团。要知道，在一九三四年，加入希特勒青年团还不是强制规定。当时的青年团还是个社团，就像你们的童军团一样，只不过我们要向希特勒和他未来的军队宣誓效忠，在成人领导员的带领下，我们会在下课后集会，周末也会去露营。我们的制服和党卫队的制服很像，有相同的两道闪电S型领章。我当年十五岁，不想乖乖坐在教室里，有机会出去最好。我在运动竞赛上有优异的表现，在学校里以霸凌同学闻名——但这种说法不见得公允，因为我多半是因为对方耻笑法兰兹娘娘腔，才会动手打人。

我太希望自己的班级能赢得这场比赛了。不是因为我对元首特别忠贞，而是因为当地青年团的领导同志是索尔马赫先生，而他女儿英格是我见过最漂亮的女孩。她看起来像个冰雪皇后，有一头银白色的头发，浅蓝色的眼睛，而她和她的朋友不知道世上有我这个人的存在。我知道自己可以借由这次机会来扭转情势。

为了这场比赛，老师把大家的名字写在黑板上，只要有人加入青年团，便把名字擦掉。有些人受了同学影响而加入，有些人则是出自他们父亲的要求。然而，这当中有更多人——大约十来个，是受了我的要挟。我威胁若他们不肯加入青年团，便要把他们拖到学校运动场上痛殴一顿。

我弟弟拒绝参加希特勒青年团，他班上只有他和另一个同学没参加。他知道亚图尔·高德曼为什么不参加——因为他不能参加。我问法兰兹为什么要和一个犹太人站在同一阵线，他说，他不想让他的朋友亚图尔觉得自己遭到排挤。

几个星期之后，亚图尔不再出现，之后再也不曾回到学校。我父亲也鼓励法兰兹加入青年团，去认识新朋友，而我母亲则要我答应会在集会时照顾弟弟。她说："法兰兹不像你那么强壮。"她担心他在树林里露营时会生病，或是没办法和其他男孩沟通。

至于我呢，她这辈子第一次不必为我担心。因为，我竟然成了希特勒青年团的模范青年。

我们远足，唱歌，做体操，也接受军训。我最喜欢的活动是练习阅兵分列式、刺刀术、投掷手榴弹、挖掘壕沟，以及爬行穿越铁丝网。这让我觉得自己已经成了军人。看到我对青年团如此热心投入，索尔马赫先生告诉我父亲，有一天，我一定能成为顶尖的党卫队军官。还有比这更光荣的成就吗？

为了找出青年团最英勇的成员，我们都接受了勇气训练。孩子们就算害怕，也不得不照着指示去做，否则懦夫的恶名会一辈子跟在身后，像永远抛不掉的臭味。我们的第一个测验是攀爬城堡的石墙，而且不绑安全绳。几个年纪比较大的孩子被推到了最前排，但法兰兹拼命往后退，我遵照母亲的叮咛，留在他身边。最后因为有个男孩摔下来跌断腿，训练才中断。

个星期之后，索尔马赫先生蒙起我们的眼睛，这也是勇气训练的一部分。坐在我身边的法兰兹紧紧握住我的手。“雷纳，”他低声说，“我好害怕。”

“听他们的话去做就好，”我告诉他，“很快就会结束了。”

透过这种新的思考方式，我看到了解放——这很讽刺，因为我不必自己思考。在学校里，我不够聪明，找不出正确答案。然而在希特勒青年团里，自然有人把正确答案告诉我，只要我照着说，便会被视作天才。

我们坐在假造的黑暗当中等待指示。索尔马赫先生带着几个年长的孩子在我们面前来回巡逻。“如果元首要你们为德国奋战，你们会怎么做？”

我们齐声高喊：“奋战！”

“如果元首要你们为德国捐躯，你们会怎么做？”

“捐躯！”

“你们害怕什么？”

“什么都不怕！”

“起立！”几个大孩子拉我们站起来，排成一列。“你们会被带进一幢房子，里头有个游泳池，但是没有水。你们要背诵希特勒青年团的誓言，然后站到跳水板往下跳。”索尔马赫先生停顿一下，才说，“如果元首要你们跳下悬崖，你们会怎么做？”

“跳！”

我们都蒙着眼睛，所以不知道这十五个人中会是哪个人先被拉上跳水板。最后，我发现法兰兹的手被人从我手中扯开。

“雷纳！”他尖声叫出我的名字。

我猜，在那个节骨眼上，除了我母亲要我照顾弟弟的交代之外，我什么都没想。我站起来扯掉蒙眼布，疯了似的跑，抢在把我弟弟拉向建筑物的大孩子前面。“*Ich gelobe meinem Führer Adolf Hitler Treue*，”我高声大喊，从索尔马赫先生身边跑过去，“*Ich verspreche ihm und den Führer，die er mir bestimmt，jederzeit Achtung und Gehorsam entgegen zu bringen*……”

我誓言效忠元首阿道夫·希特勒，我承诺绝对服从，并尊敬元首及元首指派来领导我的长官。在这面代表元首的红色旗帜之前，我发誓对国家救星希特勒献上我全副体力与精力。我愿意，而且随时可以为他奉献自己的生命，愿上帝助我。

接着，我看都没看就往下跳。

我裹上棕色的粗毯子，衣服仍然湿漉漉的。我告诉索尔马赫先生，表示我嫉妒弟弟，因为他们先挑了他，让他有机会比我早证明自己的忠贞和勇气。就是因为这样，我才会抢在他前面。

游泳池里有水，虽然不深，但也足够。我知道他们不会让我们跳下去自杀。但因为我们都是分别带开，所以不可能听到水花的声音。

但是我晓得法兰兹听得见，因为他当时已经被带到了池边。而听到声音之后，他也能够往下跳。

然而索尔马赫先生不怎么相信我。“你这种手足之情让人钦佩，”他告诉我，“但这不能超过你对元首的爱。”

这件事过了之后，那天，我一直很小心地避开法兰兹，放任自己玩捕兽者与印第安人的游戏。我们依臂章的颜色分成几个小组，追捕敌人之后，再扯下他们的臂章。这些游戏到后来通常会演变成争吵打斗，而游戏原本的设计，就是要让我们变得更剽悍。我没有保护弟弟，而是无视他的存在，看他被推倒在地，我也不会去扶他起来，因为索尔马赫先生盯得太紧。

法兰兹最后嘴唇裂伤，浑身瘀青，左脚无力，脸颊严重擦伤。我知道，母亲一定会要我负责。但到了黄昏，当我们一起走回家时，他把肩膀靠在我身上。我记得路上的卵石仍然温热，散发着白天日照的余温，当晚，正好是月圆。“雷纳，”他只简短地说了声，“*Danke*（谢谢）。”

接下来的星期日，我们在体育馆里集合，摆好拳击赛的阵势。这次集会的目的，是要在我们十五个人当中选出一个冠军。索尔马赫先生带英格和她的朋友过来观赛，因为他知道有女孩在场，男孩子们会更想要好好表现。他说，冠军可以拿到一个特别的奖牌。“元首说过，对民族来说，体魄强健的个人如果有健全的人格，比聪明的胆小鬼更有价值。”索尔马赫先生说，“你们是不是强健的个人？”

至少我很健康，这点我很清楚。我每次看着英格・索尔马赫的时候都能感觉得到。她的双唇和缎带糖果一样粉嫩，我敢说，尝起来一定也很甜。她坐在看台上，我看着她羊毛罩衫前襟扣子的起伏。我想要拉开一层层的衣服碰触她的皮肤，她一定和牛奶一样雪白，柔软的程度，一如——

“哈特曼。”索尔马赫先生厉声喊，法兰兹和我都站了起来。索尔马赫先生显然吓了一跳，接着，他脸上飘过一抹微笑，“对，对，有何不可？”他喃喃地说，“你们两个一起进拳击台去。”

我望向法兰兹，看着他单薄的肩膀和软弱无力的小腹，看到他听懂索尔马赫先生要我们做什么之后，眼底的迷蒙突然散去。我拉开圈绳爬进了拳击台，戴上头盔和拳击手套。我从弟弟身边走过，轻声告诉他：打我。

英格摇铃要我们开赛，接着跑回了几个女孩身边。其中有个女孩指着我，英格抬头看过来。在那神奇的一刻，我们四眼相望，世界仿佛完全静止。“动作快。”索尔马赫先生催促我们。台下的男孩开始喝彩，我举起双拳，绕着法兰兹打转。

“打我。”我压低声音说。

“我办不到。”

“*Schwächling*（胆小鬼）！”一个年纪大一点的孩子喊了出来，“别像个女生一样！”

我软软地朝我弟弟的胸口挥出右拳，他弯下了腰，肺里的空气全呼了出来。我身后的男孩们大声叫好。

法兰兹害怕地抬头看着我。“回打我。”我对他吼。我摆动戴着手套的双手，在打中他之前先手下留情。

“你们在等什么？”索尔马赫先生扯着喉咙喊。

于是我用力地一拳挥向法兰兹的后背。他单膝跪在地上，看台上的女孩有人倒抽了一口气。他想办法站了起来，先收起左拳，接着朝我的下巴挥过来。

我不知道是什么因素触发了我。我猜，是因为我挨了一拳，而且会痛；要不，就是我想让一旁观赛的女孩留下深刻的印象，但也可能是因为台下几个男孩的煽动。总之，我开始攻击法兰兹，打他的脸、肚子和后腰。我一记接着一记有节奏地挥拳，打到他的脸上沾满了血，口吐白沫，倒在地板上。

有个年长男孩跳进拳击台，高举我戴着手套的手，我是冠军。索尔马赫先生拍打我的背。“这张脸，”他告诉其他人，“代表着勇气。这是未来德国的新面貌。希特勒万岁！”

我跟着呼口号，其他男孩也跟喊。唯一的例外是我弟弟。

我的肾上腺素高涨，觉得自己可以无坚不摧。挑战者一个接着一个上台，但全成了我手下败将。这么多年来，我老是因为控制不住脾气，而受到老师的惩罚，如今我却因此接受赞扬。不，不只是赞扬，还赢得无比尊荣。

那天晚上，英格·索尔马赫颁发奖牌给我，十五分钟之后，在体育馆后面，我得到真正的初吻。第二天，我父亲太担心法兰兹的伤势，于是去拜访索尔马赫先生。

“你儿子很有天分，”索尔马赫先生说，“很特别。”

“是的，”我父亲回答，“法兰兹一直是个优秀的学生。”

“我说的是雷纳。”索尔马赫先生说。

我知道暴力行为是错误的吗？更何况我的第一个受害者还是我弟弟。这个问题，我自问过不下数千次，而回答永远一样：我当然知道。那天最难，因为我本来可以拒绝。在那之后的暴力行为会一次比一次容易，因为如果我不再这样做，我就会想起我没有开口拒绝的第一次。相同的行为经过一再重复，似乎会变成正确的做法。到最后，甚至连愧疚都不复存在。

现在，我要告诉你的，是这个道理的确存在。这件事也可能发生在你身上。你以为永远不会，你心想：我不会。但是我们随时可能做出任何自己想不到的事。我一直知道自己在做什么，对谁做这些事。我清楚得很。因为在那些可憎却美好的时刻，我成了每个人的典范。

到现在，亚历山大和我工作已经有一个星期的时间了。我们会谈天说笑，但通常当他来茅屋烤面包时，我也准备要就寝了；而当我起床准备拿面包去市场卖时，他正要脱下白色围裙。

有时候，他偶尔会逗留，我也会晚点离开。他说，他弟弟出生时脸上盖着一层膜，导致氧气不足，而他的父母死于斯洛伐克胡门内的一场瘟疫，他照顾卡希米至今已经十年了。他解释，卡希米的小毛病——亚历山大是这么说的——会让他吃下一些不该吃的东西，比如石头、泥巴、树枝等等，因此在他清醒的时候，一定要有人盯着。亚历山大说起几个他住过的地方，有些是高耸入云的石砌城堡，有些只是忙碌的城市，那里的马车不用马拉，仿佛是鬼拖车似的。他任何地方都不久留，他说，因为大家看到他弟弟都觉得不自在。

亚历山大烘焙的样子像个天生好手，我父亲一向认为这是心灵满足的表现。他常常告诉我：如果你自己老是饿肚子，你就没办法喂饱别人。我把这些话告诉亚历山大，他笑着说："你父亲从来没见过我。"他总是穿着简单的白色长袖衬衫，无论厨房有多热，也不会像我父亲一样，在让人冒汗的热气下脱得只剩下内衣。我称赞他工作的节奏流畅，动作优雅，让烘焙看来像舞蹈。亚历山大承认，他上辈子曾经当过烘焙师傅。

我们也提到了死亡事件。亚历山大问我，每当新的伤亡事件出现时，村里的人有什么说法。最近，攻击事件的发生地点已经接近村子的城墙，而不仅在村郊。有个妓女在妓院门口遇害，头差点被扭断；

另一名学校老师的残尸就在村子创建者的雕像脚边被人发现。有人说，施虐的野兽仿佛想戏弄我们。

“他们说，”有天，我告诉亚历山大，“说不定杀人的不是野兽。”

亚历山大回头看过来。他正用长木铲把面团送进火炉里。“这话是什么意思？要不然还会是什么？”

我耸耸肩。“某种怪物吧。”

我以为他会大笑以对，没想到他到我身边坐了下来，用拇指翻动木桌上的铜板。“你相信怪物吗？”

“我知道的唯一一种怪物，是人。”我说。

塞奇

“来。”我递了一杯水给约瑟夫。

他接过去喝。连续说了三个小时之后，他的声音粗嗄。“你真好。”

我没有回应。

约瑟夫手上的杯子还靠在嘴边，他抬起双眼看着我。“啊，”他说，“你开始相信我了。”

我该怎么说？约瑟夫口中的童年——特别是希特勒青年团，唯有真正经历过的人才说得出这样的细节——让我确信：是的，他说的是实话。约瑟夫在小区里无人不知，无人不爱，这使得我一时仍然无法接受他的说法：过去，他一度是个截然不同的人。这好像听特蕾莎修女承认她在少女时代曾经放火烧猫一样。

“这未免太取巧了一点，不是吗？说你因为受人指使，才做出可怕的事。”我指出重点，“这并没有让整件事合理化。无论有多少人叫你从桥上往下跳，你永远可以选择回头，转身离开。”

“我为什么没有拒绝？”约瑟夫沉思地说，“这么多人，为什么没有人说不？因为我们太想要相信希特勒的说法，想相信未来会比现在好。”

“至少，在当时，你们还能想到未来，”我喃喃地说，“就我所知，有六百万人没有这种机会。”约瑟夫坐在椅子上喝水，完全看不出他刚刚才道出一个卑鄙恐怖事件的开端，这让我胃部突然一阵翻搅。一个人怎么可能对其他人做出这么邪恶的事，而事后却没有痛哭颤抖，也没有噩梦连连？“你怎么可以想死？”我脱口说，“你说你有信仰，难道你不担心面对最后的审判？”

约瑟夫摇摇头，沉浸在自己的思绪里。“他们的眼神，有时候……他们不怕我们扣扳机，就算是枪口对准他们也一样。他们就像自愿朝枪口冲过来一样。起初我还不懂。怎么可能有人会不想多活一天？你的生命怎么可能变得这么廉价？后来我才逐渐了解，如果你活在地狱里，死亡一定与天堂无异。”

我想起奶奶，她是否也愿意走向枪口？这代表了软弱还是勇气？

“我累了，”约瑟夫叹了一口气，“我们改天再谈，好吗？”

我想要的，是从他身上问出数据，直到他像被榨干的骨头为止。我想要他说到喉咙起水泡，直到他讲出来的秘密足以盖遍我们周遭的地板，才甘心罢休。但他是个老人，于是我告诉他，我明天会来接他一起去参加哀伤辅导小组的聚会。

在开车回家的路上，我打电话给里欧，一五一十说出约瑟夫告诉我的故事。

“嗯，”听我讲完，他说，“这是个开端。”

“开端？这些已经是值得研究的重量级资料了。”

“很难说，”里欧说，“一九三六年十二月之后，所有非犹太裔的德国青年都必须加入希特勒青年团。他透露的信息，和我从其他嫌犯口中听来的相当吻合，但这不足以断定他的罪名。”

“为什么不行？”

“因为，不是所有青年团的成员最后都成了党卫队的一分子。”

“那么，你呢？你找出了什么数据？”我问道。

他笑了。“从你刚刚在洗手间里和我说话到现在，才过了三个小时而已。”里欧说，“再说，如果我真的找到数据，我也不能和你分享，因为你是平民，没有担任公职。”

“他说，在他死之前，想先要我宽恕他。”

里欧吹了声又低又长的口哨。“这么说，你不但要杀他，还要身兼神职人员的角色？”

“我猜，以他的状况来说，他要的是犹太人而不是神职人员，甚至连不承认自己身份的犹太人也行。”

“这个请求还真让人毛骨悚然，”里欧说，“在抛开人世枷锁之前，先要求一个你手中受害者的子孙来帮你开脱。”他犹豫了，“你不能那么做，知道吧，我要慎重声明。”

“我知道。”我说。为什么不行？我可以立刻举出十来个理由，首先是：我又没有受到他残虐对待。

可是……

如果你稍微扭转他的请求，从另一个角度来看，约瑟夫要的并不是谋杀犯的空泛恳求，而是垂死老人的愿望。

如果我不同意，是不是代表我和他一样冷血无情？

“你什么时候要再找他谈？”里欧问道。

“明天。我们要一起去哀伤辅导小组。”

“好，”他说，“再打电话给我。”

挂断电话之后，我发现我错过回家的路口。更明确地说，我已经知道自己要去哪里了。

波兰式蛋糕babka这个字源自baba，在意第绪语[①]和波兰语当中的意思是“祖母”。在我记忆当中，我度过的每个光明节都有这种甜蛋糕。我家的光明节有个不成文规定，我母亲会买只尺寸和小孩子一样大的火鸡，我姐姐派波负责准备马铃薯泥，而奶奶一定会带来三条波兰甜蛋糕。即使我还小，但我仍然记得，在我帮忙刨苦甜巧克力丝时，最担心的事，就是刨到指关节。

今天我让黛西提早回家。我表示要留下来帮奶奶烤面包，但其实我想和奶奶独处。奶奶在第一个烤盘上涂奶油，我则是擀平面团，在边缘刷上一层蛋汁。接着，我把巧克力洒进面团里，开始有节奏地再次揉起面团。我利落地扭转拉长的面团，总共扭了五次，然后再刷上另一层蛋汁。“酵母，”奶奶说，“是一种奇迹。只要一小撮酵母，一点儿水，看看你可以得到什么成果。”

“这不是奇迹，是化学作用，”我说，“真正的奇迹是首次有人看到菌菇，然后说‘嗯，来煮煮看，看看会怎么样。’”

奶奶把烤盘递给我，好让我放上面团，然后把配料压在最上面。“我爸爸，”她说，“会用甜蛋糕传信息给我妈妈。”

我微笑地看着她，问：“真的吗？”

“是啊。如果内馅用苹果，代表这天面包店业绩很好，客人很多。如果放的是杏仁，则是说我想你想得好苦。”

“那么巧克力呢？”

奶奶笑了。“代表抱歉，不管他为什么惹恼她，他都道歉。不必多说你应该也知道，我们吃了不少巧克力甜蛋糕。”

我用一条抹布擦手。“奶奶，”我问道，“他是什么样子的人？

① 意第绪语：犹太人使用，混合德文、希伯来文等的语言。

不工作的时候，他都做什么事？他有没有给你取什么小名，或带你去让你忘不了的地方？”

她噘着嘴。“噢，又要写传记了。”

“我知道他死于战争，”我柔声问，“是怎么死的？”

她愤怒地在第二个烤盘涂上奶油，用夸张的动作来响应我。最后她终于说：“每天下课之后，我都会到面包店里，他总是会帮我留下一个面包。我爸爸管这个面包叫‘小敏卡’，一天只做一个。面包本身很薄，但是巧克力和肉桂内馅暖到可以直接溜进喉咙，我知道如果他愿意，一天可以卖掉上百个这种面包，可是他不肯，说这个面包是特别为我做的。”

“他死在纳粹手上，对不对？”我静静地问。

奶奶别过头，不愿意看我。“我爸爸把办后事的细节托付给我。当我母亲读白雪公主的故事给我听时，他会说，敏卡，记下来，我不要躺在透明的玻璃棺里让别人盯着我看。或是，敏卡，记住了，我宁可要烟火也不要鲜花。敏卡，一定别让我死在夏天，否则来吊唁的人会看到苍蝇嗡嗡乱飞，你说呢？我觉得那是一种游戏，闹着玩罢了，因为我爸爸绝对不会死。我们都知道他所向无敌。”她拿起挂在桌台边的拐杖——她在家里放了好几支拐杖——走到餐桌边，重重地坐下来，“我爸爸把后事的细节托付给我，但最后，我一项也没办到。”

我跪在她面前，把头枕在她腿上。她的小手像鸟儿似的停在我的头发上。“这么多年来，你一直把这些事闷在心里，”我轻声说，“说出来会不会好一点儿？”

她碰触我受过伤的脸颊。“会吗？”她问道。

我往后抽回身子。“那不一样。我没办法假装这件事没有发生，无论我有多想，都不可能，因为它在我身上留下了印记。”

“一点也没错。”奶奶说。她拉高袖子，露出前臂上面的数字，“我很久以前说过一次，我的医师看到这个记号，所以我告诉了他。他问我是不是愿意到他妻子的课堂上讲出来。她是大学的历史教授。”她说，“那场演讲很顺利，我克服了怯场的情绪演讲，而且中途没有反胃呕吐。接着教授问学生是否想提问。”

“有个男孩站起来。老实说，我以为他是女孩子，因为他的头发好多、好长。他站起来说，‘大屠杀事件根本不存在，没发生过。’我不知道该怎么办，该怎么说。我心想，我经历过大屠杀，你怎么敢对我说这种话？你怎么敢就这样抹杀掉我的生命？我难过到几乎看不见。我喃喃道歉，走下那个讲台，用手掩着嘴走出门。我觉得，如果我不掩着嘴，一定会尖叫出来。我走到车边，坐进车里想，最后终于想出我该怎么说。我们从历史上得知，有六百万犹太人在战争期间消失。如果不是大屠杀，那么这些人到哪里去了？”她摇摇头，“发生了那种事，然而这个世界却什么也没学到。你看看，种族灭绝和歧视仍然存在；历史课堂上仍然有像那个愚蠢男孩一样的年轻人。我以为我的存活是一种确认，让世上不会再次出现那种事，但是你晓得吗，我一定错了。因为，塞奇，这种事仍然继续重演，天天都有。”

“你不能为了那次有个新纳粹分子出现在课堂上，就觉得你的经历不重要。”我说，“告诉我。”

奶奶久久地看着我，接着，她拄着拐杖站起来，离开了厨房。她把一楼走廊的书房改成卧室，省得爬到二楼，我听到她在里面走动，翻找一个又一个的抽屉。我站起来，把已经发起的面团送进烤箱。

我走进卧室时，看到奶奶坐在床上。房间里有她的味道，闻得到蜜粉和玫瑰的香味。她拿着一本皮革封面的记事本，看得出书脊已经裂开了。

“我从前会写作，”她说，“是个相信童话故事的孩子。我说的不是你妈妈读给你听的那种傻傻的迪斯尼童话，而是刺激曲折，女主角知道爱情有杀伤力，同样也可以带来自由的故事。我相信巫婆的诅咒，相信狼人会发狂。但是我也错误地以为最恐怖的故事全来自想象，而不是真实生活。”她用手抚平床罩，“我十三岁时开始写这个故事。当其他女孩子打点发型，开始想和男孩调情的时候，我在写作。我会想象人物和对白，写下一整个章节给我最好的朋友塔雅看，看她有什么评语。我们有个计划：我要成为畅销作家，而她会是我的编辑，然后我们一起搬到伦敦喝鸡尾酒。哈，当年我们连野莓红琴酒是什么都不知道。开战时，我已经开始写作，也没有因为战争而停笔。”她把记事本交给我，“当然，我写的东西没什么创意，我的创造力消失了。但是只要一有可能，我就会重写下自己的记忆。我不得不写。”

我翻开封面，内页只见纤细的手写笔迹，从上到下，没有任何留白，仿佛空间是一种奢侈的浪费。说不定在当时真的是那样。“这是我的故事，”奶奶继续说，“不是你想找的，发生在战争期间的故事。相较之下，那一点也不重要。”她直视我的双眼，“因为这才是让我活下来的故事。”

我奶奶说故事的功力和史蒂芬·金不分轩轾。

她的故事超乎自然，说的是嗜血怪物“巫皮欧”——波兰版的吸血鬼。但故事之所以恐怖，是因为除了已知的怪物之外，还有变成怪物的人。她似乎在小小年纪就知道好与坏无法清楚切割，而是联合起来共享一颗心。如果文字尝得出滋味，她的文字必定是苦涩的杏仁和磨碎的咖啡豆。在阅读时，我往往忘记作者是我奶奶——可见故事有多精彩。

我读完了整本记事本，然后一再重读，不希望自己错过任何一个字。我想要完整地吸收这个故事，想要在脑子里一字不漏地播放，奶奶当年一定也是这样。我发现自己会在冲澡、洗碗，甚至在倒垃圾的时候背诵故事里的段落。

奶奶写的故事虽然神秘，但也不如她想象中的难解。我试着将角色和对话分离，再来看整个架构，这个架构一定来自她的真实生活。所有作家起初都会以真相为蓝本，不是吗？如果不是这样，他们的故事一定和棉花糖差不多，在短暂的滋味下，除了空气，什么都没有。

我读着主述者安妮雅和她父亲的故事，耳朵里却听到奶奶的声音，还一边在脑子里描绘曾祖父的脸孔。当她描写罗兹郊区的茅屋、马车来去的广场，和安妮雅尽管踏湿鞋子仍然得穿过的树林时，我仿佛闻到了烧焦的炖豆，尝得到烤焦面包的苦味。我觉得自己可以听见孩子们互相追逐时，踏在鹅卵石路面上的脚步声，然而许久之后，这些孩子再也没有机会逃离任何事或任何人。

我太沉迷于故事当中，所以去接约瑟夫一起参加哀伤辅导小组的集会的时候晚了。“你昨晚睡得好吗？”他问道。我表示睡得很好。当他坐进我的车里时，我想到了奶奶生命中两段平行发展的情节：嗜血怪物猎杀包括安妮雅父亲在内的村民，以及突如其来地闯进奶奶生活，并且毁了她家庭的党卫队。奶奶的童年里有她父亲特别为她烤的面包；有懒散的午后，让她和好友梦想未来；有她家中的门墙。而在另一边，约瑟夫在希特勒青年团的故事平行地展开。然而两个故事越靠越近，我知道两者终究会产生交集。

想到这里，此刻，我好恨约瑟夫。

但是我忍着，什么也没说，因为约瑟夫不知道我还有个奶奶，更不知道她经历了他曾经参与的大屠杀。但我之所以不愿意说出来，也可能是因为这会让他太高兴，我不想让约瑟夫知道他很可能找到了一个有资格宽恕他的人。或是我觉得他没资格知道。

另外还有一个可能，因为我不喜欢这个想法：奶奶和约瑟夫这种人仍然同时存在于这个世界上。

“你今天很安静。”约瑟夫若有所思地说。

“我在想事情。”

“有关我的事？”

“别把自己看得那么重要。”我说。

由于我去接约瑟夫的时候已经迟到，所以我们成了最晚抵达集会的两个人。斯图尔特立刻靠过来，想拿我一向会带的糕点，但我今天什么也没带。我忙着读奶奶的日记，没时间烤点心。“真的很抱歉，”我告诉他，“我今天空手过来的。”

“如果斯图尔特也一样就好了。”乔瑟琳喃喃抱怨，我这才看到斯图尔特又把亡妻的面具带过来了。

敏卡，记下来，我想起曾祖父的叮嘱，我死了之后，别帮我做面具留下来，懂吗？

玛吉摇了摇小铃铛——这个铃声老是让我想起瑜伽课，而不是哀伤辅导小组的集会。“我们可以开始了吗？”她问道。

我不知道这个面具为什么会让人如此难过。我猜，因为那是一种单向沟通，我们不会有机会去问心爱的人现在是否难过，是否过得好……是否真的在某处。我们无法接受随着死亡而来的不是句点，而是问号。

我突然发现一张没人坐的空椅子。埃塞尔没来。在玛吉告诉我们之前，我就知道埃塞尔的丈夫伯纳德过世了。

“他星期一走的，”邓博斯基太太说，“埃塞尔的大女儿打电话给我。伯纳德到更好的地方去了。”

我看向约瑟夫，他挑拣裤子上的线头，一点也没受到影响。

“你觉得她会回来吗，”茜拉问，“我是说埃塞尔？”

“希望会，”玛吉说，“我想，如果你们有人愿意出面，她一定会很感谢。”

“我想送花或一点什么东西过去，”斯图尔特说，“伯纳德一定是个大好人，才会有个善良女士愿意照顾他那么久。”

“你怎么知道，”我说得很慢，但大家都惊讶地转头看我，“我们没有人见过那个男人。说不定，他每天都会殴打她。”

“塞奇！”茜拉倒抽了一口气。

“我不是要说死者的坏话，”我低下头，迅速地说，“在我想象当中，伯纳德是个大好人，每个星期都会去打一次保龄球，吃完埃塞尔准备的每一餐之后，还会帮忙把盘子放进洗碗机。但你们以为和我们共同生活过的死者，在生前都是好人？奸尸还吃人肉的连环杀人魔杰弗里·达莫也是有母亲的。”

“这个观点很有趣，”玛吉说，“我们为死去的人哀伤，是因为他们是世上的明灯吗？还是说，我们是为了死者在我们心中的地位而哀伤？”

“可能两者都有一点。”斯图尔特说，他抚摸亡妻的面具，像是第一次碰触妻子五官的盲人。

“所以意思是说，如果有个恶人过世，我们就不必难过？”我问道。

我可以感觉到约瑟夫的目光射入我的太阳穴。

“我可以确定的是，有些人死了之后，这个世界的确会更好，”乔瑟琳喃喃地说，“比如说本·拉登和杀人魔查尔斯·曼森。”

“希特勒。”我装作不经意地说。

“是啊，我看过一本书，作者自称是他的私人秘书，在书里把他形容得和所有老板一样，说他会和秘书们闲聊她们男朋友。”茜拉说。

“如果这些人杀人还不懂忏悔，那么当他们死的时候，为什么要有人难过？”斯图尔特说。

“所以你觉得，只要曾经是纳粹就一辈子都是纳粹？”我问道。

坐在我身边的约瑟夫干咳了起来。

“我希望地狱里有特别为那种人保留的空间。”茜拉拘谨地说。

玛吉建议大家休息五分钟。正当她和茜拉及斯图尔特低声说话时，约瑟夫拍拍我的肩膀。“我可以私下和你说句话吗？”

我跟着他来到走廊上，双手环胸地站着。“你怎么可以这样？”他气冲冲地边说边往前靠，我往后退了一步，“我所告诉你的，是秘密。如果我想让全世界都知道我从前是个怎么样的人，我大可在几年前就去找相关单位自首。”

“所以你要的是赦免，但不要受到惩罚。”我说。

他的目光闪烁，深色的瞳孔放大，蓝眼珠几乎看不见。“你不可以继续在公开场合说这些话。”他下了命令，声音大到连几个在相邻会议室里的人都向我们看过来。

他的怒气直朝我来。虽然我脸上的伤疤滚烫，虽然我觉得自己像是作弊被老师抓到的学生，但是我仍然强迫自己直视他的双眼。我站直了身子，隔在我们两人之间的只有重重的呼吸，没有停战的意味。

“不许你再用这种方式和我说话，”我压低声音说，“我不是你的受害者。”

接着，我转身离开。在约瑟夫抛下自己面具的那一刻，我看到了过去那个男人。几十年来，这个男人被埋在和蔼的外表下，但他就像人行道下缓缓蔓生的树根，仍然有能力顶开水泥冒出头。

如果我就这么离开今天的集会，一定会引起大家的注意。而且我既然把约瑟夫载过来，就必须送他回去，否则势必得面对玛吉的询问。大家解散道别之后，我们走向停车场，这段路上我没有和他说话。“对不起。”车子上路的五分钟之后，约瑟夫说话了。

我们停下来等红灯。“嗯，这个说法有圈套。”

他继续直视挡风玻璃。“我是要为刚刚休息时对你说的话而道歉。”

我没有回应。我不想让他以为我放过他。而且，无论他对我说了什么话，我都不能把他丢在路边，然后撒手不管。这是我欠奶奶的。再说，我也答应过里欧不那么做。如果我有什么想法，应该是说，在我看到约瑟夫突然爆发之后，我更想搜集更多资料，让案子得以起诉。很明显的，这个男人在生命的某个阶段中的确可以为所欲为，不必担心受到惩罚。换个角度来说，他开口要我杀他，也是同样的道理。

我觉得该是时候了，他理当受到应得的惩罚。

“我应该是太紧张了。”约瑟夫继续说话。

“紧张什么？”我问道。我觉得自己头皮发麻。他是不是看穿我了？他知不知道我打算配合演出，然后再举报他？

“紧张你听了我要说的话之后，还是不肯照我的请求去做。”

我看着他。“不管有没有我，约瑟夫，你总有一天会死。”

他迎视我的目光。“你知道什么是*Der Ewige Jude*——漂泊的犹太人吗？”

听到“犹太人”，我打了个冷战，这几个字似乎永远不该从他的口中说出来。我摇摇头。

“那是一个古老的欧洲故事。犹太人亚哈随鲁看到扛着十字架走路的耶稣停下来休息，开口嘲笑他。当亚哈随鲁要耶稣走快一点的时候，耶稣求祸降于亚哈随鲁身上，让他不停地走，一直走到耶稣再临时才能停止。几百年来，亚哈随鲁的身影到处可见，无论他多想死，就是死不了。”

“你知道这有多讽刺吗，你拿自己和犹太人作比较。”我说。

他耸耸肩。“随你怎么看犹太人，他们的人数就是越来越多。虽然经历过——”他看着我的脸，“那么多事，我早该死好几次了。我得过癌症，出过车祸。我是唯一就我所知因肺炎住过院还能存活的老人。我不管你相信什么，塞奇，但是我知道自己为什么还活着。就和亚哈随鲁一样，每个新的一天，都是我重新经历自己错误的另一天。”

信号灯转绿了，我后面的车子按了声喇叭，但是我的脚仍然没踩下油门。约瑟夫整个人似乎封闭了起来，完全陷在自己的思绪当中。“青年团的索尔马赫先生曾经告诉我们，犹太人和野草一样。拔掉一根之后，同一个地方又会长出两根……”

我踩下油门，车子冲了出去。约瑟夫让我觉得反胃，他完全是他自己口中的人。而我也讨厌自己，因为我一开始竟然不相信他，和这个镇上的每个人一样，都把他当成慈祥的大好人。

“……但是我也曾经想过，”约瑟夫静静地说，“有些野草和花朵一样美。”

我后面有东西。这是第六感，我的后颈发凉。走进树林之后，我不断地回头，看了不下十来次，但是我只看到哨兵般的光秃秃树干。

然而我的心跳仍在加速。我加快脚步，朝茅屋走过去，手里紧紧抓着装面包的篮子。我不知自己是否离茅屋够近，如果我尖叫，亚历山大是否听得见。

然后我听到一个声音。细小的树枝断裂，雪地上有动静。

我可以跑。

如果我迈开大步跑，我身后的东西——无论是什么——一定会追过来。

我走得更快了。泪水差点就要顺着我的眼角流出来，但我眨眨眼，忍了回去。我冷不防躲到一棵足以挡住我的大树后面，然后憋住呼吸，一边算时间，一边听着越来越接近的脚步声。

一只母鹿走进空地，先转头看看我，才啃起几尺外的白桦树干。

我一放松，双腿便跟着瘫软。我靠在树干上，依旧抖个不停。如果你让村民毫无根据的闲言闲语像毒药般侵入脑袋，就会有这种后果，会无中生有，听到老鼠走路便想象狮子出现。我摇摇头，觉得自己太蠢，接着从树边走开，再次朝家的方向前进。

那东西从背后攻击我，用某个又热又潮湿的东西盖住我的头，也许是块布，说不定是袋子，但我完全看不见。我的手腕被制住，有东西压住我的后腰，我站不起来，整张脸被压到地面上。我想喊叫，但是我背后的东西将我的头往下压，我张开嘴巴，只咬到满口雪。我可以感觉到热气、刀刃和爪牙，喔，他整排牙齿咬进了我的喉咙，像是上千支针头在钉刺，像是成群的蜜蜂。

我听到蹄声，接着颈背上感觉到一阵凉风，我背后的重压和疼痛跟着消失。在我昏过去之前，我只记得有个人从高处像大鸟般扑下来，喊着我的名字。当我睁开眼睛时，我发现自己躺在达米安的臂弯里，他正抱着我走回家。

门开了，亚历山大站在里头。“发生了什么事？”他问道，迅速地看向我。

“她遭到攻击，”达米安回答，“需要找外科医师。”

“她需要我。”亚历山大说完，将我从达米安手中接过去。在两人的碰撞中和亚历山大用脚踢上门的摇晃下，我哭喊了出来。

他抱着我走进卧室。他放我下来时，我看到他衬衫上满是血迹，我的头一阵晕。“嘘。”他出声安慰我，扶着我的头转个方向，好检查我的伤口。

我以为他会昏倒。“很糟糕吗？”

“没有。”他说，但我知道他在说谎，“只是我不太敢看血。”

他离开了几分钟，答应我马上回来。他端着一盆温水，拿着一块布和一瓶威士忌回来。他拿着酒凑向我嘴边。“喝。”他命令我。我想喝但呛得猛咳。“再喝。”他说。

最后，我喉头的灼热烈焰终于流进胃里，成了舒适的暖意。他动手清洗我的脖子，在伤口上洒了些威士忌，我痛得几乎要死掉了。“放松，”他说，“这样比较好。”

我本来不懂，后来才看到他在穿针，明白他打算怎么做。当他拿针穿过我的伤口时，我昏了过去。

那天下午当我再次醒来时，时间已经晚了。亚历山大坐在我床边的椅子上，双手放在面前，指尖相碰，仿佛在祈祷。他看到我挪动身子，脸色明显地和缓下来。

他把温暖的手掌放在我的额头上，轻抚我的脸颊、我的头发。“如果你想吸引我注意，”亚历山大说，“其实，只要开口就够了。”

约瑟夫

小时候，我弟弟一直吵着想养狗。我们邻居家有只狗，应该是某种猎犬吧，法兰兹会在邻居家的院子里，花好几个小时教狗翻滚、坐好，还教它说话。但我父亲对宠物的毛皮屑过敏，因此，无论法兰兹怎么求，我都知道他不可能如愿。

那天，是我十岁左右的一个秋夜。我和法兰兹共享一个房间，睡梦中，我听到有人低声说话。我醒了过来，看到法兰兹坐在床上，盖住双腿的被单上放着一小块起司，而一只小田鼠正在啃起司，我还看到我弟弟伸手抚摸小田鼠背上的毛。

我可以先告诉你，以我母亲打点家务的方式，那种有害的小动物不可能爬进我家。她若不是在刷地板，就是掸尘打扫。隔天，尽管不是洗衣日，但母亲仍然帮我们换洗被单。“那些脏兮兮的老鼠啊，只要外头一冷就想进来。我发现了老鼠屎，”她打个冷战，说，“你明天下课后买个捕鼠器回来。”

我想到了法兰兹。“你想捕老鼠？”

母亲看着我，觉得很奇怪。“要不然要拿它们怎么办？”

那天在睡觉之前，法兰兹把一小块从厨房里偷来的起司拿到床上，放在自己身边。“我要叫它恩宁斯。”法兰兹告诉我。

“你怎么知道它不该是爱玛？”

但法兰兹没有回答，没多久就睡着了。

然而我一直醒着。我竖起耳朵聆听，最后终于听到田鼠爪子刮擦木地板的声音，就着月光，我看到田鼠努力爬到毯子上去吃法兰兹留给它的起司。但在它吃下起司之前，我一把抓起田鼠往墙上砸。

法兰兹听到声音醒了过来，看到自己的宠物死在地板上，立刻哭了出来。

我很确定，田鼠什么感觉也没有，毕竟那只是只老鼠。再说，我母亲也明白说过她打算拿那东西怎么办。

我只是提早完成她终究会做的事。

我只是奉命行事。

我不知道我有没有办法解释这种一夕翻身，成为众人眼中金童的感觉。是真的，我父母对希特勒和德国政治没太多意见，但是当索尔马赫先生称赞我为青年团里的榜样人物时，他们还是很骄傲。他们不像过去那么经常抱怨我成绩不好，因为我每星期都会带着优胜者的彩带和索尔马赫先生的赞美回家。

老实说，我不知道我父母是否相信纳粹的理念。我父亲就算想，也没办法为德国上战场，因为他小时候滑雪橇受过伤，跛了一只脚。而且，就算我父母曾经怀疑过希特勒口中的德国愿景，他们至少赏识他的乐观以及他对祖国再起所抱持的希望。而且，家里出了我这个索尔马赫先生最疼爱的高徒，他们在小区的地位也跟着提升。他们是优秀的德国人，才会生出我这样的儿子。有了我这个本地希特勒青年团的明星人物，没有任何一个邻居敢追问他为何没有参军。

每逢星期五晚上，我会到索尔马赫先生家中吃晚餐。我会带花送给他女儿，在我十六岁的某个夏天傍晚，我们在玉米田里，躺在一条老旧的马厩毯子上，我向她献上了童贞。索尔马赫先生喜欢喊我“儿子”，仿佛我已经是他家的一员。在我十七岁生日前夕，他推荐我进入青年团的巡逻队。我们负责维持集会秩序，举报不忠分子，检举任何对希特勒有不敬批评的人——这其中甚至包括成员自己的家长。我就听说过这种案例，一个叫华特·赫斯的男孩，向盖世太保举报了自己的父亲。

有趣的是，纳粹分子不喜欢宗教，但是拿宗教来形容我们小时候所受的训练，却是最相近的比拟。对第三帝国而言，组织形式完整的宗教是他们效力德国的直接竞争对手，因为谁能保证自己能对元首和上帝同样忠贞呢？举个例子来说吧，他们不过圣诞节，而是过冬至。然而孩子们不会自由选择宗教，像毯子般覆盖在你身上的信仰来自于运气。当你还小、还不懂得独立思考的时候，你就已经受过洗礼、上教堂、听神父布道、听大家说耶稣是为了你的罪而死，而你的父母点头表示这全是真话，那么你怎么会不相信？索尔马赫先生和其他老师灌输给我们的也是相同的信息。他们说：“凡不好的就是有害；好的，就是有用。”就这么简单。当我们的老师在黑板上贴上犹太漫画，然后指着与次等种族相关的特征给大家看的时候，我们都相信老师。他们比我们年长，一定知道得更多，不是吗？哪个孩子不想看祖国成为全世界最优秀、最强大的国家？

有一天，索尔马赫先生带着我们这个小组去特训。和以往游行出城不同，这次索尔马赫先生带我们沿着小路走到维沃兹堡。党卫队全国领袖海因里希·希姆莱本人征收了这座城堡，当作党卫队举办仪式的总部。

当然了，大家都知道这座城堡——毕竟我们在这个地方长大。

维沃兹堡高高盘踞在阿尔莫河谷的上方，三角形的城墙里，有三座高塔围城的内院，这地方是本地的历史建筑。但是在党卫队重整城堡之后，我们再也没进去过，不能在大院里踢足球，因为那个地方成了精英使用的场地。

“谁能告诉我，维沃兹堡为什么这么重要？”索尔马赫先生在我们跋涉上山时问道。

我弟弟是用功的好学生，抢先回答：“城堡的历史背景，它的地理位置接近从前德国赢得胜仗的战场，公元九年，贺尔曼在这里打败罗马人。”

其他几个男孩子开始窃笑。这里不是学校，法兰兹不会因为熟记历史课本的内容而得分。“但是，对我们的重要性呢？”索尔马赫先生又问了。

卢卡斯——这个男孩和我一样，都是青年团巡逻队的成员——举起手说：“因为这地方现在属于党卫队全国领袖所有。”

党卫队领导人希姆莱接管了德国警察和集中营，他在一九三三年曾经来过这座城堡，当天就签下百年租约，打算重建城堡让党卫队使用。一九三八年，北塔仍然在整建当中，我们越走越近，塔楼清楚映入眼帘。

“希姆莱表示，在最终的胜利之后，统帅的大厅将是世界的中心。”索尔马赫先生说，“他已经将壕沟挖深，正要重整大厅。据说，他今天会过来察看进度。听到了吗，孩子们？党卫队领导本人现在就在维沃兹堡里！”

我不知道索尔马赫先生要怎么带我们走进城堡，因为入口有警卫，即使是本地的同志领导人，也不可能和国社党最高领导阶层长官有往来。在我们接近入口时，索尔马赫先生呼了口号，警卫也呼口号响应。“韦纳，”索尔马赫先生说，“今天很热闹，对吧？”

“你来得正是时候。”警卫回答，“告诉我，玛丽好吗？女儿们呢？”

我早该知道索尔马赫先生做事一向有计划，不可能靠运气行事。

我弟弟拉着我的手臂，要我看内院中央一个正在对官兵训话的男人。

“血统会说话，”这个男人说，“在雅利安人的淘汰法则中，凡是比较强壮、聪明和个性正直的人都是胜者。忠诚、服从、真理、责任和同志情谊不但是过去骑士精神的基础，也将是纳粹党卫队的未来。”

其实，我没有完全听懂他的话，但是从人群对他表现的尊崇当中，我猜得出这一定是希姆莱本人。但这个个子不高的古板男人看起来比较像是银行出纳员，而不像德国警察的领袖。

接着，我发现他指着我说：“你，孩子。”然后做个手势。

我往前走，以青年团教过的方式向他行礼。

“你是这里的人吗？”

“是的，领袖，”我说，“我是希特勒青年团巡逻队的成员。”

“那么告诉我，孩子。为什么一个寻求种族纯净和新世界未来的国家，要选择一座老旧的城堡作为训练中心？”

这个问题藏着陷阱。很明显的，一个像希姆莱这么位高权重的人会挑选维沃兹堡绝对不会是错误的决定。我觉得口干舌燥。

法兰兹站在我身边，他轻咳了一下，低声说：“哈特曼。”

我不知道他说出我们的姓氏有什么特别的意思。说不定他觉得我该自我介绍，好让希姆莱知道站在他面前的笨蛋是谁。

接着我才发现，法兰兹说的不是哈特曼，而是贺尔曼。

“因为，”我回答，“维沃兹堡不是老旧的城堡。”

希姆莱慢慢地笑了开来。“说下去。”

“贺尔曼在这个地方勇敢抵抗罗马人，而且赢得胜仗。所以，在其他国家的文化都成为罗马帝国的一部分时，德国仍然完好无缺。就像现在和将来，在我们打赢胜仗的德国一样。”

希姆莱眯起眼睛。“你叫什么名字，孩子？”

“青年团成员哈特曼。”我说。

他穿过群众走过来，伸手搭着我的肩膀。“战士、学者、领袖合而为一。这就是德国的未来。”群众纷纷喝彩叫好，他推我走向前。“跟我来。”希姆莱说。

他带我沿着楼梯往下走，来到地窖。当时塔楼仍然在施工中，下面有个圆形地窖，而地窖中央的地板下埋着瓦斯管，周边有十二个靠着墙的壁龛，每个壁龛都设有台座。“一切都会在这里结束，”在这个小空间里，希姆莱的声音显得好空洞，“尘归尘，土归土。”

“领袖？”

“在最后的胜利过后，我将来会来到这里。这个地方是党卫队十二名最高统帅的安身之地。”他转头看着我，“你这么聪明的年轻人，说不定还有这种机会。”

当下，我决定从军。

我加入党卫队担任突击兵让索尔马赫先生十分骄傲，也让我母亲大感震惊。看到战事不断扩大，她为我担心。但是她同样也担心我弟弟。法兰兹到了十八岁，仍然把头埋在书里，而且很快地，我也不能在他身边保护他了。

在我报到的前一天傍晚，她和我父亲办了一个小聚会。我即将前往萨克森豪森集中营，向党卫队骷髅军团报到。我们的朋友和邻居都出席了，其中，任职于本地媒体的沙福特先生在我吹熄蛋糕上的蜡烛时，帮我拍了张照片——你看，我母亲做的巧克力蛋糕在这里。我一直留着我母亲事后寄给我的这张剪报，经常看这张照片。你看得出我那时候多快乐吗？我快乐不只是因为我拿着蛋糕和叉子，等着吃下美味的点心，也不只是我可以像个男人般喝啤酒，不再是个男孩，而是因为对我来说，一切充满了可能性。此后的照片，你都会在我的眼睛里看到满满的知识和慧黠。

我父亲的一名朋友开始为我唱歌。“*Hoch soll er leben，hoch soll er leben，dreimal hoch*。”愿他活得长长久久，愿他活得长长久久，让我们欢呼三声。突然间，有人用力推开门，我朋友卢卡斯的弟弟闯了进来，急切又兴奋地发抖。“索尔马赫先生要我们立刻过去，”他说，“不要穿制服。”

这就怪了，因为我们一向以穿制服为傲，而且，我母亲不喜欢让我们半夜出门。但是青年团的成员——包括法兰兹——和我全跟了上去。我们跑到举行集会的小区中心，看到索尔马赫先生和我们一样，都穿着平时的衣服。一辆卡车停在小区中心前面，我们常看到这种运兵车，开放式的车斗上有可坐的板凳。大家挤上车之后，我从其他男孩口中听到德国外交官拉特遭到某个波兰犹太人刺杀，元首亲口表示，德国民众自发性的活动不会受到制止。当卡车在距离维沃兹堡几里之外的帕德博恩停车时，我们看到街上满满都是手拿武器、铁锤或斧头的人。“亚图尔就住在这里。”法兰兹低声告诉我，他说的是他从前在学校里的朋友。我一点也不惊讶。上次我到帕德博恩是一年前的事，当时我父亲买了一双犹太鞋匠手制的漂亮皮靴送给我母亲当圣诞礼物。

我们都拿到了指示：

一、不得危及非犹太裔德国人的身家财产。

二、不可掠夺犹太人的货品或住家，只能摧毁。

三、不得以暴力对待外国人——包括犹太人在内。

索尔马赫先生将一把沉重的铲子塞到我手里。“上，雷纳，”他说，“让那些猪尝尝应得的报应。”

我们在黑暗中还能看得到，是因为路上有火炬。空气中充斥着尖叫声和烟味。敲碎玻璃的声音仿佛毫无间断的雨声，我们踩着嘎吱作响的碎片穿过小镇，扯开喉咙吼叫，砸破店面橱窗。我们像一群失控疯狂的孩子，汗水和恐惧一起在皮肤上蒸发。甚至连法兰兹——我没看到他打破任何一扇橱窗——都跑得脸颊发红，汗湿的头发贴在头上，完全陷入暴民的情绪当中。

接到指示去破坏，这是一件很奇怪的事。我们是正直的德国好男孩，行事有教养，在家里打破电灯或瓷杯还会遭母亲斥责。我们在贫困的环境中长大，知道财物的价值。然而，这个世界充满了火光和暴力，是我们踏入奇境的最后证明。过去未曾发生过同样的事，未来也可能不会。这个证明亮晃晃地、破碎地躺在我们的脚下。

最后，我们来到我父亲带我进去过的小皮鞋店。我跳起来，一把从架子上扯下已经开始摇晃的招牌，让招牌只靠铁链相连。我用铲子击破橱窗，然后伸手从参差的玻璃洞口拉出十多双靴子和便鞋，丢在街上的水洼中。突击兵们踢开住家大门，拉出穿着睡衣的住户，把他们拖到镇中心。这些人哆哆嗦嗦地搂着孩子，群聚在一起。有个做父亲的脱下外衣，穿着内衣在士兵面前跳舞。*Kann ich jetzt gehen*？男人一边绕着圈圈扭动肢体，一边恳求：好了吗，现在我可以离开了吗？

我不知道自己为什么会那么做，但我朝这个男人的家人靠过去。他的妻子大概是看到我光滑的双颊和稚嫩的脸孔，于是她抱住我的靴子恳求：*Bitte-die sollen aufhören*。求求你，叫他们住手。

她哭个不停，扯着我的长裤，想拉我的手。我不想让她的鼻涕口水沾在我身上，但她暖热的气息和无意义的言辞全落进了我的掌心。

接下来完全是自然反应：我一脚踢开了她。

正如同党卫队全国领袖希姆莱那天在维沃兹堡所说的：血统会说话。我当时想的不是要去伤害这个犹太女人，其实，我根本没想到她。我只想保护自己。

在那一刻，我终于明白那个夜晚的意义。不是暴力、骚动，也不是公开羞辱。这些手段是为了传达信息，让犹太人知道，他们无论是在经济、社会或是在政治层面，都没办法威胁到我们德国民族，就算发生了刺杀事件，也不会改变。

当车子载我们回到维沃兹堡的时候，时间已经接近黎明。孩子们彼此靠着打瞌睡，衣服上还沾着闪闪发亮的玻璃粉尘。索尔马赫先生睡到打呼。醒着的人只有法兰兹和我。

“你看到他了吗？”我问道。

“亚图尔？”法兰兹摇摇头。

“说不定他已经离开了。我听说不少犹太人已经离开了德国。”

法兰兹盯着索尔马赫先生看。我弟弟摇头，金发跟着往前掉，遮住他的一只眼睛。“我恨这个人。”

“嘘，”我警告他，“说不定他的毛孔听得见。”

“*Arschloch*[①]。”

① Arschloch：肛门，引申为“混蛋”。

“他的屁眼也可能听得见。”

法兰兹微微地笑了。“你紧张吗？”他问道，“我是说，马上要离开家？”

我是紧张没错，但也绝对不可能承认。会害怕，就不像军人了。“一切会很顺利的。”我希望这个回答也能说服我自己，我用手肘轻轻碰他，“我不在家的时候，你别惹上麻烦。”

“别忘了你打哪里来的。”法兰兹说。

他有时候会这样说话，像个住在十八岁男孩身体里面的睿智老人。“这话什么意思？”

法兰兹耸耸肩。“意思是，别人说的话，你不必照单全收。嗯，这好像不对。总之，你不必每句话都相信。”

“问题是，法兰兹，我真的相信。”如果我能向他解释自己的感觉，或许当我不在时，他在青年团里会收敛一点，不再那么特立独行。天知道，如果他不是那么特殊，就不会受到那么严重的欺凌。“今天晚上的重点不是要去伤害犹太人，他们只是连带地受到影响。我们的目的是要保护自己，保护我们德国人的安全。”

“权力不是去欺压比你弱小的人，雷纳，而是在有能力做出恶行时，懂得去拒绝。”他转头看我，“你记得几年前我们房间里的那只老鼠吗？”

“什么？”

法兰兹直视我的双眼。“你知道，就是你杀的那只老鼠，”他说，“我原谅你。”

“我没要你原谅我。”我告诉他。

我弟弟耸耸肩。“这不表示你不想要。”

我第一次开枪射杀的对象，是个想从我身边跑开的人。

那时候，我已经离开了集中营。一九三九年八月，我们被调离萨克森豪森集中营，奉命以党卫队骷髅军团成员的身份加入德国军队。那天是九月二十日，我记得很清楚，因为那天是法兰兹生日，而我没时间也没纸笔写信祝他生日快乐。七天之前，我们跟在军队后方进入了波兰。我们由奥斯特罗沃出发，经过卡利什、图雷克、夙奇、克洛席尼维兹、克拉达瓦、普谢德奇、佛洛兹瓦韦克、丹布来兹、比得哥什、维尔斯兹、萨尼库，最后终于抵达霍捷兹。沿途若遭遇任何反抗，一律歼灭。

在那个特别的一天里，我们正在执行分配到的任务，搜索房舍、拘捕反抗分子、逮捕所有可疑人等，例如犹太人、波兰人和激进人士。和我同组的另一个队员乌尔贝西特——一个脸孔像发好的面团，肠胃特别敏感的男孩——和我一起来到这户人家。那天天气很差，下着雨。我们一路吼叫，为了叫那户听不懂德语的蠢波兰人走出来和其他人待在一起，我的声音已经沙哑。这个家庭里有一个母亲，一个十岁左右的女孩，和一个十多岁的男孩。我们要找的是这家人的父亲，他是当地犹太小区的领导人之一。但除了这母子三人之外，房子里没别人——至少，乌尔贝西特搜查过后是这么说的。我当面问女人，要她说出她丈夫的下落，但是她没有回答。雨水淋得她浑身湿透，她跪下来开始哭，指向身后的屋子。这让我更头痛了。

无论妇人的儿子怎么说，都安慰不了这个母亲。我用步枪的枪柄推她，要他们往前走，但是女人跪在水坑里就是不肯动。就在乌尔贝西特拉她站起来时，男孩突然回头跑回屋子里。

当下，我不知道他要跑回去找什么东西，说不定是乌尔贝西特疏忽，没看到武器。于是我依照我接受的指示反应：开枪。

原来狂奔的男孩瞬间停止了动作。子弹的声音震耳欲聋但却空洞，让我一时之间听不到声音。之后，我才听到。

绵绵不断的哭声，就像相连在一起的火车车厢。我跨过男孩中了枪的尸体，走进厨房。我不知道愚蠢的乌尔贝西特怎么会没看到躺在洗衣篮里的婴儿。女婴这时醒了过来，正在大声哭号。

随你想怎么批评党卫队骷髅军团侵略波兰的残忍行为都好，但是，在我们押着那个母亲离开之前，我先把婴儿交给了她。

我们从犹太教堂开始动手。

我们的指挥官是党卫队旗队长诺斯堤兹，他向我们说明如何在佛洛兹瓦韦克执行犹太扫荡行动。这和将近一年之前，索尔马赫先生带我们到帕德博恩做的工作很像，只不过规模更大。我们追捕到犹太领导人，强迫他们披着祈祷披巾去洗厕所，要他们在一池池的水中挖出壕沟。有些队员会殴打工作速度不够快的老人，或是用刺刀刺他们，让其他人拍照。我们要犹太宗教领袖剪掉他们的胡子，把经书丢进泥巴里。我们有炸药，于是我们炸掉犹太教堂，然后再放火烧。我们打破犹太商店的橱窗，将犹太人驱赶在一起方便逮捕，再要他们的领导人排成一列，当街枪杀。当时的景象只能以混乱来形容，玻璃碎片漫天飞，打破的水管漏得满街是水，应该要拉车往前走的马匹一径往后退，血水把铺在路面上的卵石都染红了。波兰人民为我们喝彩鼓励，他们和我们德国人一样，都不希望再看到犹太人。

这场行动的两天之后，旗队长又下令要两名队员脱队去执行特别任务。保安处和警察掌握到名单，其中包括了波次南和波米拉尼亚的知识分子和反抗军领袖。我们必须去找出来，然后杀掉这些人。

我获选执行任务，觉得很光荣。但是一直到抵达比得哥什之后，我才知道这次行动的规模。这张“死亡名单”不只一页，上面有八百个人，几乎可以集结成册。

说真的，这些人很好找。他们都是波兰老师、神职人员，或是民族独立机构的领导人。当中有些是犹太人，但也有不少非犹太人。我们拘捕这些人，先派一小组人去挖沟渠——他们以为自己挖的是战壕。但接着，我们把第一批俘虏带到沟渠边，我们的工作，是枪杀这些人。受指派执行这个任务的总共有六个人。三个人瞄准头，三个人负责瞄准心脏。我选择射击心脏。我们手中的枪支一响，血水脑浆便像烟火般四溅。之后，第二组俘虏再站到沟渠边。

排在后面的人清楚看到前人的遭遇。他们一定知道在转身面对我们这些党卫队时，自己面对的是死亡。然而大部分的人没有逃跑，甚至连试都没试。我不知道这代表他们太愚蠢，还是太勇敢。

有个十来岁的青年在我将步枪架到肩膀时看着我。他抬起手指着自己，用标准德文说：*neunzehn*。十九岁。

枪杀了前五十个人之后，我再也不看他们的脸了。

由于我在波兰的表现英勇，长官送我到巴德特尔兹的党卫队青年学校接受军官训练。在出发之前，我请了三星期假回家探视。

我离开不过一年，整个人却有了莫大的改变。我离家时还是个孩子，现在已是个男人。我曾经从母亲怀里抱走哭喊的婴儿，杀过和我同年龄——或更年轻——的男孩女孩。我习惯了为所欲为，想拿随时就拿。回到家和父母的相处让我焦躁，我觉得空间太小，太多摩擦。

反之，我弟弟把我们在维沃兹堡的家视作天堂。他在中学的成绩优异，准备进大学就读。他仍想当作家，如果不成，就当个教授。他似乎无法理解最简单的逻辑事实：德国正在作战，没有任何一件事和过去一样。我们所有的孩提美梦早已不在，换取到的是国家美好的愿景。

法兰兹接到向征兵指挥部报到的通知，但是他把文件丢进火里烧掉。好像这么一来，党卫队就找不到他，无法强迫他去报到。

“他们不需要我这种人。”晚餐时，他这么说。

“他们需要所有四肢健全的男人。”我告诉他。

我母亲担心法兰兹会被当成德意志帝国的反对人士，其实，他只是觉得事不关己。我不怪她。我知道德意志帝国的反对人士会有什么下场：失踪。

我回家后的隔天，醒来时阳光已经透过窗口照进了卧室，我母亲坐在我的窄床边上。法兰兹已经去学校了，我睡到将近中午才醒过来。

我拉高被单，只露出脑袋。“有什么事吗？”

我母亲歪着头。“你刚出生时，我经常看你睡觉。”她告诉我，“你父亲以为我疯了。但我当时觉得，只要我一转头，你就会忘记呼吸。”

“我早就不是婴儿了。”我说。

“的确不是。”我母亲同意我的说法。“但这不表示我不担心你。”她咬着嘴唇，“他们对你好吗？”

我要怎么向自己的母亲解释我做的事？我踢开犹太人家的门夺取他们的收音机、家用品、财物，以及任何足以增添战备的物品；我殴打过年迈的犹太祭司，因为他们在宵禁之后仍然在外头祈祷；我在夜里将男女老少驱赶成群，然后枪杀这些人。

我要怎么解释？为了摆脱我成天看到的影像，我开始喝酒。有时候喝得太多，隔天的宿醉让我几乎站不稳脚步。在枪杀犯人的空当儿，我会双腿悬空地坐在弃尸坑边，扛着枪的肩膀酸痛。我抽着烟，用枪管指挥下一排犯人，指示他们该趴在什么位置，然后我扣下扳机。精准并非绝对必要，然而我们学会了节约：不需要朝头部开两枪，因为子弹的力道可能会把脑袋从身上扯开。

"如果你在波兰受伤了怎么办？"她问道。

"我在德国也可能会受伤。"我提醒她，"我很小心，妈妈。"

她碰碰我的手臂。"我不希望看到哈特曼家的人溅血。"

从她脸上的表情，我看得出，她想的是法兰兹。"他也不会有事的，"我告诉她，"党卫队里也有博士学位的人负责领导特殊部队，学者同样有容身之地。"

这让我母亲高兴了些。"说不定，你可以把这些话告诉他。"

她离开了卧室，看我错过早餐，她答应要为我准备一顿国王级的午餐。我冲过澡，换上平民的衣服。我知道，光是举止，就足以让我看起来像个军人了。我吃完母亲为我准备的午餐时，家里一片安静。我父亲去工作，母亲去参加教堂义工的活动，法兰兹要两点钟才下课。我可以进城，但是又不想和人交际，于是我回到和弟弟共享的卧室里。

他桌上有一小块粗略成形的狼人木雕。吸墨纸旁边还有另外两个正待完成的木块，此外，我还看到一个双臂交叉，头往后仰的吸血鬼。我不在的这段期间，我弟弟的手艺有了精进。

我拿起吸血鬼，用指腹试了试木雕牙齿的锐利度，这时我听到了法兰兹的声音。"你在做什么？"

我转过身，看到他低头盯着我看。"什么都没做。"

"那是我的。"他不高兴地说，抢走我手上的木雕。

“你什么时候开始学削木头了？”

“自从我决定想要制作一组棋子开始。”法兰兹说。他转身在书架上找东西。法兰兹收藏书的方式，和有些人收藏钱币或邮票一样。不只书桌和书架，他连床下都放满了书。他从来不把书拿去教堂义卖，因为他说，谁知道他什么时候会想再读一次。我看着他从书桌和墙壁间的狭窄空间里抽出一叠恐怖故事集，瞄了书名一眼：《克里米亚之狼》《血之欲望》《着魔》。

“你为什么要看这种东西？”我问道。

“干你什么事？”法兰兹把书包里的东西倒在床上，用小说取代了其中的教科书，“我晚点回来，我要去遛奥图·穆勒家的狗。”

听到法兰兹接下这种奇特的工作，我一点也不惊讶，我只是没想到穆勒家的狗活了这么久。“你还打算读故事给它听？”

法兰兹没有回答，自顾自地匆忙出门去。我耸耸肩，拿起他的一本书躺回窄床上打开看，同一个句子读了三遍之后，我才听到前门关上的声音。接着，我走到窗口，看着我弟弟过马路。

他没有停留，直接经过穆勒家的大门。

我下楼溜出门，运用军事训练的作战技巧跟踪法兰兹，几分钟之后，我们来到一幢我不认识的房子前。我不知道谁住在里面，但看来是没人在家，窗口的百叶窗全拉了下来，应该是废弃屋。但在法兰兹敲了敲门之后，里头有人开门让他进去。

我躲在树篱后等了大约十五分钟才看到法兰兹背着空书包出门。

接着，我从树篱后面走出来。“你在做什么，法兰兹？”

他推开我。“我带书给朋友看。据我所知，这不犯法。”

“那你为什么对我说要去遛狗？”

我弟弟什么话也没说，但是双颊出现了红晕。

“谁住这里头，让你不想让我知道你过来拜访？”我扬起眉毛，咧开嘴笑，突然想到自己的小弟可能在我不在家的时间交了女朋友，“是女孩子吗？除了诗之外，是不是终于有人打动了你？”我开玩笑地拍拍他的肩膀，他立刻躲开。

“够了。”他低声咕哝。

“啊，可怜的法兰兹。如果你早点问我，我会要你带巧克力来看她，而不是带书——”

“不是女生，”法兰兹吼了出来，“是亚图尔・高德曼，是他住在这里。”

好一会儿之后，我才想起这个名字。亚图尔・高德曼是法兰兹中学同班的犹太同学。

我们这地方的犹太人多半都已经离城，我不知道他们去了哪里，可能是大城市，说不定是柏林。说真的，我从来没想过这个问题。但显然我弟弟一直把这件事放在心上。“天哪。难道这是你不肯加入党卫队的原因？因为你同情犹太人？”

“别傻了——”

“傻的人不是我，法兰兹，”我说，“和帝国敌人往来的人不是我。”

“他是我的朋友。他想念学校，所以我带书给他，就这样而已。”

“你的哥哥是党卫队军官候选人，”我静静地说，“你不可以再和犹太人往来。”

“不管。”我弟弟回答。

不管。

不。

我不记得自己上次听见这个字，是多久以前的事。

我一把掐住他的喉咙。“你觉得盖世太保发现之后会怎么处理？你这件事会毁了我的前途，亏我从前那样子保护你！”我松开手，他呛得弯下腰咳嗽，“表现出男人的样子，法兰兹。在你可悲的人生里，至少他妈的这次要表现得像个男人。”

他踉踉跄跄地离开我身边。“你究竟变成什么样的人了，雷纳？”

我从口袋里掏出香烟，点燃后抽了一口。“我刚刚的表现可能太激烈了，”我向他承认，语调也和缓下来，“说不定，你该听我这么说。”我吐出一个烟圈，“告诉亚图尔，说你以后不能再来看他了。否则我保证你下次过来时，这里不会有人在。”

我弟弟原本平静的脸色开始扭曲，他转过头，用这几年来我已经看过太多而且不再能打动我的表情看着我。“拜托，”法兰兹说，“别这么做。”

“如果你真想救你的朋友，”我告诉他，“那就离他远一点。”

两天之后，我在夜里醒来，我弟弟的手臂重重抵着我的喉咙。“你说谎，”他怒气冲冲地说，“你保证不对亚图尔下手的。”

“而你也说谎，”我说，“否则你不会知道他们离开了。”

撒下排斥的种子，让那家人知道他们在这里不受欢迎，并不是难事。其实我没有逼他们离开。那纯粹是本能，是他们知道要自我防卫。我那么做，是因为我知道法兰兹的弱点正好是我的强项，我知道他会继续去探望亚图尔，而这正是最好的证明，证实我采取行动是正确的决定。如果今天是书，明天他可以带食物或钱过去，甚至提供他们藏身之处。我不能坐视这种事情发生。

“我帮了你一个大忙。”我咬牙切齿地说。

我弟弟松开压住我喉咙的手。月光下，我在他脸上看到从来没见过的表情。他的眼眸阴暗无光，下巴因愤怒而紧绷。在那一刻，他似乎可以杀了我。

当下，我知道我母亲可以放心了。即使法兰兹被拖去新兵中心报到，即使他像我这个受训中的军官一样，在进大学之前就被送上战场，就算他必须上前线杀敌——他绝对可以安然度过这场战争。

此后，我们再也没提起亚图尔·高德曼。

我在党卫队青年学校接受了几个月的训练，期间，我研读《我的奋斗》[①]，在沙盘上进行模拟演练，接受一次又一次的考试——考试过后，每三个实习生中就会有一个遭到淘汰。我们的课程包括战略、地形分析、地图阅读、战斗操演、时事，以及武器训练。我们要研究武器技术，打靶，还要学习党卫队和警察的文书行政。我们学会如何操作坦克，如何在野外求生，也懂得修理故障汽车。学校的磨炼，让我们无论在知识、决策力和耐力上，都超过一般士兵。我在一九四〇年毕业时受衔武装党卫队的初级突击队领袖，相当于少尉职等，在一九四一年四月二十四日党卫队第一步兵旅成立之前，我一直派驻在波兰总督府。

第一步兵旅是武装党卫队的特殊单位，隶属党卫队全国领袖统帅本部，部署于与平民冲突的场面。身为初级突击队领袖，我带领步兵旅旗下第八步兵团十五个连当中的一个。我们被派到乌克兰北部，从督本诺移防到洛夫诺，再到契多米。我们在乌克兰的任务和稍早在波

① 希特勒于一九二五年出版的自传。

兰时相同，只不过契多米的犹太领袖和政治犯没剩下多少人。

我的顶头上司——高级领袖佛克——下了命令：拘捕异议分子和低级种族——例如吉卜赛人和所有犹太人——的男女老少。我们奉命收集他们的财产和衣物，把他们赶到被我们攻克城镇的郊区空地或深沟，然后枪杀这些人。

扫荡行动的流程是这样的，我们要犹太人到指定场所——例如学校、监狱或工厂——报到，然后带他们到事先安排好的地点。这些地点可能是天然的深沟，有些则是囚犯自己挖的壕沟。在他们交出衣服和财物之后，我们会将他们带到坑边，要他们面朝下趴。接着，身为行动团队的负责军官，我会下令让军士、自愿者和武装党卫队的人扛起卡宾九八步枪，朝犯人的后颈开枪。随后，在下一批犯人带到之前，一批党卫队队员会搬来一袋袋的土或石灰倒入沟里覆盖尸体。

我通常会在尸体间走动，找出仍然会动的犯人，拿手枪赏赐他们最后一击。

当年，我没去思考自己的行为。我怎么会去思考？你脱得精光，听令加快脚步朝坑洞走过去，你的孩子跟在旁边奔跑。你低下头，看着早你一步死去的亲友。你在伤者扭动的肢体间挤出自己的位置，等待自己的最后一刻。你感觉到子弹的威力，感觉到陌生人压在你的上方。去思考这些事，等于去思考自己正在杀害其他人类，但是对我们来说，那些不可能是人。因为，如果他们是人，那我们算什么？

于是，在每次行动过后，我们都会去买醉。喝得酩酊大醉，希望自己能忘了充满不洁影像的噩梦，看不到沾满血水的土地，和所有尸体堆进坑里之后如喷泉般的血水。我们一直喝，直到再也闻不到沾在尸体上的粪味；再也看不见映在眼帘上那个突如其来、遭到枪击仍然存活、爬到纠缠肢体的顶端、凄厉哭喊想找父母、最后由我用一颗子弹结束生命的男孩。那一枪，也解救了我们自己。

有些军官最后疯了，我担心自己总有一天也会走上同一条路。某天，又有一名少尉半夜命令手下起床走出营区，然后朝自己的头开了一枪身亡。第二天，另一名少尉拒绝——单纯就是拒绝——射杀任何人。佛克将他调派到最前线。

到了七月，佛克告诉我们，在由洛夫诺到契多米的路上会有一场行动。有八百名犹太人已经遭到拘捕。

尽管我明确指示手下队员该如何自我整备、该开枪的时候就得开枪，但当天，到了第三批犯人又哭又抖地站在坑洞边缘时，我的一名队员崩溃了。舒兹放下步枪，坐倒在地。

我命令他退下去，然后拿起他的武器。“你们在等什么？”我对负责带下一批犯人就位的队员吼叫。这次，我率先开枪，这是为了树立典范。对接下来的三批犯人，我都这么做，当血水脑浆喷到我制服时，我扬起下巴，丝毫没有理会。至于舒兹，我们会把他撤到第二线。党卫队不会把任何无法开枪的队员放在前线。

那天晚上，我和部下到当地酒馆狂饮。我坐在外头的星空下，享受美好的宁静，这里听不到子弹呼啸，也没有尖叫哭喊。喝了两小时之后，我手上一瓶威士忌几乎见底。我看到手下摇摇晃晃离开之后，才走进酒馆。他们脚步踉跄地走在街上，勾肩搭背想保持平衡，像是踩在平衡木上的孩子。我以为酒馆在这个时间应该空无一人，但没想到还有五六名军官聚在角落里，佛克站在其中一张桌子前面。跟在高级领袖身边出勤的参谋人员安妮卡·贝瑟坐在他面前。她是行政秘书，比佛克或留在家乡的佛克太太年轻许多，同时，她的打字技术极差。党卫队第八步兵团里的每一个人都知道她为什么获聘，也知道团里的高级领袖为什么连出勤时都得带着秘书。安妮卡有一头超乎寻常的白金色头发，脸上永远上着浓妆，而且这时候正在哭。就在我盯着看的时候，佛克把手枪的枪管塞进她嘴里。

酒馆里的其他客人并没有注意到这一幕，要不然就是假装没看到，因为没有人惹得起步兵团的团长。

“那么，”佛克轻碰扳机，“你能让这把枪得到满足吗？”

“你在做什么？”我喊了出来。

佛克回头看。“啊，哈特曼。你以为你能让小兵听话，就可以在这里命令我吗？”

“你就因为不能勃起，所以要枪杀她？”

他转过身子面对我，嘴角往上扬。“为什么只有你能找乐子？”

这不一样。犹太人是一回事，但这个女孩是德国人。“如果你扣下扳机，”虽然我的心跳剧烈，几乎听得到厚重毛制服之下的跳动，但我冷静地说，“上级领袖会听到这件事。”

“如果上级领袖听到，”佛克说，“我会知道该找谁算账，对吧？”

他抽出刚才塞进安妮卡嘴里的枪管，再挥枪打她的脸。她跪倒在地，挣扎起身之后，立刻跑了出去。佛克朝那群党卫队军官大步走过去，和他们一起大口喝酒。

我的头突然痛了起来。我不想在这里，我根本不想来到乌克兰。我才二十三岁，我想坐在我母亲的厨房餐桌边，喝她自制的火腿汤，想看漂亮女孩穿高跟鞋在街上走动，想在肉铺后面的砖头小巷亲吻她们。

我想当个前途似锦的年轻男人，而不是每天醒来得穿越死亡，睡前得刮掉制服上死神痕迹的军人。

我摇摇晃晃地走出酒馆，眼角余光瞄到一抹鲜艳的色彩。是那个秘书，路灯光线映照着她的头发。

“你是我穿着闪亮盔甲的武士。”她伸出拿着烟的手。

我为她点燃香烟。“他伤到你了吗？”

“没比平常糟。”她耸耸肩回答我的问题。酒馆的门仿佛听到她的召唤打了开来，佛克走进冷冽的夜色当中。他抓住她的下巴，重重亲吻她的嘴。“来吧，亲爱的，”他说话的态度圆滑又迷人，“你该不会整晚都要生我的气吧？”

“绝对不会，”她回答，“不过你得让我抽完这支烟。”

他闪烁的眼神扫向我，接着又回到了酒馆里去。

“他不是坏人。”安妮卡向我强调她的看法。

“那么你为什么要让他用这种方式对待你？”

安妮卡直视我的双眼，说：“我可以用同样的话反问你。”

到了第二天，前一夜的争执就像完全不曾发生。在我们抵达齐亚赫尔之后，我们已经不再使用步枪进行扫荡行动，而改用机关枪。队员将驱之不尽的犹太人赶进沟渠，这次，犹太人实在太多了，我们花了两天时间才杀完这两千人。

在一层层的尸体上洒土已经没有意义，军团干脆下令让这些犹太人直接趴在他们的亲友背上，而前一批人当中，可能还有人仍然在痛苦挣扎。在即将被射杀之前，我听得到他们靠在未死之人的颈边低语、安慰。

最后一批犹太人当中有一对母女。这没什么不寻常，我看过上千对母子。但这个母亲抱着小女儿，要她别看，要她闭紧双眼。她把孩子放在两具尸体之间，仿佛送她上床睡觉。接着，她开始唱歌。

我听不懂歌词，但是我听过这个旋律。我和弟弟小时候，母亲也为我们唱过这首摇篮曲，尽管用的是不同的语言。小女孩跟着唱了起来。“*Nite farhaltn*。”犹太女人唱着：别停下来。

我下令开枪，机关枪咔嗒嗒地响起，撼动了我脚踩的地。在队员停止射击之后，我的耳鸣才停止。

在这时候，我听到小女孩还在唱歌。

她沾了血的身子又湿又滑，声音没比耳语大，但是她唱出来的音符却像肥皂泡般往上飘。我走到沟渠，举枪瞄准她。她仍然把脸埋在她母亲的肩颈之间，一感觉到我靠过去，她抬起了头。

我开枪打中她母亲的死尸。

接着另一声枪响，歌声跟着停歇。

佛克站在我身边，正要收枪。“瞄准一点。”他说。

我在第一步兵旅待了三个月，这段期间，噩梦不曾停止。我坐下来吃早餐时会看到死者的鬼魂站在餐室的另一头；在我洗净烫过、毫无污点的毛料制服上看到渗入其中的血迹。我晚上喝酒只求好睡，因为醒与睡之间的距离最难跨越。

但即使在齐亚赫尔的最后一名犹太人遭到枪决之后，即使佛克称赞我们完美达成任务，我仍然会听到那个小女孩的歌声。她早就死了，好几层她的同胞覆盖在她的尸体上方，但微风像小提琴的琴弓般拂过枝头，我又会听到她唱的摇篮曲。我听到她叮叮当当地数着铜板，想象她的笑声。她的声音仿佛大海，附着在我的耳边。

那天晚上我很早就开始喝酒，没吃晚餐。酒馆的吧台模糊地在我眼前飘动，我必须想：我喝下的每一杯酒，都能将我固定在我坐的凳子上。我想也许我可以直接昏倒在永远没擦干净、黏答答的桌面上。

我不知道在她——安妮卡——出现之前，我在吧台边坐了多久。我的脸贴着木头桌面，一张开眼，就看到安妮卡在旁边看着我。“你还好吗？”她问道。我抬起沉重的脑袋，看着她旋转似的站起来。

“看来，你可能需要别人扶你走回家。”她说。

虽然我不想离开，但她拉着我站起来。她说话的速度太快，每分钟可以跨越百万里，而且她拖着我走出酒吧，要带我到一个只有记忆陪伴的地方。我挣扎抵抗，这不难，因为她个子娇小，而我体型高大。她立刻缩起身子，以为自己要挨打。

她以为我和佛克一样。

这比什么都能驱散我脑袋里的迷雾。“我不想回家。”我说。

我不记得我们是怎么进到她的宿舍的。那地方有楼梯，以我的状况，是爬不上去的。我不知道是谁想到要脱去我们的衣服，不知道发生了什么事，我得说，这实在让我很遗憾。

我只记得——而且记得很清楚：我醒来时，冰冷的枪管抵着我的前额，佛克俯视着我，宣告我的军官生涯结束。

“我要给你一个惊喜，”当我走进厨房时，亚历山大说，“坐下。”

我坐到凳子上，他转身打开砖炉的炉门，从里头勾出一个东西，我看着他背部肌肉线条律动。“闭上眼睛，”他说，“不要偷看。”

“是新口味吗，我真的希望你继续烘烤平常的——”

“好了，”亚历山大打断我的话，他靠得好近，我几乎能感觉到他皮肤的温度，“你现在可以看了。”

我睁开眼睛。亚历山大伸出手来。他的掌心上有个像爸爸从前为我特制的面包，光看到这个，我便热泪盈眶。

我闻到了肉桂和巧克力的香味。“你怎么知道？”我问道。

“我帮你缝合颈部伤口的那天晚上，你不停地说醉话。”他咧嘴一笑，“答应我，你会把整个面包都吃掉。”

我撕开面包，热气冒了出来，宛如我们两个人之间的秘密。面包是浅浅的粉红色，暖暖的，像是血肉。“我答应你。”我说完话，咬下了第一口。

塞奇

有些不相信演化发展的创造论者，一辈子受到没有根据的事实洗脑，他们不但上钩，而且连鱼线和铅锤都吞下肚，你能责怪这些人吗？可能不行。

你能责怪生在反犹太国家，受到反犹太教育，接着在长大之后屠杀了五千名犹太人的纳粹分子吗？

可以。可以，绝对可以。

我之所以还坐在约瑟夫家厨房的餐桌边，和车祸之后交通流量恢复缓慢是同样的道理——大家都想看车祸造成多少伤害，在你用脑子拍下事故现场的快照之前，你不可能允许自己离开。恐怖事件对我们的吸引力，和让我们退避的程度成等比。

我面前摆着两张照片，一张是几天前我看过，他身穿军服在集中营里拍的照片；另一张是从报纸上剪下来的，在约瑟夫——雷纳——那晚去街头破坏之前，正在吃母亲做的蛋糕。

一个谋杀了那么多无辜生命的人，看起来怎么可能那么……那么……正常？

“我不懂你是怎么办到的，”我打破两人之间的沉默，“你怎么可能过正常的生活，假装什么事都没发生？”

“真的很神奇，假如你想要，你可以让自己什么都相信，”约瑟夫说，“如果你不断地对自己说你是某种人，最后，你终究会变成那样的人。‘最终解决方案’①就是这样，真的。一开始，我说服我自己，我是纯种的雅利安人，我理当拥有别人得不到的一切，因为我出生血统不同。你想想看，那是何等傲慢。相较之下，要说服自己和别人去相信我是个正直诚实的好人和谦虚的老师，要容易多了。”

“我不知道你晚上要怎么入眠。”我回答。

“谁说我睡得好？”约瑟夫回答，“现在你应该相信我做过这些可怕的事了，相信我该死。”

“没错，”我坦率地说，“你是该死。但我若杀了你，我也没比你好。”

约瑟夫思索我这句话。“对于这种和道德观有所摩擦的选择，第一次下决定最难。但第二次会好一点儿，而且可以让你觉得上次的做法没那么糟。可以依此类推。你可以不断地切割，但是绝对不可能完全摆脱，当你回想到自己本来可以拒绝的那一刻，你仍然尝得到胃里冒出来的酸涩。”

“如果你想要我帮你结束生命，那你这工作未免做得太差了。”

“是啊，但是我做过的事，和我要求你做的事情不尽相同。是我自己想死。”

我想到那些可怜的犹太人，脱个精光，备受羞辱，紧握孩子的手走向堆满尸体的坑洞。在那种时候，说不定他们也想死。宁愿死，也不要活在一个会发生这种惨剧的世界上。

我想到我奶奶，她和约瑟夫一样，在这些年之后，仍然绝口不

① 第二次世界大战期间，纳粹德国针对欧洲犹太人的系统化的种族灭绝的计划及其实施，并导致最后的、最致命的最终解决方案（Shoah）阶段。阿道夫·希特勒把它称作：“犹太人问题的最终解决方案”（Endlösung der Judenfrage）。

提。是因为她觉得不讲就不必回想吗？还是说，是因为提起这段记忆——即便是一个字也好——无疑是打开了潘多拉的盒子，恶魔可能会像毒药一样再次渗透到人间？

同时，我想到她故事里的怪物。那些躲在暗处的怪物躲的是别人，还是自己？

我也想到了里欧。我真想知道他怎么面对这样的故事，尤其他出自自愿，而且每天都碰得到。也许，在经过六十五年之后，重点或许不在于逮捕行凶的人。也许这么一来，他才知道有人仍然为了受害者而聆听。

我强迫自己把注意力转回到约瑟夫身上。“接下来呢？在佛克抓到你和他女朋友上床之后呢？”

“他显然没杀我，”约瑟夫说，“但是他断了我留在步兵旅的希望。”他犹豫了一下，才说，“当时，我不知道那是福是祸。”

他拿起那张他在集中营里拿着枪的照片。“那些不愿意开枪的人并没有受到惩罚，也没被强迫。那是他们的选择。那些人全都改派了。”

“在纪律审讯会之后，我被派到东部战线作战，这是惩处下放。我本来是少尉，如今降到中士，除非我能够再次证明自己，否则我会失去我的军阶。”约瑟夫打开衬衫扣子，将左手从袖子里伸出来。他的腋下有一小块圆形的伤痕，“他们要我刺上武装党卫队的血型刺青。我们应该都要刺青，但不见得每个人都真的有。我们用黑墨水刺上一个小字，如果我需要输血、陷入昏迷或是遗失军牌，医生可以借由刺青知道我的血型，也会先照顾我。没想到后来这个刺青真的救了我一命。”

“我只看到一个疤痕。”

“那是因为我搬到加拿大之后用瑞士刀切下了刺青。太多人知道党卫队成员身上有刺青，当时，他们正在追捕战犯。我不得不那么做。”

“这么说，你曾经中枪受伤？”我说。

他点点头。“我们没有粮食，气候又恶劣，有天晚上，我们这一排遭到苏俄红军的伏击。我替我的长官挨了一枪，大量失血，差点送命。帝国把这件事视为英雄之举。其实当时我想自杀。”他摇摇头，“但那已经足以让我解脱了。我的右手神经受到无法修复的创伤，再也没办法稳稳拿住步枪。那时候是一九四二年底，就算前线不需要，总有别的地方要我。我不必再稳稳地拿枪瞄准手无寸铁的犯人。”约瑟夫抬头看着我，“我管理过集中营，我在党卫队的生涯就是从集中营开始的。所以，住院九个月之后，他们把我送回集中营，这次指派给我的任务，是管理女性集中营。犹太人称这个集中营为*Anus Mundi*。我记得我下车看着铁门栏杆间扭曲的字样：*Arbeit macht frei*（劳动带来自由）。接着，我听到有人喊我。”约瑟夫抬头看着我，“是我弟弟法兰兹。在几年的抗拒之后，他这时候成了高级小队领袖，相当于中士，在这个集中营里担任行政工作。”

“*Anus Mundi*集中营，”我说，“没听说过。”

约瑟夫笑了。“那只是个别名。你懂一点拉丁文，对吧？这两个字代表‘世界的屁眼’。但是你，”他说，“你应该知道奥斯威辛。”

他听得到她的每一次心跳。在她奔跑时，心跳几乎和脚步声踩在同一个节拍上。他告诉自己，她早该知道的。这全是她的错。

在她绕过转弯处时，他从后面扑了上去。她重重地趴向石头，他将她翻过身来，将她的衣领扯裂到腰间。他只要用手臂压住她的锁骨就足以让她安静不动。她开口恳求，他们全都这样，但是他没有听。现在，她心跳的速度越来越快了，这让他发狂。

第一口最能带来满足，像是拿刀刃切开黏土一样。她的脉搏就像在空中飘动的白杨树叶，在喉头怦怦跳动。皮肤很柔软，轻轻一挑之后就可以拉开，让他看见暴露在外的肌肉和跳动的血管。他还听得到血液如同奔流的河水波动，这声音让他满嘴口水。经过几年的锻炼，他熟练地切穿肌肉，咬开绳弦般的筋腱和皮肉，直到带着金属味的甜美血液从她的颈动脉来到他的舌尖。在他的压制之下，她全身瘫软，皮肤逐渐干枯，她的血水沿着他的下巴滴落，宛如甜瓜的汁液。当他的牙齿碰到她的脊椎时，他知道她派不上用场了。她的头和身体之间只剩韧带相连，软软地滚到一边。

他擦擦嘴，开始啜泣。

塞奇

尽管约瑟夫不断地提到死亡，让死亡像是染黑他嘴角的莓汁；尽管我始终看到影像——那个唱歌的小女孩，那个指着自己说出年龄的年轻人，但是我发现自己还想着其他人。那些约瑟夫没告诉我的人。那些在他记忆里没能留下痕迹的人一定更让人惊心。

他到过奥斯威辛，奶奶也是。她认识他吗？他们是否曾经相遇？他曾否威胁过她，殴打过她？夜里，她是不是清醒地躺在发臭的床板上，以他为蓝本来重新描写她故事中的怪物？

我没向奶奶提起约瑟夫是有道理的。在过去六十多年来，她一直守口如瓶。但是当我离开约瑟夫家时，我忍不住要想，她会不会是他记不得的人，而他又会不会是她尽全力想忘记的人。这其中的不平等让我想到就反胃。

我离开约瑟夫家时，天色阴暗而且下着雨，承担了他的告白之后，我全身打战。我想要逃到某个人身边寻求庇护，让这个人抱紧我，告诉我一切终将过去，他会握住我的手直到我睡去。我母亲会这么做，但是她已经不在。我奶奶可能也会，但是她会想知道我如此沮丧的原因。

于是我开车到亚当家。虽然我说过不想再看到他，也知道现在是晚上——他这一部分的生活属于别人而不是我。我把车停在路边，从客厅外凸的窗户往里看。客厅里有个男孩正在看电视上的益智问答节目。客厅沙发后面有个女孩坐在厨房的餐桌边看书。奶油色的光线洒落在她的肩膀上，像件斗篷。厨房水槽的水龙头开着，亚当的妻子正在洗碗。就在我透过窗口往里看的时候，亚当出现了，他拿着干净的抹布，从妻子沾着肥皂的手上接下色拉盘。他擦干盘子，把盘子放在流理台上，然后伸手从后面抱住夏侬。

这时，天空突然亮了，这绝对不只是低气压影响，而且还是一种隐喻。我拔腿就跑，在紫色的闪电划过天际时正好回到车边。我驶离路边，飞快地开向高速公路，离开这幸福快乐的一家人。柏油路上的大片积水让我想到约瑟夫口中的影像，郁暗的积水就像淹漫路面的血水。分心之下，我没有立刻看到从路边树林里跳向我车前的鹿。一发现情况不对，我马上急转弯，努力想控制方向盘，结果却撞上了护栏，我的头直接撞向车窗。在一阵尖锐的声响之后，车子停了下来。

我失去意识，好一会儿之后才醒过来。

当我睁开眼睛时，我的脸是湿的。我以为自己在哭，但是我摸了摸脸颊，发现手上沾到了血。

在那让人心脏停止跳动的惊恐一刻，我再次经历了过去。

我看着空无一人的副驾驶座，然后从破碎的挡风玻璃往外看，接着才想起我在哪里，发生了什么事。

那只鹿躺在路上，白色的车头灯光照在它身上。我踉跄地爬出车外，在滂沱大雨中跪下来抚摸它的颈子，接着，我哭了出来。

我太难过，好一会儿之后，才发现照亮夜色的另一辆车，而且有只温柔的手搭在我的肩膀上。“小姐，”警察问，“你还好吗？”

难道这是个简单的问题？难道我可以用一个字来回答？

警察打电话通知玛丽之后，她坚持要我到医院去检查。医师在我的前额贴上绷带，告诉玛丽要观察我是否有脑震荡现象。于是她要我到她家过夜，而且不容我争辩。但当时我头痛得太厉害，没力气抗辩，所以，我这时才会坐在玛丽家的厨房里喝茶。

玛丽手上有一层干掉的紫色油漆，接到警察通知时，她正在漆油漆。我的身边都是油漆，摆着早餐桌的角落墙壁上有一幅以启示录为主题的未完成梦境壁画。耶稣——我猜应该是耶稣，因为他有一头长发又蓄着胡子，脸孔疑似演员布莱德利·库柏——朝爬向恶魔的人伸出手，这个女性恶魔长得有点像米歇尔·巴赫曼[①]。这些堕落的可怜灵魂显现各种不同的裸露姿态，有的人物还是草图，但我仍然辨认出丝诺奇[②]、唐纳德·特朗普[③]和乔·帕特诺[④]。我触摸我背后墙面上的一个草图。“艾蒙[⑤]？”我说，“不会吧？”

“他当小孩当多久了？”玛丽耸耸肩，把糖递给我，“他永远不会老，显然是和魔鬼打了交道。”她拉着我的手放在桌上，“你出事时会打电话给我，你知道吗，这对我来说意义重大。”

我决定不挑明，其实，打电话的是警察。

“我以为你为了我要你休假的事还在生气。但是，说真的，这都是为你好，塞奇。”她带着微笑说话，“我还在教会学校念幼儿园的时候，伊玛修女老是这么说。我太爱讲话，于是有一天，她把我放进垃圾桶里面。我当时个子小，所以还装得进去。只要我抱怨，她就踢垃圾桶。”

① 米歇尔·巴赫曼（Michele Bachmann，1956–）：美国律师，政治家，共和党人。
② 丝诺奇（Snooki，1987–）：作风大胆的美国真人秀年轻女演员。
③ 唐纳德·特朗普（Donald Trump，1946–）：美国商业大亨、电视名人和作家。
④ 乔·帕特诺（Joe Paterno，1926–2012）：已故之美国足球教练。
⑤ 艾蒙（Elmo）：《芝麻街》人物。

“这么说，你没把我丢进收垃圾的子母车里，我应该心存感激了？”

“不是这样。你该感激的是有人关心你，愿意帮你回到人生的轨道。你知道，你母亲会希望这样。”

我母亲，我参加哀伤辅导小组的原因。如果她没死，我可能不会和约瑟夫·韦伯发展出这段友谊。

“今天晚上发生了什么事？”玛丽问道。

这个问题不好回答。“你也知道的，我撞到一头鹿，然后车子打滑撞到护栏。”

“你那个时候要去哪里？天气糟透了。”

“要回家。”我说，因为这不是谎话。

我想把约瑟夫的事全说出来，但上次我试图向她吐露这个秘密，她却不愿相信。如同约瑟夫说过的：我们相信我们想要或必须相信的一切，随之而来的必然结果就是，我们会忽略那些我们假装不存在的事。玛丽无法接受我的说法，不愿意相信约瑟夫·韦伯可能是个怪物，因为她若接受我的说法，就等于承认自己受到约瑟夫愚弄。

“你和他在一起吗？”玛丽紧追不放。

一开始，我以为她指的是约瑟夫，后来才明白她问的是亚当。“其实我告诉了亚当，这阵子，我不希望和他见面。”

玛丽惊讶地张大了嘴。“阿门！”

“但是，我还是开车到他家。”看到玛丽把头埋进掌心，我扮了个鬼脸，“我本来就不打算进去，我可以发誓。”

“有没有搞错？你为什么不来这里？”玛丽问，“我有足够的花草茶和哈根达斯冰激凌，足以抚平任何崩溃的心灵，而且比起亚当，我在感情上更值得依靠。”

我点点头。“你是对的。我应该要打电话给你。但结果我却到他家外头，还看到他的太太和小孩。我猜，我应该是……慌了。所以我才会精神不集中，撞到那头鹿。”

我发现，在我编出来的这个版本当中，我完全没提到约瑟夫·韦伯。我和奶奶的相似之处，比我原本想象得还多。

“说得好，”玛丽说，“但是你在说谎。”

我看着她，不可置信地眨眨眼，一口气卡在喉头吐不出来。

“我了解你。你开车去看他，是因为你想告诉他你作了错误的决定。如果不是因为你这个偷窥狂，在外面看到家庭和乐的一幕，你可能会爬过围篱朝窗户丢石头，要他到外面和你说话。”

我沉下脸看着她。“你这么说，简直把我当窝囊废看。”

玛丽耸耸肩。“听着，我只是想说，你可以心怀怨恨再久一点，这对你不会有害。”

“对修女来说，这不是有点太崇尚旧约教条了吗？”

“是还俗的修女。让我来告诉你吧，电影《音乐之声》里描述的平静和谐都是鬼话。修道院里的修女和外界的人一样心胸狭窄，有些人你喜欢，有些会让你讨厌。我曾经在另一个修女用圣水之前，先对着圣水盘啐口水。为了那件事，就算罚我念二十次玫瑰经忏悔，我都愿意。”

我揉了揉隐隐作痛的左侧太阳穴。“你可以帮我拿我的手机过来吗？”

她站起来，从我的皮包里找出手机递给我。“你要打电话给谁？”

“派波。”

“骗子。上次你打电话给你姐姐被挂电话，是因为你告诉她，为了让一个四岁小孩进幼儿园就读而找私人家教，就像帮热带鱼找游泳教练一样荒谬。就算你卡在眼看就要起火的车子里，你也不会打电话给派波——”

“让我听一下留言好吗？”

玛丽用力把电话推向我。“拿去，发短信给他。到了明天早上，你会开始求他原谅你，你老是这样。”

我在联络人名单里搜寻里欧的号码。

“这次不会了。”我答应她。

人都需要休息，纳粹猎人显然也一样。我在那天晚上和隔天早上共留了三条留言给里欧，但是他没有回电。玛丽客房的天花板上挂着一个耶稣扛着十字架的精美木刻，我躺在里头，整夜睡睡醒醒。我梦到我拖着十字架爬上看似永无止境的山丘，到了丘顶我往下一看，只看到上千具男女老少赤裸的尸体。

玛丽在开车去面包店之前先送我回家，我虽然坚持要她带我进面包店，但她无视我的要求。回到家后，我整个人心烦气躁，不觉得自己今天有办法去找约瑟夫谈话。总之，在联络上里欧之前，我不想再和约瑟夫说话。

我想把约瑟夫赶出我的脑海，于是我决定烘烤个需要用到全副注意力的东西：布里欧奶油面包。这种面包完全不合常理，里头加了百分之五十的奶油，但吃起来却完全不像砖块般的硬面包，而是轻飘飘、甜蜜蜜地融化在口中。在今天这样闷热的天气做布里欧奶油面包是一种挑战，因为所有的材料都必须先放凉。我甚至把搅拌用的钢盆先放进冰箱里，也预先准备好面团。

我一边用搅拌机搅拌面糊，一边用擀面棍捣化奶油，接着再把奶油一点一点地加入搅拌盆里。我最喜欢制作布里欧奶油面包的这个过程。一开始，面糊不知道该如何应付奶油，于是往旁边退了开去。但是时间一久，面糊开始往中间集中，渐渐变得浓稠、发亮。

我关掉搅拌机，捏下一块手掌大小的面团，用双手慢慢拉，看面团能不能拉展开来，而且拉得越开还得越透光。之后，我把面团放进容器里，用保鲜膜紧紧盖住，接着把它放在桌台上，开始清理厨房。

这时门铃响了。

铃声吓了我一跳。我早上通常不在家，而没有人会在夜里按门铃。即使是亚当也一样，他如果来，会自己带钥匙。

我以为来的会是邮差或是快递公司的人，但站在我门廊上的男人没穿制服，而是穿着皱巴巴的西装外套，虽然外头起码有三十度，但他依然打着领带。他有一头黑发，下巴冒出了胡茬儿，眼睛的颜色和发亮的胡桃一样。而且，他至少有一百九十公分高。“塞奇·辛格吗？”我拉开门的时候，他说，“我是里欧·史坦。”

他和我想得不同，而且大大不同。我立刻将刘海往前甩，想遮住我的脸，但我看得出自己迟了一步。里欧看着我，似乎可以看穿那层头发。“你怎么知道我住这里？”我问道。

“你这是开玩笑吗？我们是司法部。我连你今天早上在哪里吃早饭都知道。”

“真的？”

“假的。”他出其不意地咧嘴笑了。我以为他这种人不常笑，我以为他听过太多事，会忘了怎么笑。“我能进来吗？”

我不清楚这种时候有没有特定的礼节和流程，不晓得我是否可以拒绝他。我猜想自己是不是做了什么错事，是不是有隐藏摄影机对准我和约瑟夫，或者是自己惹上了什么麻烦。

“好，首先，你要做的是：呼吸，”里欧说，“我来这里是要帮助你，不是逮捕你。”

我侧过脸，这么一来，他就看不到我那侧毁容的脸颊。

“嗯，”他说，“有哪里不对吗？”

“没有。为什么这么问？”

“因为你扭着脖子，我上个月趴在办公桌上睡着之后也是这样，过了整整一星期，才把脖子转回来。”

我深吸了一口气，然后直视他的双眼，看他是否敢回望我。

“喔，”他轻柔地说，“呃，和我想得不一样。”

我不知道自己为什么觉得像是挨了一巴掌。大部分懂礼貌的人看到我的伤疤时，都不会说话。如果里欧也一样，至少我可以假装他没注意到。

“有点好笑，但我想象你会有双棕色的眼睛，而不是蓝色。”他说。

我惊讶地张大了嘴。

“可是我喜欢这种蓝色，”里欧补充道，“很适合你。”

“你只有这些话要说？”我回应他，“真的吗？”

他耸耸肩。“如果你以为我看到你脸上几条银色的生化处理线条，就会尖叫着跑开，那真抱歉，让你失望了。”

“生化处理？”

“听着，我和你不熟，但看来你似乎小小整修过你的外貌。但比起这些，我对你口中的约瑟夫·韦伯要感兴趣得多。”

听到他提起约瑟夫，我摇摇头，想驱走这个名字。“我昨天和他聊过，他做过太多让人不齿的事。”

里欧从他破旧的公文包里拿出一沓档案。“我知道，”他说，“所以，我才会觉得我们该见面了。”

“可是你本来说，你们会有历史研究员找我谈。”

一抹红晕从他的颈部往上爬。“我刚好到这附近来。”他说。

“你有事来到新罕布什尔州？”

“到菲立，”他回答，“那够近的了。”

从菲立到这里要开八小时的车。我手抵住门，人往后退了一步。“那么，”我说，“你一定饿了。”

里欧·史坦一开始吃布里欧奶油面包，就停不下来。第一批出炉的面包无比轻盈，我端着热面包上桌，搭配果酱和茶。“嗯。”他发出陶醉的声音，欢喜地闭上双眼。“我从来没吃过像这样的东西。”

“华盛顿没有面包店？”

“就算有，我也不知道。我喝的是最难喝的咖啡，吃的是从贩卖机买来的三明治。”

我刚才花了两小时，把约瑟夫说的每件事都告诉了里欧。这当中，我把面团捏出布里欧奶油面包传统的高顶造型，在上面涂了层蛋汁，放进烤箱去烤。我手边有事忙的时候，说话比较自在。我口中每吐出一个字，我就觉得轻松一些。我把重如石块的句子全交给了他，而且我说得越多，他的负担就越大。他拿着本子写下笔记。我离开约瑟夫家时，偷偷把印着他照片的剪报塞到我的口袋里，现在，里欧眯着眼睛，看着维沃兹堡当地报纸上约瑟夫正在吃母亲手制蛋糕的照片。

他抬头看我时，眼神丝毫没有闪避。

“你要直接找他谈吗？”我问道。

里欧看着我，说："时候还没到，你和他已经建立了良好的关系，他相信你。"

"他仰赖我宽恕他，"我说，"不是告发他。"

"宽恕是心灵的，惩罚是法律层面，"里欧说，"两者不会互相排斥。"

"所以换作你，你会宽恕他？"

"我没那么说，但如果你想知道我的看法，我会说，这不是你我能够决定的事。人类的宽恕模仿自上帝。"

"惩罚也是。"我指出这一点。

他扬起眉毛笑了。"差别是，上帝没有恨。"

"在看过那么多邪恶的人之后你还相信上帝，我太惊讶了。"

"在见到那么多幸存者之后，"里欧问道，"我怎么可能不相信上帝？"他用餐巾擦了擦嘴巴，"所以，你看到了他的刺青。"他厘清这一点。

"我看到一个可能曾经是刺青的疤痕。"

"在什么位置？"里欧抬起手臂，"指给我看。"

我碰了碰他左手腋窝边的二头肌，也感觉到他衬衫下的体温。"这里。看起来像是烟蒂烫伤的痕迹。"

"这和武装党卫队血型刺青的位置一样，"里欧说，"也吻合我们目前手上的资料。据他说，他在一九四一年曾经是第一步兵旅的成员，两年之后，也就是一九四三年，他到了奥斯威辛。"他翻开放在我们两人之间的档案夹。我看到一张粒子粗大的照片，上面是一个穿着纳粹制服，外套领子上别着骷髅章的年轻人。我猜，这可能是约瑟夫，但是我认不出来。在里欧抽出用回形针夹住的照片时，我瞥见上面写：哈特曼，雷纳。文件上有个歪歪斜斜的手写地址，我看不出写的是什么，另外还有两个字母 AB，我猜是他的血型。里欧很快地盖上档案——我猜那应该是机密文件——把照片放到剪报旁边。“问题是：他们是不是同一个人？”

在第一张照片上，约瑟夫是个男孩，到了第二张已经是个男人。这两张照片的画质只称得上模糊。“我没办法判断。但这重要吗？我是说，假如他说的一切都吻合？”

“嗯，”里欧回答，“要看情况。一九八一年，高等法院判定，凡是在纳粹集中营担任过警卫的人，必定参与过集中营内发生过的事件，包括谋杀在内——如果我们说的是奥斯威辛集中营。法院的分析来自几年前德国的一场审判，当时嫌犯表示，如果德国相关单位要起诉他，就应该起诉集中营里所有的人，因为集中营的运作环环相扣，每个人都是齿轮的一环，必须发挥作用，否则整个毁灭机制便会停止。所以，奥斯威辛从警卫到出纳会计，都必须为发生在集中营里的一切负责，因为他们明知围篱里发生了什么事，却仍然继续执行自己的职务。这么想吧，假如说，你的男朋友打算要在我办公室里杀害我，他拿刀子在办公室里追杀我，而你站在门外拉住门，不让我逃出来。你们两个都会以一级谋杀罪遭到起诉。你们两个人分工合作，各自扮演自己的角色。”

“我没有男朋友。”我突然冒出这句话。结果，我发现讲这话比我预期的要容易多了，而且我非但不觉得揪心，甚至还有种轻飘飘的感觉。“我是说，我从前有，但是事情不是……”我耸耸肩，“总之，他不可能到你办公室去杀你。”

里欧脸红了。“看来，我今晚可以睡个好觉了。”

我清清喉咙。“所以我们要做的，是证明约瑟夫曾经在奥斯威辛工作过，”我说，“他都承认了，这还不够吗？”

“那要看他的自白是否可信。”

“怎么可能有法庭认定他会为了这种事说谎？”

“人为什么要说谎？”里欧说，“说不定他老了，他有精神上的问题或有受虐倾向，谁知道呢？就我们所得的讯息，他也有可能根本不在现场，而是读了书上的数据，然后把故事反刍给你，这不表示这是他的亲身经历。”

“尽管你有个写了他名字的档案也一样？”

“他已经给过你一个假名，”里欧指出事实，“这可能是另一个假名。”

“那么，我们该怎么确定他真的是雷纳？”

“有两种方式，”里欧说，“一是让他继续说，最后他也许会说出档案里的信息——党卫队的内部信息，而不是从二十四小时的历史频道里看到的数据。要不然，我们就是需要一个记得他、曾经和他一起在集中营里的证人。”他碰碰剪报和那张纳粹党员登记照片，“某个可以指证这两者是同一人的证人。”

我看向布里欧奶油面包，面包已经不再冒出蒸汽，但仍然又香又暖。果酱则是沾到了枫木桌面。奶奶告诉过我，她父亲给她猜过一个谜语：有什么东西是你为了凝聚一家人而切开的？

当然是面包。

我想到这个谜语。尽管我没有宗教信仰，但是我仍然祈祷，希望她愿意原谅我。

“我可能认识一个帮得上忙的人。”我说。

“随便你怎么说，”达米安争辩，“但我只是想保护你的安全。”

我拉开门，以为会看到亚历山大，结果站在门口的是警卫队长达米安。我告诉过他我很忙，而且这也是事实。这个星期的生意好了些，我们烤的长棍面包供不应求。这些长棍面包——还有为我特制的肉桂巧克力面包——比我父亲做得更甜。亚历山大和我开玩笑，表示里头添加了他的秘密配方，但是他不肯把秘方告诉我。他说，若是讲出来，就只是个原料了。

现在，我听着达米安在我厨房里发表高论。“嗜血怪物巫皮欧？”我说，“那是民间传说。”

“传说都是其来有自的。要不然会是什么？牲口是一回事，安妮雅。但是这个……这野兽的目标是人类。”

我当然听过巫皮欧的传说。饥渴的巫皮欧活生生地从棺材里走出来，专喝人血。如果必要，巫皮欧甚至可以吃下自己的肉。

在村里广场卖篮子的老萨很迷信。她从来不接近黑猫，会拿着盐往背后撒，还会在满月时把衣服反过来穿。老萨到处咬耳朵，说巫皮欧在村里出没，每当我们在市场上搭摊位时，她总是会这么和旁边的小贩低语：“你会在人群里看到巫皮欧，这些巫皮欧的双颊和嘴唇红润，和我们混在一起。他们死了才能完全转变。一旦他们转变完成，一切就太迟了。想杀巫皮欧只有一种方式：砍下他的头或挖出他的心脏。而唯一能保护自己的方式，则是喝下巫皮欧的血。”

我本来就没理会老萨的故事，而现在呢，我也不想听达米安的说辞。我交叉双臂摆在胸前。“那你要我怎么做？”

“听说，谁能让巫皮欧分心就能逮到他。”他解释，“他看到结会想解，看到一堆种子会去数。”达米安从我头上的架子上拿下一袋大麦，倒在桌台上。

“为什么巫皮欧会到我厨房里晃来晃去？”

“说不定，”达米安说，“他已经在这里了。”

好一会儿之后，我才听懂他的意思。这太让人生气了。“就因为他是外地来的人，所以就好欺负？因为他没和你那些士兵朋友一起上学？还是因为他说话的腔调不同？他不是怪物，达米安。他只是不一样。”

“你真的知道吗？”他质疑我的说法，逼得我往后退，靠向砖炉旁的墙壁，“杀戮正巧从他到这里时开始。”

“他一整个晚上都在这里，白天在家看顾他弟弟。他什么时候会有空去做你指控的事？”

“他工作时，你在这里看着他吗？还是说，你在睡觉？”

我张开嘴巴想讲话。事实上，我在厨房里陪亚历山大的时间越来越多。我把我父亲的事，把巴鲁克·贝勒的作为都告诉了他。他则告诉我他想当建筑师，设计一些让人站在顶头会头晕目眩的高楼。我偶尔会坐在桌边睡着，但是当我醒来时，总是会发现亚历山大已经将我送上床。

有时候我觉得，我之所以想熬夜陪他，就是因为他会这么做。

我用双手扫拢散在桌台上的大麦，但是达米安抓住我的手腕。“如果你这么确定，何不留下这些东西，看后续怎么发展？”

我想到亚历山大，他带着弟弟从一个城镇流浪到另一个城镇。我想到他的双手靠在我的脖子边，缝合我的伤口，让我恢复完整。我直视达米安的双眼，说：“好。”

那天晚上，我没在厨房里等亚历山大。他开门进来时我甚至不在里头，而且当他轻敲我卧室房门时，我对他说我不舒服，想休息。

但是我好得很。我想象他应该忙着收拾大麦，整理成堆。我想象他的双手和嘴角都在流血。

我睡不着，于是点着蜡烛，偷偷来到通向厨房的走道。

我可以感觉到木门后面传来的热气——这是火炉散发出来的温度。如果我踮起脚，可以从木门的缝隙往里看到整个厨房，但也许我也可以看到亚历山大和平常一样忙着烘焙，这么一来，我的恐惧也可以减轻。

我清楚看见桌台，那袋撒出来的大麦还在桌上。

但是麦子整理过了，一颗一颗地排出军队的队形。

这时木门突然打开，我往前一扑，趴进厨房里。我手上的蜡烛从烛台上飞了出去，滚到石头地上。我正要伸手去拿，亚历山大的靴子踩熄了火焰。“你在窥探我吗？”

我狼狈地站起来，摇了摇头。我的目光落在排列整齐的大麦上。

“我的烘焙进度有点落后了，”亚历山大说，“我来的时候先整理厨房的一团乱。”

我发现他在流血。他的前臂上裹着一层绷带。“你受伤了。”

“没事的。”

他看起来和昨天模仿镇上酒鬼、陪我说笑的男人没有两样。我看到老鼠掠过厨房地板，在确认老鼠被抓之前不肯移动脚步时，将我抱起来的也是这个男人。

现在，他靠得好近，我闻到他带着薄荷味的口气，看得到他金眸中闪烁的绿色光芒。我咽了咽口水。“你是我所想的人吗？”

亚历山大的眼睛连眨都没眨一下。“有关系吗？”

当他亲吻我的时候，我觉得自己几乎虚脱。我整个人由内而外地苏醒过来，让我难过的是我们两个人之间还隔着皮肤，没办法贴得更近。我抓着他的后腰，指头滑进他的衬衫之下。他用双手捧着我的头，无比温柔地——温柔到让我几乎没感觉到——他咬了我的嘴唇。

我和他的嘴里都有我的血，带着金属味的血水尝起来就像是苦痛。我抽开身子，生平第一次啜饮自己的滋味。

之后，我只能说他应该和我一样为那一刻而震撼。否则他一定会听到达米安带着手下士兵推开门，拿着刺刀指向我们。

里欧

我们拜访举报疑似纳粹分子的人，是为了确定他们不是疯子。一般来说，你不必花太多时间，就可以判别线报者的精神状况是否稳定，或是说，他们举报是出自嫌隙偏执，甚至单纯是个疯子。

见到塞奇·辛格的一会儿之后，我便知道她并非想陷害约瑟夫·韦伯。举报他，她得不到任何好处。

她异常敏感，因为她的左脸由眉毛到脸颊处有道长长的伤疤。

同时，这道伤疤让她没意识到自己有多辣多迷人。

我懂，我真的懂。我十三岁时长了满脸青春痘——我可以发誓，青春痘会一代代繁衍。大家喊我“五花香肠比萨脸”或是“路易吉”——路易吉是我家乡比萨店的老板。学校要拍毕业照的那天，想到我的那张脸要被拍下来，永久放在纪念册中，我竟然紧张到吐了出来，因此得以留在家里休息。我母亲告诉我，等我长大之后可以教大家不要以貌取人。我的工作大抵也是如此。但即使到了现在，当我照镜子时，偶尔，我还是会觉得自己看到了当年那个孩子。

我敢说，无论塞奇作何想象，当她凝视自己的镜中倒影时，看到的绝对比我们其他人糟太多。

在我的部门里，这类“强迫推销”的来电大多由珍薇拉负责调查，我只调查过两或三件。这些曾经遭到逮捕的犹太人如今大多八十多岁，他们遇见一些人，然后便会在这些人脸上戴上当年那些纳粹的面孔。这些指控没有一件成立。

塞奇·辛格不是八十岁的老妇人。而且她也没说谎。

“你的祖母，”我重复她刚刚的话，“是大屠杀的幸存者？”

她点点头。

“然后，在我们过去四次谈话当中……你完全没提起？”

我还在思索这是天大的好消息还是噩耗。如果塞奇的祖母愿意，又可以指认出雷纳·哈特曼真的是奥斯威辛集中营内的军官，那么珍薇拉搜集到的信息和塞奇从嫌犯口中问出的数据便有了直接联系。但如果塞奇曾经以任何方式向她祖母提过这个嫌犯——比如她和嫌犯谈过话——那么证人的证词便会有所偏颇。

“我不想让你认为这是我打电话给你们的原因。这和我祖母一点关系也没有，她从来没提起自己的遭遇，一次也没有。”

我交握着双手往前靠。“这么说，你没向你祖母提过你和约瑟夫·韦伯见面的事？”

“没有，”塞奇说，“她甚至不知道世界上有这个人。”

“而她从来没和你讨论过她在奥斯威辛的遭遇？”

塞奇摇摇头。“就算是我特别去问她，她仍然不愿意说。”她抬头看着我，“这正常吗？”

“我不知道对一个大屠杀的幸存者来说，还有什么事是正常的，”我说，“有些幸存者觉得因为自己活了下来，所以他们有责任对世人说出经历，如此一来，事件才不会重演，世人才不会遗忘。其他一些幸存者则是认为，如果要走完余生，就该当这件事从未发生过。”我把面包屑拨到餐巾纸上，拿起盘子走到水槽边。“那么，”我大声说出自己的计划，“我该打个电话给我的历史研究员。她可以在几小时内找到一大堆照片作比对之用，然后……”

“她也不会和你谈的。”塞奇说。

我带着微笑说：“所有的祖母都觉得我很有魅力。”

她交叠起双臂。“如果你伤害到她，我会——”

“谨记：切勿威胁联邦探员。接着请再记得：别担心。我向你保证，如果她还无法开口，我绝对不会逼迫她。”

“如果她肯说呢？接下来会怎么样？你会逮捕约瑟夫吗？”

我摇摇头。“我们对纳粹党人没有刑事司法管辖权，”我解释，“我们不能监禁你举报的这个男人，也不能放他自由。犯罪发生的地点在美国境外，而且发生在太久之前，当时我们还没有治外法权。一直到二〇〇七年，美国的种族灭绝法令才经过修改，纳入非美国公民在美国境外犯下的种族灭绝罪行。在这之前，基本上，法规涵括范围包括所有美国公民，唯有卡士达将军对美国原住民的行动除外。我们只能试着从移民法下手，将他驱逐出境。就算到了那个阶段，这几年来，我一直尝试和欧洲国家建立道德规范，让纳粹分子能回到欧洲起诉，但成功的案例乏善可陈。”

“所以我们是白忙一场？”塞奇问道。

“我们这么做，是因为你的祖母选择美国当作她的家园，我们理当让她得到内心的宁静。”

塞奇久久地看着我。“好，”她说，“我带你去她住的公寓。”

雷纳·哈特曼的档案里有一些塞奇·辛格不知道的信息。

我的工作是我尽可能少说，然后让她多讲。尽管如此，我还是不能确定法庭能否串联起零碎的信息，然后起诉他；也不确定哈特曼是否能活到报应临头的那一天。

截至目前为止，塞奇告诉我的一切，都可以从美国大屠杀纪念博物馆的档案数据，甚或翻书就可以搜集得到，包括军事行动和日期、军团单位和军旅生涯的调动。只要读过第三帝国的历史，你也会知道什么是血型刺青。听起来虽然难以置信，但真的会有人假造自己的犯罪事实，世事无奇不有。

但是这个档案里有一些只有雷纳·哈特曼——还有他的上级，或是他的亲信——才知道的事。

然而塞奇·辛格还没有提到。

这有可能是约瑟夫·韦伯还没机会把这些故事告诉她，要不就是约瑟夫·韦伯不是雷纳·哈特曼。

无论如何，塞奇的敏卡奶奶若能指证，我们便掌握了另一小片拼图。正因为如此，我现在才会开车前往波士顿——和我在罗根机场下飞机之后，前往新罕布什尔的同一条路——身边还坐着塞奇。

“这真是新闻，”我说，“我部门里没有任何人因为听到证词太过沮丧，然后出门开车撞倒鹿。”

“我又不是故意的。”塞奇嘟嘟囔囔地抱怨。

“*A bi gezunt*。”

“你说什么？”

我转头看着她。“我说‘你没事就好’。我猜，你不会意第绪语。”

“我不是犹太人，我说过了。”

她的确问过我这有没有关系。“喔，”我说，“我只是以为……”

“道德和宗教无关，”她说，“你可以做正确的事，而同时完全不相信上帝存在。”

“这么说，你是无神论者？”

“我不喜欢被人贴上标签。”

“我想你也不可能喜欢。这地方看起来不像是宗教太多样化的小区。”

“可能就是因为这样，约瑟夫才得花这么久时间来找一个来自犹太家庭的人。”塞奇说。

“呃，这真的没什么关系，因为你又不会去宽恕他。”

她没说话。

“你不会吧，”我又说了一次，惊讶地张大嘴问，“你会吗？”

“我不想。但是我同时也觉得，他只是个身体虚弱的老人。”

“是个可能犯下违反人权罪的人，”我回答，“就算他最后变成泰瑞莎修女也没有办法抹灭这件事。他在半个世纪之后才坦白？这不是与生俱来的良善美德，而是因循推托。”

“这么说，你认为人不会变？如果做过一件坏事，就一辈子是坏人？”

“我不知道，”我承认，“但是我的确觉得有些污痕是永远洗不清的。”我看着她，“城里其他人知道你的家人是犹太人吗？”

“知道。”

“然后，约瑟夫找你忏悔。对他来说，你和六十五年前的犹太人没有两样。”

“说不定他选我是因为他把我当朋友看。”

“你真的相信？”我问道，而塞奇没有回答。“如果一个人想得到宽恕，他必须先为自己做过的事忏悔。在犹太教，这叫作*teshuvah*，意思是‘从恶魔身边回转’。而且这也不能是一时的改变，是要彻底转变。一时的忏悔会让行恶的人觉得好过一些，但是对受害者则不然。”我耸耸肩，“就是因为这样，所以犹太人不只会去告解，还要诵玫瑰经忏悔。”

“约瑟夫说他已经得到谅解，与上帝和好了。”

我摇摇头。“要求和的对象不只上帝，还有人。‘罪’不是通盘性，而是有对象的。如果你侵犯了某个人，唯一的弥补方式，是回头去找同一个人，由他公正处理。所以说，对犹太人而言，谋杀是不可宽恕的罪行。”

她安静了好一会儿。“有没有人走进你的办公室找你忏悔？”

“没有。”

“那么，说不定约瑟夫不一样。”塞奇说。

“他找你是为了让自己好过一点吗？还是因为他想让他手下的受害者好过一点？”

“后者显然是不可能的事。”她回答。

“所以，这让你为他感到难过？”

“我不知道，大概吧。”

我把注意力放回路上。“德国人付了几十亿美元赔偿个别受害人和以色列。可是你知道吗，事发至今将近七十年了，他们未曾公开向犹太人以及大屠杀这项罪行道歉。别的国家就会，比如南非。但是德国人呢？竟然还要同盟国把他们拖到纽伦堡去受审。到了战后，曾经协助打造第三帝国的官员只要否认自己是纳粹，就可以留任公职，而德国人也能接受。今天德国的年轻人在学校里学到大屠杀，但是置之不理，认为那是古代历史。所以，不，我不认为你可以宽恕约瑟夫·韦伯。不觉得你能原谅任何牵涉在其中的人。我认为你应该让他们负责，但必须试着不带任何色彩去看待他们的儿孙，不要把前人的错加在后人身上。”

塞奇摇摇头。“一定有些德国人比他们的同胞好，不愿意配合希特勒的。如果你不把他们分开来看——如果你不能宽恕那些来寻求宽恕的人——你难道不是变得和纳粹一样了？”

“不，这不会让我变得和纳粹一样，”但我承认，“这会让我充满人性。”

敏卡·辛格个头娇小，和孙女一样有双抢眼的蓝色眼眸。她住在一处有人照看的公寓大楼，还有个兼职看护无微不至地照顾她，在她开口之前为她递来老花眼镜、拐杖和毛衣。和塞奇讲的不同，她见到我，显然兴奋得很。

“再说一次，”我们坐在她客厅的沙发椅上，她问，“你是怎么遇见我孙女的？”

“工作上的往来。”我谨慎地回答。

“那么你知道她是个烘焙师傅，对吧？每个人家里随时都需要糕点。”

“然后和减肥机构签下终身合约。”我说完话，突然了解到敏卡奶奶见到我为什么会这么高兴。她想要我和她孙女约会。

我不准备说谎。这个念头让我觉得自己仿佛被雷劈中。

“奶奶，”塞奇插嘴说，“里欧大老远过来，不是为了谈我做的面包。”

“你知道我父亲怎么说的吗？真爱就像面包一样，需要正确的材料，然后加点儿温度再加点儿魔法，就可以发酵了。”

塞奇涨红了脸，我掩嘴轻咳。“辛格太太，我今天过来，是希望你能把自己的故事告诉我。”

“啊，塞奇，那是给你一个人看的！不过是小女孩傻里傻气的童话而已。”

我完全不知道她在说什么。

“辛格太太，我为美国政府工作，负责追踪战犯。”

敏卡·辛格眼底的火花消失。“我没什么好说的。黛西？”她大声喊，“黛西，我很累，想躺下来——”

“我就说吧。”塞奇喃喃地说。

我从眼角瞥见黛西的身影。

“塞奇很幸运，”我说，“不像我。我的祖父母都不在了。我祖父来自奥地利，每年的七月二十二日都会在后院办派对，大人喝啤酒，孩子有充气游泳池玩，我祖母也一定会尽全力做出最大的蛋糕。我一直以为那天是他的生日。一直到十五岁，我才发现他的生日在十二月。七月二十二日是他成为美国公民的日子。”

这时候，黛西已经走到敏卡奶奶的身边，把双手放到敏卡奶奶瘦弱的手臂下准备搀扶她。敏卡奶奶站了起来，拖着脚往前走了两步。

“我祖父参加过第二次世界大战，”我站起来继续说，“和你一样，他一直不愿意说出他见过的事。但在我高中毕业后，他带我到欧洲旅行，当作送给我的毕业礼物。我们去了罗马竞技场、巴黎卢浮宫，还到瑞士阿尔卑斯山远足。那趟旅行的最后几天，我们去了德国。他带我到达豪[①]。我们看到营房、焚化炉——焚化俘虏尸体的地方。我还记得我看到一面墙壁，墙脚有一道斜斜的水沟，用来汇集遭枪杀者的血水。我祖父说，在参观过集中营之后，我们得立刻离开德

① 达豪（Dachau）：位于德国慕尼黑附近的集中营。

国，否则我很可能会想杀掉我看到的第一个德国人。”

敏卡・辛格回过头看我，她的眼里含着泪。“我父亲答应过，我会胸口中弹死亡。”

塞奇倒抽了一口气，显然很震撼。

她祖母的眼睛看向她。“营里到处都有死人。有时候，你得踩在尸体上才能离开。我们看太多了，若是头部中弹，脑浆会喷得到处都是，这让我太害怕。但若是心脏中枪，相较之下好像没那么糟。所以我父亲才会作这种保证。”

我这才了解，敏卡之所以从来不说她在战时的经验，并不是因为她忘了细节，而是因为她巨细靡遗地记住了每一件事，她不想让自己的孩子和孙子经历同样的诅咒。

她坐回沙发上。“我不知道你想要我说什么。”

我往前靠，握住她的手。她的手又冰又干，像卫生纸一样。“多说些你父亲的事。”我建议她。

第二部

当我到了二十岁
我会去探索这个富饶的世界
我要搭乘装着马达的鸟
“轰”一声冲向天际！明亮的天空
我要飘动，要飞到可爱、遥远的世界
我要飘动，要飞上天俯瞰河流和大海
云朵是我的姐妹，清风是我的兄弟

——摘自《梦》，
作者为亚伯拉罕·寇普罗维兹，生于一九三〇年。
来自罗兹犹太区的儿童亚伯拉罕·寇普罗维兹
于一九四四年被带往奥斯威辛集中营，
十四岁那年遭到谋杀。
这首诗于二〇一二年由依达·梅瑞迪·史宾卡
由波兰文译为英文。

他们口中的巫皮欧故事一定都不是真的。达米安甩动鞭子，将亚历山大的后背抽得皮开肉绽，伤口淌血。一个没有血的怪物怎么可能流血？

还不止如此。在场的群众充满狂喜，看着让他们陷入惨境的怪物受到鞭笞。月光下，亚历山大身上的汗珠闪闪发光，他痛苦地扭动遭到捆绑的身躯。村民们往他的脸上喷水，往他的伤口上泼醋撒盐。新雪飘了下来，铺在广场上，这个景象看来像是乡村的风景明信片，只不过广场中央却多了桩暴行。

“拜托你！”我推开挡住看热闹村民的警卫，冲过去拉住达米安的胳膊，“你一定得停手。”

“为什么？他就不可能停手。这地方死了十三个人了，十三个。”他朝一个士兵扬了扬下巴，后者抱住我的腰，将我往后拉。达米安再次举高鞭子，划破空气，挥向亚历山大的后背。

我发现他们根本不在乎亚历山大是不是罪魁祸首，达米安知道村民只是需要一个替罪羔羊。

鞭子在亚历山大的颈子上划开了伤口。我几乎认不出他的脸，他双脚发软跪下时，破碎的衬衫挂在腰上。“安妮雅，”他喘着气说，“走……开……”

“混蛋东西！”达米安怒斥。他铆足力气朝亚历山大的脸挥拳，血水像喷泉般从亚历山大的鼻子往外喷，而他整个头瞬时往后仰。“你可能会伤害到她！”

“住手！”我尖叫出声。我用尽全力踩着抓住我那名士兵的脚，接着扑向亚历山大。“你会杀死他的。”我开始啜泣。

亚历山大瘫软地躺在我怀里。看到我努力想撑住亚历山大，达米安的下巴跟着抽搐。他冷冷地说：“早就没生命的东西是杀不死的。”

突然间，一个卫兵穿过人群，踩着滑溜溜的雪来到达米安面前，他行个礼，说：“队长，又发生一起谋杀案了。”

围观的村民散了开来，两个士兵一左一右拖着巴鲁克·贝勒的妻子上前，她的尸体仍然温热，还继续在流血。事情才刚发生不久。就在亚历山大在这里遭到鞭打的同时。

我转过身，但是刚才还绑着亚历山大的绳子松松地掉在地上，像是蜷起的毒蛇。就在所有村民窃窃私语，发现屈打无辜的转瞬之间，亚历山大已经成功逃脱。

敏卡

父亲把办理后事的细节托付给我。“敏卡，”夏天他会说，“我葬礼上一定要准备柠檬汁，请大家喝新鲜柠檬汁！”当他穿上借来的西装出席我姐姐婚礼时，他说：“敏卡，交给你负责了，你要确认我在我葬礼上看起来也像今天这么体面。”这些话老是会惹我母亲心烦。“雅伯·勒文，”她说，“你会害女儿做噩梦。”但是我父亲呢，他只是对我眨个眼，然后说：“你妈妈说得对，敏卡。还有，葬礼上播的音乐要注意一下，别放歌剧，我讨厌歌剧。但是大家要跳舞，那一定会很好。”

和母亲想得不一样，这些对话没吓着我。我太了解父亲，怎么可能吓到我？他经营一家生意顶好的面包店，我从小到大看着他只穿内衣，把一条条面团送进砖炉里，肌肉随着动作律动。他又高又壮，所向无敌。笑话背后的真正笑点是：父亲生气勃勃，不可能死。

放学后，我会坐在店里写功课，我姐姐芭希雅负责卖面包。父亲不让我收钱，因为他觉得学业更重要。他说我是他的小教授，因为我聪明绝顶——我连跳两级，去年还顺利通过接连三天的高中入学考试。但让人惊讶的是，我虽然通过考试却无法入学。那年，学校只收两名犹太学生，我姐姐一向嫉妒我因为聪明而得到的赞赏，对于我无法入学这件事，她虽然假装难过，但我知道她其实高兴我最后还是会像她一样来做生意。不过，我父亲有个顾客出面协调。父亲的手艺太好，除了犹太人家中必备的辫子面包和裸麦面包之外，还有一些天主教徒顾客会为了他的波兰甜蛋糕、罂粟籽蛋糕和糖霜水果蛋糕上门。就是这些顾客当中的某位会计师出面，所以我才能进入天主教高中就读。在其他同学祈祷的时候，我不会参加，而是和另一个犹太女同学一起到走廊上做功课。放学后，我直接到父亲开在罗兹的面包店。而店面打烊之后，芭希雅会回到她和新婚丈夫鲁彬的家中，父亲则是带着我穿过大街小巷，回到我们位于天主教徒和犹太人混合居住区的家中。

有天傍晚，在我们回家的路上，一队军人从我们身边经过。父亲将我推到路边住家的门檐下，让他们通过。我不知道他们是纳粹党卫队、德意志国防军，还是秘密警察盖世太保。我当年不过是个十四岁的傻女孩，不太注意那些事。我只知道这些人从来不笑，而且转弯时一定走直角队形。这时夕阳正好照过来，父亲抬起手遮着眼睛，但他随即发现这个动作像是他们的行礼姿势Heil，于是他放下了手臂。“我的葬礼，敏卡，”他的语气中一点也听不出笑意，“绝对不要安排列队行进。”

我很受宠，我母亲汉娜会帮我打扫房间，准备三餐。她若不是忙着溺爱我，就是无视我姐姐六个月前才嫁给她在我这个年纪就爱上的男孩，缠着芭希雅讨孙子。

我在这个小区里交了几个朋友，其中一个女孩葛丽塔和我就读同一所高中。她偶尔会邀我到她家听唱片或收音机，而且她人真的很好，但在学校里，若我们在走廊上擦身而过，她连看都不会看我一眼。事情就是这样：波兰天主教徒不喜欢犹太人，至少在公开场合如此。和我们住同一栋公寓的辛曼斯基一家人会邀我们共度圣诞节和复活节（这种时候，我总会吃下满肚子不合犹太戒律的食物），他们从来不会因为我们的宗教信仰而看不起我们，但我母亲说，那是因为辛曼斯基太太不是传统波兰人，她的出生地是俄国。

塔雅·霍洛维兹是我最好的朋友。在我通过高中入学考之前，我们一直都是同学，但之后，我们还是尽可能每天见一次面，以免错过对方的经历。塔雅的父亲在城郊有一座工厂，有时候，我们会搭小马车去附近的湖边野餐。男孩子总爱缠着漂亮的塔雅，她像个高挑优雅的芭蕾舞者，睫毛又长又黑，嘴角永远上扬。我没她漂亮，但我想，绕着塔雅打转的男孩不可能每个都成为她的男朋友，最后一定会有心碎的男孩懂得欣赏我的机智，而忽略我歪斜的门牙和裙头边略凸的小腹。

有一天，塔雅和我在我卧室里看书。我们有个远大的计划，这个计划的重点是我正在写的书。塔雅一章一章地看这本书，用红笔订正——我们觉得编辑应该都是这么做的。我们将来要搬到伦敦分租一间公寓，到时候，塔雅会在出版社担任编辑，而我会创作小说。我们会参加欢乐的鸡尾酒会，会和英俊的男人共舞。“在我们的世界里，”塔雅说，随手把她正在看的章节放到旁边，“不会出现分号。”

这是我们最喜欢的娱乐：塔雅和我发挥想象力，让世界回到完美的面貌——在那个世界里，我们可以尽情吃凯撒圆面包但不会变胖，学校里再也没有数学课，而文法是事后的修润而不是必要。我正在写字，这时抬起了头。“分号不太明确，对吧？要不就用句点，不然就是逗点，总要下定决心吧。”过去几个小时以来，我努力中的第一章只出现了几个句子。我没有灵感，而且我知道原因。我太累了，因此失去了创意。我父母昨天起了口角，也吵醒了我。我虽然没听清楚，但我知道他们为了辛曼斯基太太而起争执。她表示，如果有需要，她愿意协助我母亲和我躲藏，但是她没办法收容我们全部的人。我不明白父亲为什么难过，反正母亲和我不可能会想离开他。

“在我们的世界里，”我说，“每个人都有车，车上还配备收音机。”

塔雅翻身趴着，双眼发亮。“不必提醒我。”上星期，我们看到一辆汽车停在“瀑布”前面，“瀑布”是一家漂亮的餐厅，我曾经在里头看到电影明星。驾驶员走下车时，我们听到音乐从车里飘进了夜色当中，像香水般流连不去。旅程中有音乐相伴，会是多美好的经验。

那天，我还注意到餐厅外头有个新告示：

Psy i żydzi nie Pozwolone。

狗与犹太人不得进入。

我们听说过“碎玻璃之夜”①的事。我母亲在德国有个表亲，他的店被烧成平地。我们有个邻居也收养了一个男孩——他的父母在某次行动中双双送命。鲁彬一直想说服我姐姐搬到美国去，但是芭希雅不愿意抛下父母。芭希雅曾经告诉我父母，劝他们在情况还没太糟之前先搬进城里的犹太区，但是我父亲认为她反应过度。我母亲指着漂亮的木头餐桌，那张桌子起码有上百公斤重，是我曾祖母留下来的东西。“你怎么可能抓起行李箱，想把一辈子都装进里头？”她问我姐姐，“你一定会留下带不走的记忆。”

我知道塔雅也想起了餐厅的那面告示，因为她说：“我们的世界

① 碎玻璃之夜：又称水晶之夜，一九三八年十一月九日晚间，纳粹以德国外交官在巴黎遭犹太人暗杀为借口，放任党员及党卫队攻击德国全境的犹太人，许多犹太人经营的商店被暴力破坏，“碎玻璃之夜”意即在此。此事件被认为是纳粹对犹太人有组织屠杀的开端。

里不会有德国人。”接着她笑了，“啊，可怜的敏卡。一想到这件事，你就一副反胃的表情。但是话说回来，没有德国人的世界也不会有鲍尔先生。”

我放下记事本，朝塔雅靠过去。“今天他点了我三次，班上他点名回答超过一次的学生，只有我一个。”

“那可能是因为你听到每个问题都举手。”

这是真的，德文是我在学校里最拿手的科目。我们可以选法文或德文课。法文老师珍妮耶女士是个老修女，下巴上有颗长了毛的大痣。相反的，德文老师鲍尔先生很年轻，如果你眯起眼睛或努力做白日梦，你会觉得他长得有点像犹太演员利昂，我就常常这样想。当他低头靠向我的肩膀，纠正我作业上的文法时，我会幻想他可能会将我抱在他怀中亲吻，说我们该一起逃亡。好像这种事会发生在师生或天主教徒与犹太教徒之间似的！但他实在太英俊，我希望他至少也能注意到我，所以我选了他开的所有课程：德文文法、会话和文学。我是他的得意门生，他会和我在午餐时间练习德文。*Glauben Sie, dass es regnen wird, Fräulein Lewin*？他会问我：勒文小姐，你觉得会下雨吗？

Ach ja, ich denke wir sollten mit, schlechtem Wetter rechnen.

是的，我觉得天气很可能变坏。

有时候他甚至会私下和我用德文开玩笑。他脸上带着愉快的笑容，和杨柯维雅克神父并肩打我身边穿过走廊时，他说：*Noch eine weikere langweilige Besprechung*！又是个无聊的会议！他知道神父一句德文都不会，但是我听得懂。

“今天我让他脸红了，”我带着微笑，说出我的小秘密，“我说我在写一首诗，问他用德文怎么说‘他将她抱在怀中亲吻，让她喘不过气来’，我本来是希望他能示范，而不是告诉我怎么写。”

“恶心，”塔雅耸耸肩，“想到和德国人接吻，我就浑身起鸡皮疙瘩。”

“不能这么说，鲍尔先生不一样，他从来没提起过战争，他太有学者风范了。再说，如果你把所有的德国人都混为一谈，那你和那些把犹太人都归并在一起的德国人有什么不同？”

塔雅拿起我放在床头桌上的一本书。“喔，鲍尔先生，”她轻柔地低语，“我愿意跟随你到世界的尽头，到柏林。喔，等等，两个地点是相同的地方，对吧？”她把书贴在脸上，假装在亲吻。

我开始恼怒。塔雅很漂亮，有修长的颈子和舞者般的身形。她身边经常跟着一大群男孩，当他们在派对里簇拥着她，抢着为她拿果汁调酒和甜点的时候，我也没取笑过她。

“而且，”她把书丢到一边，说，“如果你和德文老师混在一起，你会让乔塞克心碎。”

这下轮到我脸红了。乔塞克·萨皮罗是少数几个不贪看塔雅的男孩之一。他从来没约我去散步，不称赞我的毛衣漂亮，也不在意我的发型，但是上次大家一起去工厂附近的湖边野餐时，他花了整整一小时和我讨论我的书。他最近才开始为《纪事报》写文章，比我大了将近三岁，但他似乎真心相信我总有一天会出书。

“知道吗，”塔雅指着她刚刚看到的稿子说，“这真的只是个爱情故事。”

“爱情故事有哪里不对？”

“嗯，爱情故事根本不是故事。读者不喜欢快乐的结局，他们要的是冲突，希望女主角能爱上一个她永远得不到的男人。”她对我咧嘴一笑，“我是说，安妮雅真无趣。”

听到她这么说，我大声笑了出来。“她是依照你和我打造出来的！”

“那么，我们可能是沉闷无趣的人。”塔雅坐直身子，盘起双腿，“说不定我们应该要让自己更国际化一点。毕竟我可能是那种开着有收音机的车子，到餐厅去用餐的女士。”

我翻了个白眼。“对。我还是英国女王呢。”

塔雅握起我的手。“我们来做点疯狂的事。”

“好，”我回答，“我明天不交德文作业。”

“不，不是，我说的是世故一点的事。”她露出微笑，“我们可以到格蓝德大饭店去喝杜松子酒。”

我哼了一声。“有谁会来服务两个小女孩？”

“我们的装扮不会像小女孩。你不能从你妈妈的衣柜里偷些衣服出来吗？”

母亲若是发现，一定会杀了我。

“如果你不说，我也不会告诉她。”塔雅看穿了我的心思。

“我不必告诉她。”我母亲有第六感。我可以发誓，她背后一定长了眼睛，好监视我有没有在晚餐开饭之前偷吃锅子里的炖肉，或是在该做功课的时候躲在房里写小说。“她没事做的时候，就是为我担心。”

这时，客厅突然传来一声尖叫，我跌跌撞撞地跑出去，塔雅跟在我身后。我父亲正在用力拍打鲁彬的背，母亲抱住芭希雅。“汉娜！”父亲高兴地对母亲喊，“这种时候要来点酒！”

“小敏卡！”母亲喊我小名，我从来没见过她这么快乐，“你姐姐怀宝宝了！”

芭希雅结了婚便搬出去住，我自己用一间卧室的感觉有点怪，但想到她即将为人母，这种感觉更奇怪。我抱住芭希雅，亲吻她的脸颊。

“喔，接下来有好多事要做！”我母亲说。

芭希雅笑了。“你有的是时间，妈妈。”

“准备周全绝对是好事。我们明天就去买毛线，一定要开始织衣帽了！雅伯，芭希雅不站收银台了，接下来你要靠自己。你也知道，怀孕的女人不适合站在柜台前工作。她要是站一整天会腰酸背痛，双脚还会肿起来——”

我父亲和鲁彬互望了一眼。“我可能可以放假了，”他开玩笑地说，“说不定在接下来的五个月之间，她会忙到没时间抱怨我……”

我看看塔雅。她露出微笑，对我挑挑眉毛。

我们看来就像两个在玩装扮游戏的孩子。我穿上我母亲的丝质洋装，搭配塔雅母亲的中跟鞋，可是鞋跟老是卡进铺石街道的缝隙之间。塔雅帮我上了妆，化妆本来是为了要让我们看起来成熟一点，但我觉得自己却像个浓妆艳抹的小丑。

矗立在我们面前的格蓝德大饭店有一排排窗户，看来像个婚礼上的蛋糕。在我的想象当中，每扇窗户后面都有一个故事。二楼窗口的两个人影是一对新婚夫妇；三楼边间套房往外眺望的女人正想念她无缘的爱人，今天下午稍晚一点，她会和他见面，这是阔别二十年之后的首次见面……

“怎么样？”塔雅问，“我们不进去吗？”

结果，要鼓起足够的勇气，穿着一身漂亮衣服走进大饭店，比假装成另一个人困难。“要是碰见熟人怎么办？”

“会碰到谁？”塔雅嘲笑我，“做爸爸的都准备去参加晚祷，做妈妈的全都在家准备晚餐。”

我看着她。“你走前面。”

我母亲以为我在塔雅家，而塔雅的母亲以为她女儿在我家。我们的形迹很可能败露，但是我们都希望这次冒险够精彩，足以补偿日后可能要面对的责罚。就在我仍然犹豫的时候，有个女人从我身边经过，走上阶梯。她散发出浓烈的香水味，指甲和嘴唇涂抹了消防车般的鲜红色。她的衣着没有饭店客人的精致，真要比，甚至也没有她的男伴好看。她是“那种”我母亲不让我接近的女人。这些在夜里出现的女人在城里最穷的宝路堤区最常见，她们看起来总是一副从不睡觉的样子，光裸的肩膀上裹着披巾，从窗口往外看。但这不表示这一带没有不检点的女人。跟在这女人身后的男人留着小撇胡子，有点像卓别林，手上还拿根拐杖。这男人在女人走进旅馆时，伸出手，把整个手掌贴住她的臀部。

“恶心。”塔雅低声说。

“我们如果走进去，别人也会把我们当成那种女人！”我咬着牙说。

塔雅噘起嘴来。“如果你一开始就不打算进去，敏卡，我不懂你为什么要说——”

“我什么都没说！是你说你想要——”

“敏卡？”听到有人喊我，我整个人都僵住了。只有一件事比我母亲发现我不在塔雅家更糟，那就是有人认出我，然后跑到我家告诉她。

我扮个鬼脸，没想到转头看到了一身利落打扮的乔塞克，他穿着西装还打了领带。“真的是你，”他和我说话的时候，连看都没看塔雅一眼，“我不知道你也会来这里。”

“这话什么意思？”我提防地问他。

塔雅用手肘轻撞我一下。“我们当然也会来，大家不都会来这里吗？”

乔塞克笑了。“我不知道其他人怎么样，但其他地方的咖啡厅比较好。”

“你来这里做什么？”我问道。

他举起笔记本。“来采访，写篇关于人情轶事的文章。到目前为止，报社只让我写这类型的报道。我的编辑说，我得努力争取，才能报道头条新闻。”他看着我身上的洋装——我在过大的衣服后面别了别针——和我脚上借来的鞋子，“你要参加葬礼吗？”

原来，成熟的打扮只能换来这种评语。

“我们要去和另外两个男生碰面。”塔雅说。

“真的！”乔塞克惊讶地说，“我不知道——”突然间，他停了下来。

“你不知道什么？”

“不知道你父亲会让你和男孩子出门。”乔塞克说。

“情况显然和你想得不一样。”塔雅甩了甩头发，“我们不是小孩子了，乔塞克。”

他对我咧嘴一笑。“那说不定你哪天会想和我出来走走，敏卡。我保证明星咖啡厅的咖啡会让格蓝德相形见绌。”

“就明天下午四点钟好了，”塔雅宣布时间，仿佛她突然成了我的社交秘书，“她会去的。”

乔塞克向我们告别之后，塔雅伸手勾住我。“我要杀了你。”我说。

“为什么？因为我帮你和一个帅气的男生定好约会？拜托，敏卡，如果我不能享乐，至少让我透过你来体会。”

“我不想和乔塞克出门。”

“但是安妮雅需要你和他约会。”塔雅说。

安妮雅——我书里的角色，她太沉闷，太安稳了。

“你可以将来再感谢我。”她拍拍我的手，这么说。

明星咖啡厅在皮奥柯斯卡街上，是个知名的聚会场所。你在任何时候都可以看到犹太知识分子、剧作家和作曲家在这里喝咖啡抽香烟，或是坐在桌边争论艺评的细节，说不定你也会看到歌剧女伶啜饮加了柠檬片的茶。尽管我和昨天一样，穿着借来的衣服和鞋子，但是和这些人的距离这么近，让我有种轻飘飘的感觉，仿佛光是呼吸相同的空气，我便会更有见识。

我们坐在厨房双向推门附近的位置，每次门一开，香味便会朝我们袭来。乔塞克和我分享一盘波兰面饺，也喝了——正如他保证的——香醇咖啡。“巫皮欧，”他摇摇头，说，“和我想的不一样。”

这虽然让人害羞，但我仍然把我笔下故事的大纲告诉了他：安妮雅和她的烘焙师傅父亲，假扮普通人入侵村庄的怪物。“我祖母在世时经常讲巫皮欧的故事，”我解释道，“晚上睡觉前，她还会把谷粒留在面包店的木桌上，这么一来，假使巫皮欧出现，他必定会一直数，数到太阳升起为止。如果我没在该上床的时间去睡觉，我祖母总爱说：巫皮欧会现身来抓我，喝我的血。”

“蛮可怕的。”乔塞克说。

“问题是，这吓不到我。以前，我经常替巫皮欧难过，我是说，死不掉又不是他的错。但是，想找到支持我这个想法的人很难，因为有太多人——比如我祖母——持相反意见。”我抬起眼睛看着乔塞克，说，“于是我开始构想巫皮欧的故事，在故事当中，他不像一般人眼中那样可怕。至少，没有想毁灭他的那些人类可怕，在逐渐爱上他的女孩眼里当然更是如此……直到后来，安妮雅才发现，他可能杀了她父亲。”

“哇。”乔塞克佩服地说。

我笑了。“你本来以为这是篇爱情故事？”

“本来是，没想到是恐怖故事。”他承认。

“塔雅说我得再润饰，否则绝对不会有人想看。”

“但是你不觉得……”

“不，”我说，“每个人都必须去经历那些让他们害怕的事。如果不是这样，他们怎么知道什么是安稳，而且心怀感激？”

乔塞克脸上慢慢出现一抹笑容。那一刻，他显得很英俊。就算没有过之，至少也和鲍尔先生一样英俊。“我不晓得罗兹也有个未来的雅努什·科扎克[①]。”

我把玩着茶匙。“这么说，你不觉得这有什么不对？一个女孩写这种故事？”

乔塞克往前靠近了些。“我觉得棒透了，我看得出你有什么想法。这不只是个神话故事，而且还是寓言，对吧？巫皮欧和犹太人一样。对一般大众来说，犹太人是嗜血、阴沉又令人害怕的民族，大家不仅该恐惧，还应该拿武器、十字架和圣水来对付。而第三帝国把自己拉到上帝的阵线，矢志为世界摆脱这些怪物。但巫皮欧是永恒的。无论他们想怎么对待我们，我们犹太人都已经存在太久，无法被遗忘

① 雅努什·科扎克（Janusz Korczak，1978–1942）：出生犹太家庭的波兰医师、作家、孤儿院长，终生为儿童争取权益，二战期间死于集中营毒气室。

或击败。”

我曾经在鲍尔先生的德文课上犯过一个错，在作文中用错了单字。我要写的是教区教育的价值，本来该用*Achtung* ——也就是“注意、注重”的意思——却写成表示“排斥”的*Ächtung*。你可以想象得到，这完全改变了这篇作文。鲍尔先生要我在课后留下来，讨论教会与国家的独立性，以及身为犹太人却就读天主教高中的感想。当时我不觉得尴尬，因为我没注意到自己和其他学生有什么差别，而且更重要的是：我可以和鲍尔先生独处半个小时，讨论我们是否平等。当然了，那是个错误，而不是才华洋溢的神来一笔，却足以让鲍尔先生注意到我在文章里的见解，认为那是个深刻的看法……但我当然不打算承认。

同样的道理，我现在也不打算向乔塞克承认，我写这故事时压根儿没想到政治立场。事实上，在我的构思中，安妮雅和她父亲才是和我一样的犹太人。

“嗯，”我想淡化乔塞克的解释，“我猜，我怎么写都逃不过你的眼睛。”

“你真是与众不同，敏卡·勒文，”他说，“我从来没见过像你这样的女孩。”他的指头交缠着我的，接着举起我的手贴向他的嘴唇，突然变得像个朝臣。

这个旧世界的礼节和骑士作风让我为之打战。我努力记忆下每一种感受：咖啡厅里所有的色彩瞬间明亮了起来，电流在我手掌上跳动，宛如在夏日划过田野的闪电。我想一丝不漏地把所有细节告诉塔雅，还想把完整的感受写进我的故事。

我还来不及在脑子里做好笔记，乔塞克突然伸手扣住我的后脑将我往前拉，亲吻了我。

那是我的初吻。我可以清楚感觉到他的指头压在我的头皮上，和我掌心抵住他身上毛衣的搔刺感。我的心就像终于被点燃的烟火，所有的火药终于等到释放的一刻。

“嗯。”一会儿之后，乔塞克说。

我清了清喉咙，四处张望，看着其他客人。我以为他们会瞪着我们看，结果没有，大家全沉迷在自己的对话当中，讲话时，指指点点的手势戳破了弥漫着烟雾的空气。

我脑子里闪过一个短暂的幻想画面：我和乔塞克住在国外，一起在我们的厨房桌台边工作。他穿着白衬衫，袖子往上卷到手肘处，因为截稿日将近而疯狂地打字；而我咬着铅笔顶端，然后为我的第一本小说作最后的润笔。

“乔塞克·萨皮罗，”我往后坐，“你是怎么了？”

他放声大笑。“一定是讲到太多怪物和爱怪物的女士。”

塔雅一定会要我端高架子，走出咖啡厅好让乔塞克追过来。对塔雅来说，每段关系都是一场游戏。而我呢，我则懒得去推敲游戏规则。

我还没回答，咖啡厅的门突然被人撞开，一群党卫队员冲进里头。他们拿着短棍殴打客人的头，连人带椅一起推倒，对跌在地上的老人又踩又踢，把女人推向墙边。

我当场愣住，之前我最接近党卫队的经验，是在他们路过的时候，但是我从来不曾亲眼目睹他们的行动。这些人个个身高超过一百八十公分，魁梧又粗暴，全穿着绿色毛料制服。他们握起拳头，银色的眼眸像闪闪发光的云母石，而且浑身散发出仇恨的味道。

乔塞克拉起我，将我推向他身后的厨房双开门，“跑，敏卡，”他低声说，“快跑！”

我不想丢下乔塞克，于是扯着他的袖子，想拉他和我一起走，但这时候一个党卫队员抓住他另一只手。在我转身跑开之前，我只看到乔塞克挨了一拳，整个身子慢动作似的打转，血水从太阳穴和断鼻处往外喷。

当我爬过厨房的窗子到了外头，看到党卫队队员把咖啡厅里的客人拉到外面推上卡车，我尽可能以最自然的方式朝反方向走，一直到觉得距离够远而且安全无虑之后，才拔腿狂奔。我脚上的中跟鞋让我扭伤了足踝，于是我踢掉鞋子光着脚继续跑，十月冷天的路面让我的脚底冻得几乎没有知觉。

我跑得腰边剧痛，像冲散鸽群般地闯进一群乞讨儿童之间，但是我没有停下脚步，就算有个推着蔬菜车的女人抓住我的手臂问我是否有事，我仍然继续跑。跑了半个小时之后，我终于来到我父亲的面包店。芭希雅不在收银台——我猜，她应该是和我母亲去购物了，但我父亲如果听到挂在门口的铃铛响起，会知道有人进来。

他从厨房里走出来，宽脸上冒着砖炉热气烤出来的汗珠，胡子上还沾着面粉。看到我哭花脸、双脚赤裸又一头散发之后，他原来欢喜的心情突然变了调。

“小敏卡，”他喊着，“你怎么了？”

然而一向自诩作家的我，在这时却无法以言语来形容我看到的情况和变化，地球轴心似乎因为羞见太阳而突然倾斜，于是，我们现在只得学习在黑暗中生活。

我哭了出来，冲进父亲的怀抱里。我一直努力想当个有国际观的女人，但到头来，我发现自己只想当个小女孩。

然而，在那片刻之间，我已经长大。

如果世界没在那个下午天翻地覆，那么我一定会受到惩罚。我父母会罚我不准吃晚饭，立刻进房间反省，而且至少一个星期不准和塔雅见面，除了学校功课外，什么也不准做。然而，我母亲在听我说出那场事件之后，紧紧抱住了我，不愿我离开她的视线范围之外。

在我们回家之前，我们先到乔塞克父亲担任会计的公司去找他。我父亲伸手牢牢地环着我，在街上不时东张西望，似乎是担心巷弄里随时会有人冲出来造成威胁（在我说完下午的遭遇之后，他怎么可能不这么想）。我们两个人的父亲早在犹太教堂附设的学校里就彼此认识了。“亥姆，”他严肃地说，“我们有事要告诉你。”

他要我把下午的遭遇——从我们进咖啡厅开始，一直到我看到党卫队员拿铁棍殴打乔塞克——全告诉乔塞克的父亲。我看着他父亲的脸色发白，眼眶含泪。“他们用卡车把人载走，”我说，“我不知道他们被带到哪里去了。”

我从他父亲的脸上看得出内心的挣扎，希望正在和理智搏斗。“看着好了，”我父亲轻柔地说，“他会回来的。”

“对。”亥姆点点头，仿佛想说服自己。当他抬起双眼看到我们还站在他面前，似乎吃了一惊，“我得走了，我得去告诉我太太。”

那天晚饭过后，塔雅到我家来，想知道我和乔塞克约会的情况。我要母亲找个借口，说我身体不舒服。事实上，这样说也没错。那场约会已经变了色，被那场风暴行动玷污，让我记不得它原有的面貌。

我父亲那天晚餐食不下咽，洗好碗盘之后便出门去。我坐在自己的床上用力闭上眼睛，练习德文的动词变化。*Ich habe Angst*。*Du hast Angst*。*Er hat Angst*。*Wir haben Angst*。

我们害怕。*Wir haben Angst*。

我母亲走进我卧室，在我身边坐下。“你觉得他还活着吗？”我问出没有人敢大声说出来的问题。

“啊，小敏卡，”我母亲说，“你想象力太丰富了。”但是她双手在发抖，为了掩饰，她伸手去拿我床头桌上的梳子。她将我轻轻转身，让我背对着她，然后像我小时候一样，慢慢地为我梳头发。

消息像是短促的枪击声，一点一滴地陆续在小区传开，我们听说党卫队那天下午在明星咖啡厅拘捕了一百五十个人，然后把这些人带到总部，男女个别分开审讯，还拿铁棒和橡胶棍殴打他们。有些人手臂被打断，有的是指头，而且党卫队还要求上百马克的赎金，身上没带钱的人只好把可能有钱的家人名字说出来。党卫队总共射杀了四十六个人，有五十五人在付了赎金之后得以释放，其他的人，则被关进位于拉朵哥什的监狱。

乔塞克是幸运获释的人。虽然在那天下午之后我便再没看到他，但是我父亲告诉我，他安然回到了家人身边。亥姆和我父亲一样，客户中有犹太人也有天主教徒，透过某种方式设法筹到了钱，带到党卫队总部去换回儿子。他逢人便说，若不是敏卡·勒文有胆识，他们不可能得到如此圆满的结局。

这个“圆满结局”让我思考了很久。我一直在想，在事发之前，我和乔塞克正在聊什么。我们说到恶人和英雄，说到究竟我故事中的巫皮欧是胁迫者还是受到迫害的一方。

有天下午，在其他同学上宗教课程的时候，我坐在通往校舍二楼的阶梯上。我没有作业，于是我继续写我的小说。我要写的是一群愤怒的暴民拼命拍打安妮雅的家门，而且我文思泉涌，手中的笔完全跟不上思考的速度。在我想象敲门声响，村民用为了执行私刑而带来的武器破坏木门时，我听到自己猛烈的心跳声。我听到木屋厚重的木门外传来浓浓的德文腔——

但其实说话的是鲍尔先生。他坐在我身边的阶梯上，我们的肩膀几乎要相碰。我的舌头仿佛肿成平常的四倍大，几乎没办法说话，似乎任何话都攸关生死。“勒文小姐，”他说，“我希望你能从我口中听到这件事。”

这件事？什么事？

“今天是我在学校上课的最后一天，”他用德文说，“我要回斯图加特去了。”

“可是……为什么？”我结结巴巴地说，“我们需要你。”

他露出微笑，迷死人的微笑。“我的国家显然也需要我。”

“那谁要来教我们德文？”

他耸耸肩。“彻尼斯基神父会接手。”

彻尼斯基神父是个酒鬼，我相信他唯一懂的德文单字是Lager，啤酒。然而我不必说出来，因为鲍尔先生的想法和我一样。“接下来，你必须靠自己来学习，”他热切地坚持，“你要继续努力，让自己达到顶尖的程度。”接着，鲍尔先生直视我的双眼，在我认识他这么久以来，他首度用波兰语和我说话，“能教到你这个学生，是我莫大的荣幸。”

他下楼之后，我跑进女生厕所里痛哭。我为鲍尔先生，为乔塞克，也为我自己哭。我哭是因为往后我再也不能对着鲍尔先生做白日梦，这表示我会有更多时间活在现实当中；我哭，因为我回想起初吻，却觉得反胃；我哭，因为我的世界成了波涛汹涌的大海，而我正在被淹没。用冷水洗过脸之后，我的双眼仍然红肿。当亚米克神父在数学课堂上关心我是否没事的时候，我表示我昨天晚上听到住在克拉科夫一个表亲的坏消息。

这些日子以来，没有人会去质疑这样的回答。

下午放学后，我打算和平常一样直接到面包店去。接着，我以为我看到了幻觉。乔塞克·萨皮罗靠在对街的电线杆上。我倒抽了一口气，向他跑过去。来到他面前之后，我看到他眼眶周围有一圈黄紫色的痕迹，原来如珠宝般鲜艳的颜色已经转为瘀青，在他的左边眉毛上还有一道正在愈合的伤口。我伸手触摸他的脸，但是他抓住我的手。他的一只指头上了夹板。“小心一点儿，”他说，“伤口还没恢复。”

“他们对你做了什么事？”

他拉下我的手。“别在这里说。”他警告我，还看看左右忙碌的路人。

他没松开手，拉着我离开学校。对路过的行人来说，我们看起来可能和一般男女朋友没有两样。但是从乔塞克牵住我的方式——他像个踏进流沙正要下沉，只想寻求协助的人，紧紧握着我——来看，我知道情况并非如此。

我茫然地跟着他穿过街头市场，经过了鱼贩和蔬菜摊，最后走进两栋建筑之间的窄巷。我踩到菜叶滑了一下，他拉着我贴着他身边走。他的手臂环着我的肩膀，我可以感觉到他的体温。这种感觉，像是希望。

来到铺石小巷的路尽头楼房的后门口时，他才停了下来，我甚至认不出这栋大楼的位置。无论乔塞克想对我说什么话都好，我只希望他别把我丢在这里，要我自己找路回家。

“我好担心你，”他终于说了，“我不知道你成功逃脱了没有。”

“我比我的外表坚强。”我抬起下巴回答。

“结果呢，”乔塞克静静地说，“我没有那么坚强。他们殴打我，敏卡。他们折断我的指头，要我说出我父亲的名字。我本来不想，因为我以为他们打算也去抓他，去伤害他，但是他们要的是钱。”

“为什么？”我问，“你对他们做过什么事吗？”

乔塞克低下头看着我，说：“因为我存在。”他轻柔地说。

我咬着嘴唇，知道自己又想哭了，但是我不想在乔塞克面前落泪。“看你碰到这种事，我真的很难过。”

“我来找你，是因为有东西要交给你，”乔塞克说，“我们家下星期要到圣彼得堡去，我母亲有个阿姨住在那里。”

“可是……”我傻傻地响应，希望自己没听到他刚刚说的话，“你的工作怎么办？”

“俄国也有报社。”他露出短暂的微笑，“说不定哪天我会在报纸上读到你写的巫皮欧。”他把手伸进口袋里，“这里的情况在好转之前，会先更糟。我父亲有些在业务上有往来的朋友愿意帮忙，我们要带着天主教徒的身份证明出发。”

我飞快地看着他的脸。如果你有天主教徒的文件，你哪儿都能去。这些所谓的合格文件可以证明你是雅利安人。这表示你不必遵守限制条件，不会遭到拘捕或遣送。

如果乔塞克早在几个星期之前就拿到这份文件，就不会遭到党卫队毒打。但话说回来，如果他有文件，他也不会到明星咖啡厅去。

“我父亲想确定我的遭遇不会再次发生。”乔塞克严肃地摊开原本折起的文件。我发现文件上写的不是他这个年龄的男孩，而是个十来岁的女孩。“你救过我一命，现在轮到我救你了。”

我往后退，跟文件离得远远的，好像那张纸随时会起火燃烧。

“我父亲没办法为你们一家人都拿到文件，”乔塞克解释，“但是，敏卡……你可以和我们一起走。我们就说你是我表妹。我父母会照顾你的。”

我摇头。“我怎么可能抛下自己的家人，成为你们家的一分子？”

乔塞克点点头。“我就知道你会这样说。但是你收下吧，说不定你哪天会改变心意。”

他把文件塞到我手中，压着我的指头让我握紧。接着，他将我拉进他的怀里。我们两人之间隔着一份文件，而这个让我们分开的文件和任何谎言没有两样。“你要好好的，敏卡。”说完话，他再次亲吻了我。

这次，他用充满怒意的嘴唇亲吻我的嘴，似乎想要用一种我还没学会的语言和我沟通。

一个小时之后，我坐进了父亲面包店的烘焙热气当中，吃着他每天为我烤的巧克力肉桂夹心皇冠面包。这是我们独处的时光，他的员工在黎明前到，在中午左右离开。我用双腿勾住身下的高脚凳，看我父亲先把面团捏成形，然后一个个分别放在发酵布撒了面粉的小折沟里，再轻拍婴儿小屁股般柔软又圆鼓的面团。我放在胸罩里的天主教徒证明文件刮到了我的皮肤，我开始想象，晚上我脱下衣服之后，可能会发现胸口刺上了某个犹太女孩的名字。

“乔塞克他们一家人要离开了。”我告诉父亲。

他从不停下的双手仍然继续揉面团。“你什么时候和他见面的？”

“今天，下课之后。他来向我道别。”

我父亲点点头，把另一块捏出形状的面团放进长方形折沟里。

“我们也要离开吗？”我问道。

“如果我们也走，小敏卡，”父亲说，“谁来提供其他人食物？”

“我们的安全更重要，何况芭希雅怀孕了。”

父亲把手掌往工作桌上一拍，扬起一阵面粉。“你觉得我没办法捍卫自己家人的安全？”他吼道，“你觉得那对我来说不重要吗？”

“不是这样的，爸爸。”我低声说。

他绕过桌台，走过来按住我的肩膀。“听我说，”他说，“家人是我的一切，你是我的一切。如果拆掉面包店可以保障你们的安全，我愿意亲手拆下每一块砖头。”

我从来没看过他这个样子。我父亲一向自信满满，总是以笑话来化解最艰辛的状况，但他现在几乎把持不住自己。“敏卡，你的名字来自‘薇乐米娜’，你知道那是什么意思吗？那代表：选定的呵护。我会永远选择保护你。”他久久地看着我，然后叹了一口气，“我本来打算把东西在光明节给你的，但我在想，也许现在是把礼物交给你的好时机。”

我坐着等，他走进后面用来放谷麦、奶油和盐等出货记录的房间里。他拿着一个麻布小包裹，上头捆着紧紧的细绳。“光明节快乐，”他说，“虽然提早了几个月。”

我急切地打开包裹上的绳结。麻布打开之后，我看到一双闪亮的黑色靴子。

靴子是全新的，这不简单。但这双靴子不够时髦俏丽，不足以让女孩为之疯狂。“谢谢。”我勉强露出微笑，抱住父亲的脖子。

“这双靴子独一无二，只有你有。答应我，你会一直穿着这双鞋，连睡觉时都要穿，懂吗，敏卡？”他从我腿上拿起一只靴子，接着又拿起他用来削切大块面团用的刀子，将刀尖插进鞋跟的一道沟槽里转动，接着，整个鞋底掉了下来。一开始我还不懂他为什么要破坏我刚拿到的礼物，随后我才明白，在鞋底的空间里藏着好几个金币。那是一笔财富。

“没有其他人知道里头有钱币，”父亲说，“只有我们两个知道。”

我想到乔塞克的断指，想到党卫队如何向他压榨金钱。这是我父亲的保障措施。

他先教我如何打开鞋跟，然后重新装回去，之后，还在桌台上重重地敲了好几下。“完好如新。”说完话，他才把靴子交给我，“我是认真的，我希望你到哪里都穿着这双鞋，每天都穿，不管天气冷或热，无论你是要去市场还是去跳舞。”他对我咧嘴一笑，“敏卡，记住了，我要看你穿着这双鞋参加我的葬礼。”

我回他一个微笑，熟悉的玩笑让我松了一口气。“你真是足智多谋，对吧？”

他放声大笑。我每次想到父亲，就会想起他开怀的笑声。我抱着新靴子，心里想着这个我们共同的秘密，和另一个我没分享出来的秘密。我没把我拿到天主教徒文件的事情告诉父亲，一直都没说。最重要的原因，是我知道他会强迫我去用这份文件。

吃完父亲为我准备的面包之后，我低头看着身上的蓝毛衣。我肩膀上有面粉痕，是他刚刚抓住我肩膀时留下来的。我想拍，却没有用。无论我怎么拍，仍然看得到淡淡的手印，仿佛一个来自鬼魂的警告。

十一月，情况起了变化。我父亲某天带着几片黄色星星回家，我们必须随时将黄色星星配戴在衣服上。入侵我家乡罗兹的德国士兵把这个城市叫作利兹曼斯塔德，越来越多的犹太家庭搬进了旧城区或宝路堤区，有些是自愿，有些则是因为相关单位的决定，这些犹太人拥有或承租多年的公寓和房子现在该保留给纯种的德国人居住。城里有些街道我们不能再使用，必须绕道而行。我们不可以搭乘公共运输工具，天黑之后不能出门。我姐姐怀孕的身形越来越明显，而塔雅在和一个叫作戴维的男孩约会几次之后，她突然觉得自己对爱情故事了如指掌。

“如果你不喜欢我写的故事，”有一天，我对她说，“那你要不要干脆别读算了？”

“我不是不喜欢，”塔雅回答，“我只是想提供实际经验来帮助你。”

对塔雅而言，实际经验指的是她和戴维共度的热情时光，借此，我书中的角色安妮雅也可以得到浪漫的一吻。光是听塔雅说，你会以为戴维是电影《绿色大地》演员迈克尔·戈尔茨坦和救主弥赛亚的综合体。

“你有没有乔塞克的消息？”她问道。

塔雅这么问并非出自恶意，但是她一定知道我不太可能收得到信。无论是寄信或收信，邮局信件都不再像以往那么稳定。我宁可想象乔塞克经常写信给我，也许一天甚至写两三封信，只不过这些信全堆在某个形同虚设的邮局里。

“嗯，”看到我摇头，她说，“我相信他一定很忙。”

我们在塔雅一星期练三次芭蕾舞的舞蹈工作室里。她是个出色的舞者，至少她的舞艺和我的写作技巧一样熟练。从前她经常说要加入舞团，但这些日子以来，没有人会再谈及未来。我看着她穿上前胸和后背都贴上黄星记号的外套，围上围巾。“你写到的，关于吸巫皮欧血的那一段故事，”她说，“是你编的吗？”

我摇摇头。“从前我祖母经常这样告诉我。”

塔雅耸耸肩。“让人心里发毛。”

“好的发毛，还是不舒服到发毛？”

她伸手勾住我的手臂。“好的发毛，”她说，“会让人想读下去的那种发毛。”

我笑了。这是我认识、想念的塔雅，因为她通常忙着讨好她的新男友。“今天晚上，说不定我们可以一起住我家。”走出舞蹈工作室时，我向塔雅提议，但是我知道她可能打算去和戴维约会。我们走出门时刚好看到一群士兵路过，于是两个人都本能地低下头。从前看到士兵，我总会觉得肠胃冰冷刺痛；而到了现在，对于这种稀松平常的遭遇，我根本没有感觉。

街上正在发生一场骚动，离我们虽然还有一段距离，但仍然听得到尖叫声。“发生了什么事？”我还在问，塔雅已经朝着声音出现的方向走了过去。

广场上的绞台上吊着三个男人，这个绞台好新，木料依然散发着新鲜树汁的味道。绞台前聚集着一群人，站在最前方的女人哭着想冲到一个被绞死的男人身边，但是士兵挡住着她。“他们做了什么事？”塔雅问道。

她身边一名年长妇人回答：“批评这个城市的德国人。”

士兵开始走进人群，要大伙儿回家去。不知怎么的，塔雅和我走散了，我听到她喊我的名字，但是我往前挤，最后来到了绞台旁边。士兵没注意到我，他们忙着拖开死者的家人。

我从来没有这么近距离看到死人。我祖母过世时我还小，我只记得葬礼上的棺材。绞台上的男人像秋日的树叶转动，看来像是睡着了。他的颈子以怪异的角度扭曲，双眼紧闭，舌头稍微凸出在外，而他的裤子上有一块深色的污渍，应该是尿失禁。是在死前还是死后呢？我纳闷地想。

我想到我笔下故事里的血腥画面，想到巫皮欧吞噬受害者的血肉，我发现，那些都不重要了。惊吓并非来自血腥，而是一分钟前这个人仍然活蹦乱跳，现在却成了一具尸体。

下午，当我父亲带着我从绞台前方经过时，他刻意和我聊起邻居、面包店，甚至是天气，想让我分心，假装没看到我背后那几具僵硬的尸体。

那天晚上，我父母起了争执。我母亲认为我不该继续在城里走来走去，我父亲表示那是不可能的，要不然我该怎么上学。他们愤怒的争吵声伴着我入睡，我还做了噩梦，梦见塔雅和我站在绞台前面，而且这次站得离尸体好近。尸体一边打转，一边慢慢地朝我靠过来，我看到尸体的脸，那是乔塞克。

第二天早上，我跑到塔雅家。她母亲开门让我进去时，我惊讶地看到平时一尘不染的室内变得混乱不堪。“时候到了，”塔雅的母亲告诉我，“我们要搬进旧城区，那里比较安全。”

我不相信旧城区会比较安全。我认为除非英国人在这场战争中开始有胜算，否则到哪里都不安全。毕竟英国没吃过败仗，所以我知道希特勒和他的第三帝国迟早会落败。“她很难过，敏卡，”塔雅的母亲交代我，“或许你可以去鼓励鼓励她。”

柴可夫斯基的《睡美人》音乐从塔雅的门缝间钻了出来。我走进房里，看到她的地毯已经卷了起来。她有时在练舞时也会收起毯子，但今天的状况不同。她盘起腿，坐在地板上哭。

我清了清喉咙。“我需要你帮忙，我写到五十六页，完全不知道该怎么继续。”

塔雅连看都没看我一眼。

“这段讲的是安妮雅到亚历山大的住处去，”我边瞎编边说，“她的心情低落，但我不知道为什么。”我看了塔雅一眼，“一开始，我以为亚历山大和另一个女人在一起，但是我认为这种事不可能发生。”

我以为塔雅没听我说话，但这时她叹了一口气。“读给我听听看。”

于是我照着她的话，开始读小说。稿子上的第五十六页什么都没写，但是我发自内心吐出一字一句，像准备结网的蜘蛛，纺出虚幻的人生。这就是我们读小说的原因，对吧？好提醒自己，无论我们受了多少折磨，我们都不是唯一受苦的人？

我结束这个段落，最后一个句子似乎还盘旋在悬崖之上。“死亡，”塔雅说，“必须让她看到有人死亡。”

“为什么？”

“否则还有什么事情会让她更害怕？”塔雅问到。我知道，她说的已经不再是我的小说了。

我从口袋里掏出笔，写下笔记。“死亡。”我重复，然后带着微笑看我最要好的朋友，“少了你，我该怎么办？”

说出口之后，我才意识到这是句最不该讲的话。塔雅哭了出来，说：“我不想离开。”

我坐到她身边，紧紧搂着她。“我不想让你离开。”我附和她。

“我再也看不到戴维，”她啜泣地说，“还有你。”

她太伤心，因此，当我听到她把我放在第二顺位的时候，我没有嫉妒。“你只是搬到城市的另一头去，不是到西伯利亚。”

但我知道这么说一点儿意义也没有。每天都有新的墙筑起，都会看到新建的围篱，都必须绕更多的路，而城里德国人和犹太人之间的缓冲地带也日渐扩大。最后，我们终究不得不和塔雅一家人一样搬进旧城区，否则他们会把我们全都赶出罗兹。

“事情不该这样发展的，”塔雅说，“我们应该要去念大学，然后搬到伦敦。”

“说不定我们还是会去。”我回答。

“说不定我们会和那些人一样被绞死。”

“塔雅！不要说这种话！”

“你不能否认你自己也这么想。”她反驳我。当然了，她说得没错。每个人都批评德国人的不是，为什么光那几个人被判处绞刑？难道是因为他们说话比其他人大声？或是说，他们只是被随机挑出来警示大众？

塔雅床上放着两个盒子，一卷细绳和一把割绳子用的刀。我拿起刀子，在手掌上划开一道伤口。“永远的知己。”我郑重许下誓言，然后把刀子递给她。

塔雅丝毫没有犹豫，也在她的手掌上划了一刀。“知己。”她说。我们把掌心贴在一起，这是个血誓。我知道这没什么作用，因为我在学校里上过生物课，但是我喜欢这种念头：塔雅的血在我的血管里流动。这让我更容易相信我留下了她身上的一部分。

两天之后，塔雅的家人加入犹太家庭的长长队伍。这群人尽可能地携带家当，排成一列通往宝路堤区的蜿蜒队伍。同一天，三名受绞刑而死的男人终于被放了下来。这显然是刻意侮辱，因为在犹太人的传统里，逝者必须尽可能迅速下葬。在那四十八小时当中，我六度经过绞台——去面包店，到塔雅家，去上学。在第一趟来回之后，我便不再去注意绞台。死亡似乎成了景观的一部分。

我的外甥麦亚·卡明斯基是个俊帅的小伙子。一九四〇年二月他才六个星期大，就懂得以笑容响应我的微笑，而且能够抬头。他有一双蓝色眼眸，头发犹如黑玉，肥嘟嘟的小脸一笑，就如同我父亲说的，连希特勒的黑心都会融化。

没有别的婴儿像麦亚这么得宠，芭希雅和鲁彬只要经过摇篮边就会盯着他看，仿佛把他当成奇迹；我父亲已经想把面包配方传授给他；而我呢，则是会为他编写些没头没脑的摇篮曲歌词。只有我母亲显得冷淡。她当然高兴终于有了孙子，当芭希雅和鲁彬抱麦亚过来探望时，她也会逗弄孩子，但甚少抱起他。如果芭希雅想把麦亚交给她，她会找理由放下孩子，或是直接交到我或父亲手中。

我不懂其中的道理。她一直想当祖母，如今愿望成真，为什么没办法抚抱这个孙子？

母亲一向把最好的食物留到星期五，因为芭希雅和鲁彬会在这天回家和我们共进安息日晚餐。我们的配粮通常只有马铃薯和根茎类蔬菜，但母亲今晚不知从哪里买来了一只鸡。自从德国人占领波兰之后，我们已经好几个月没看到鸡肉了。城里到处都有黑市，只要有钱，什么都买得到。但问题是，她拿什么去换来这顿盛宴？

然而我满嘴口水，几乎无视于这个问题的存在。在烛光前祈祷时，在为酒和为我父亲烤的美味辫子面包祝圣时，我只觉得坐立难安，最后终于等到坐下用餐的时间。“汉娜，”我父亲咬下第一口鸡肉，叹息地说，“你真是太了不起了。”

一开始大家忙着享用美食，没有人说话，但接着鲁彬打破了沉默。“我的同事贺尔希·伯寇维兹你们知道吧？上个星期，他接到搬迁令。”

“结果他搬了吗？”我母亲问。

“没有……”

“然后呢？”我父亲问道，拿着叉子的手停了下来，没把食物往嘴里送。

鲁彬耸耸肩。“到目前为止，什么事也没有。”

“看吧，汉娜，我是对的，我一向都是正确的。就算拒绝搬家，天也不会塌下来，什么事也没有。”警察局长在二月八日公布了一份名单，列出犹太人可以居住的街道，并且明文订出了搬迁日期。尽管在现在，大家多少都认识一些东进到俄国，或是搬进城里犹太人居住区的家庭，但是其他人——包括我父亲——仍然抗拒迁离的想法。“他们能怎么办？”他耸耸肩，说，“把我们全踢出去吗？”他用餐巾轻擦嘴巴，“好了，我们不要让政治话题毁了这么丰盛的晚餐。敏卡，把那天你告诉我的有关芥子毒气的事讲给鲁彬听。”

我在化学课里学到了芥子毒气。芥子毒气之所以致命，是因为结构中含氯，因为原子结构紧密，会吸走接触到的电子，包括人类的肺。这种毒气真的会撕裂人体的细胞。

“现在是怎么样，这种话题都能拿来在晚餐时讨论，是吗？”我母亲叹了一口气，她转头面对用左手抱着麦亚的芭希雅，“我的小天使现在睡得好吗？可以整晚安睡到隔天吗？”

这时候突然有人用力拍门。“你在等什么人吗？”我母亲去应门时，一边问我父亲。但她还没走到门口，大门就被踢开，三个军人冲进客厅。“出去，”其中一名军官用德文说，“给你们五分钟。”

“敏卡，”我母亲尖喊，“他们要做什么？”

我翻译给大家听，心脏疯狂地跳动。芭希雅躲在角落里，不想让士兵看到婴儿。这几个是德国的国防军。一个士兵挥手扫下放在我曾祖母橡木柜子上的水晶杯，哗啦啦地碎了一地；另一个士兵推翻餐桌，连食物和点燃的蜡烛一起推倒。鲁彬在烛火蔓延开之前，一脚踩熄蜡烛。

“出去！”军官吼道，“你们还在等什么？”

我父亲——我那勇敢、坚强的父亲怯懦地用双手抱住头。

“五分钟之内全出去，否则，我们一回来就开枪。”军官说完话，便带着属下大步走出我家的家门。

我没有翻译这段话。

第一个采取行动的是我母亲。“雅伯，把你母亲的银器从柜子里拿出来。敏卡，你去拿几个枕头套过来，把值钱的东西收一收。芭希雅、鲁彬，你们能不能赶快回去收拾东西？在你们回来之前，我来照顾宝宝。”

我们正需要行动命令。我父亲开始翻橡木柜子的抽屉找银器，接着他拿开架子上的书，到厨房壁柜的罐子里找出他藏在里头的钱——我根本不知道钱藏在这些地方。我母亲把哭闹不休的麦亚放回摇篮里，动手拿冬天的大衣和毛围巾、帽子及手套等保暖的衣物。我冲进卧室里收拾母亲的珠宝，以及父亲的经文匣和晨祷披巾。我到自己的卧室里四处张望，如果你必须在几分钟之内收拾自己的生命，你该拿些什么？我拿起最新的洋装和成套的外套，去年秋天，我穿着这身衣服去参加圣洁日。我收拾了几套换洗内衣裤和牙刷，当然还有我的笔记簿和一把笔，我也带了玛格丽特·波恩姆的《堕落少女日记》，这本德文原文小说是我从二手书店买来的，因为尺度关系，我一直藏着不让我父母看到这本书。考这本书时，鲍尔先生还用德文为我写了评语：出类拔萃的学生。

我将乔塞克给我的天主教徒文件藏在了父亲要我随时穿上的靴子里。

走出房间之后，我看到母亲站在餐厅的中央，身边的地板上全是水晶碎片。她抱着麦亚，低声对他说："我一直祈祷，希望你是个女孩。"她说。

"妈妈？"我低声喊她。

她朝我看过来时，我发现她在哭。"辛曼斯基太太本来会把孩子当成自己的女儿养大。"

我的心重重地一沉。她想把麦亚，我们的麦亚，交给他亲生父母以外的人抚养？是因为这样，她才愿意在芭希雅和鲁彬回家收拾东西的时候照顾麦亚？接着，我痛苦地领悟到，对，没错，这么一来，他才能安全无虑。就是这样，有些家庭才会把子女送到英国和美国去，乔塞克和他的家人也才会觉得我该跟他们到圣彼得堡去。要存活，必定要有牺牲。

我低头看着麦亚的小脸和他挥舞的双手。"那现在就把麦亚抱过去给她，"我催促母亲，"我不会告诉芭希雅的。"

但是我母亲摇摇头。"敏卡，他是个男孩。"

我愣愣地看着她，好一会儿之后，我才明白母亲在说什么。当然了，麦亚行过割礼，他割除了包皮。如果辛曼斯基夫妇告诉相关单位，说小女孩是天主教徒，那么他们无法证实她不是。但如果是男孩——你只要打开他的尿布就行了。

我还了解为什么我母亲不愿意抚抱自己的孙子。其实，她的内心深处知道自己该和孩子保持距离，因为她说不定会失去这个孙子。

我父亲走过来，他背着一个帆布背包，双手各拿着一个塞得满满的枕头套。“我们得走了。”但是我母亲动也没动。

我听到邻居在叫喊，德军也走进了他们的家门。我母亲瑟缩了。“我们到楼下等芭希雅。”我提议。但这时候我才发现她的手表不见了。我猜，她拿了手表去换鸡肉，而那只没吃完的鸡正躺在餐厅的地板上，她为家人准备了丰盛的晚餐，是为了营造一切平安无事的假象。“妈妈，”我轻柔地说，“跟我来。”

我记得，在那一刻，我首次觉得自己像个大人——我牵起母亲的手，而不是相反的，由她牵住我。

我们还算幸运，因为我父亲有个表弟住在宝路堤区。但若遭驱逐的住户没有熟人可投靠，主管单位也会分发房间给他们住。犹太隔离区所谓的主管单位当然是犹太委员会，委员会主席亥姆·朗考斯基是我们的犹太长老。我母亲一向不喜欢我父亲的表亲，他们经济情况不佳，社会地位又低，这让她觉得尴尬。当他们到我家参加芭希雅的婚礼晚宴时，我表姐瑞芙卡不断地把东西拿起来对着光线研究，好像鉴价官似的问：你觉得这东西值多少钱？我母亲怒气冲冲地抱怨，要我父亲发誓，让她再也不必忍受他们到家里来的折磨。讽刺的是，这下子轮到我们像乞丐一样地来到他们家门口，我母亲紧抿着嘴，接受他们的恩惠。

德国人在城里规划出四平方公里的面积，作为十六万犹太人居住的区域。一户原本居住一家人的公寓里，现在挤着四五个家庭。区里有半数公寓有卫浴设施，我们住的这户正好有，这让我每天心怀感激。

隔离区以木板围墙和带刺的铁丝网作为边界，在我们抵达的一个月之后，隔离区和罗兹的往来便完全封锁了。区里有小型工厂——有些在仓库里，但许多都在卧室或地下室，犹太人在这些工厂制作鞋子、制服、手套、衣物和皮草加工。朗考斯基主席的想法，是让德国人认为犹太人不可或缺，让我们成为有价值的劳工团体，让德国人看得见他们有多么需要犹太人。而相对的，德国人以食物来换取我们生产的战时物资。

我父亲的工作是为隔离区的犹太人烘焙面包。莫德亥·拉哲洛维兹是隔离区面包店的主管，直属朗考斯基主席。有时候，面包店会陷入面粉或谷粒短缺，或是烘焙材料不足的窘境。我父亲不能雇用自己的烘焙师傅，所有的人事都由朗考斯基指派。隔离区里几个广场上的扩音机会整天以德文广播，点名每天早上参加集体劳动的人员，要他们前往指定工厂集合。我母亲在我成长过程中不曾外出工作，这时被指派到毛皮工厂当缝制师傅。在这之前，我甚至不知道她懂得缝纫，因为我们一向把布交给裁缝师傅订制。没几个星期的时间，母亲的指头上便因针戳而起了茧，而工厂里光线不良，也让她开始眯眼看东西。我们把工作换来的食物和芭希雅及鲁彬一起吃，芭希雅因为得带小孩，所以只能留在家里。

除了得和父母共享一个小房间之外，我并不介意住进隔离区。我有更充裕的时间来写小说。我又开始和塔雅一起上学，至少在他们关闭学校之前是这样。她家和其他两个没有孩子的家庭分住一户公寓，下课后，我们会一起到她家玩纸牌游戏。因为宵禁的关系，我也常常留在塔雅家过夜。我常觉得，住在隔离区，像住在笼子里生活一样，但如果你才十五岁，这会是个美好的笼子。身边有朋友有家人，我觉得这个笼子很安全，我相信只要留在自己应留的地方，我便会得到保护。

到了夏末，隔离区里不再供应面包，因为外头没送面粉进来，我父亲开始烦躁——他把做面包给邻居吃当作个人的责任。当我父亲拉下面包店的窗帘时，发现街上有人群聚集，他只好躲进店面后头，因为他担心暴动。我们肚子饿！人们的呐喊在高温下膨胀，像是发酵的面团。德国警察对空鸣枪，好驱散群众。

枪声越来越频繁，涌进隔离区的人数也越来越多，但是边界范围却维持不变。这些人该上哪儿去？他们要吃什么？虽然食物在冬季来临之前已经恢复全额配给，但仍然不够吃。我们一个人每两星期可以拿到一百公克马铃薯、三百五十公克甜菜根、三百公克裸麦粉、六十公克豆子、一百公克裸麦片、一百五十公克糖、两百公克果酱、一百五十公克奶油和两千五百公克的裸麦面包。由于我父亲在面包店工作，所以他每天还可以拿到额外的面包，他把这些全留给了我。

当然了，他不可能继续为我烤特制的面包了。

面包店在冬天再次关闭。这一回不是因为面粉不足，而是因为燃料短缺。隔离区没收到木柴，煤炭也不够用。我父亲带着他表亲和鲁彬去拆篱笆，破坏建筑物，把木柴带回家来，家里才不至于没柴烧。有天早晨，我看到瑞芙卡表姐拆下橱柜的槅板。“柜子里要槅板做什么？”她发现我的目光，于是这么说。

然而，尽管我们采取了最极端的措施，夜里还是会有人冻死在家中。《纪事报》上详尽报道出隔离区里的点点滴滴，甚至包括每日死亡人数。

突然间，隔离区不再是个安全的庇荫地。

一天下午，塔雅和我下课走路回她家。那天很冷，北风让体感温度比实际气温更低。我们两个手勾手紧靠在一起，在奇格斯卡街过天桥。当时犹太人已经不准走在奇格斯卡街上了。我们看到一辆电车经过，电车站的站台上有个穿皮草长大衣，脚上还穿着丝袜的女人。“哪个人会笨到在这种天气穿丝袜出门？”我喃喃地问，庆幸自己有双层毛裤袜可穿。离开老家时，我傻傻地带了一些派对穿的洋装和彩色笔，还好我父母有远见，带了我们的大衣和毛衣，让我们不至于像隔离区里的其他人一样受冻，而是有温暖的衣物度过严寒的冬天。

塔雅没说话，在电车经过时，我发现她依然盯着那个女人看。“如果我有丝袜，”她说，“我也会穿上。不需要理由，纯粹是高兴。”

我捏捏她的手臂。“有一天，我们都会穿上丝袜。”

我们回到塔雅家时，她家里没有别人，大家都还在工作。“家里好冷。”塔雅搓着双手说。我们都不觉得有必要脱下外套。

“我懂，”我说，“我脚趾冻得没有感觉了。”

“我知道怎么取暖了。”塔雅把书包丢在地上，打开唱机。她没播放流行音乐，而是找出她自己的古典唱片。她随着音乐跳起舞来，一开始的舞步缓慢，好让我跟上。我边笑边跟着跳舞，但我就算情况最好的时候也只能称得上笨拙，何况现在还穿着厚厚的冬衣？我不可能跟得上她。最后，我瘫软地倒在地上。“跳舞这种事就交给你了。”我告诉塔雅。但她的方法果然有效，我气喘吁吁，脸颊又红又暖。我放弃跳舞，拿出我的记事本阅读昨天写下的几页故事。

自从住进隔离区之后，我的故事也有了转折。我打造的迷人小村庄变得凶险，变成一座监狱。我开始分不清谁是英雄，谁又是恶魔，我在故事中设定的困境让每个人或多或少都有正反两面的性格，而故事中最详尽的叙述，是在我描写安妮雅父亲的面包店的段落。有时候，当我写到在面包上涂奶油时，会不知不觉地跟着流口水。我没办法凭空召唤出食物，而且连续喝了好几个月的汤，但是我对于没吃下肚的食物充满想象力，这种想象力丰富到连我自己都肚子痛。

现在，我所能描写的另一个主题是血。天哪，我看的血够多了。住进隔离区的这几个月当中，我看到德军枪杀了三个人。其中一个人站得离隔离区的围墙太近，所以警卫对他开枪。另外两个女人则是大声抢夺一条面包，走过去开枪制止争吵的军官拿起面包，丢进一池泥浆里。

我现在对于“血”有了一番了解：在它干掉、变成浓稠的黑色物体之前，比你想象的更为鲜艳，色泽有如最深红的红宝石。

它闻起来有金属和糖的味道。

一旦留在衣服上，就不可能除去那味道。

我同时也发现，我书中的角色和我有着相同的灵感来源。无论是他们追寻的权力、复仇或爱情——全都是不同形态的渴望。你体内的空缺越大，你便会越是急着填补它。

塔雅在我写作时继续跳舞。她总是撑到了最后一刻才旋转、摆头，流畅地连续平转之后，再来个脚尖点地转身。看她的样子，似乎可以用双脚在地板上凿出一个洞来。看到她以令人晕眩的速度旋转，我放下笔记簿，开始鼓掌。就在这时候，我看到警察从窗外往里看。

“塔雅！”我嘘声向她示警，赶紧把笔记簿塞进我的毛衣下。我朝窗户的方向扬个头，她瞪大了眼睛。

“我们该怎么办？”她问道。

隔离区内有两队警察，一队是和我们一样配戴着六芒星的犹太人，另一队是德国警察。两组警察虽然都负责执法——这个困难度很高，因为法规每天都会变，但是两队警察有明显的差别。当我们在路上看到德国警察时，我们会低头敬礼，男孩子则会脱帽致意。除此之外，我们和他们完全没有接触。

“说不定他会走开。”我挪开视线，但那名德国警察敲了敲窗玻璃，朝大门指点。

我拉开门，我心跳得太大声，他一定也听得到。

这名警察很年轻，和鲍尔先生一样瘦，如果他身上没穿上我们一看就知道要敬而远之的深色制服，塔雅和我可能会私底下笑谈他有多英俊。“你们在这里做什么？”他问道。

我用德文回答：“我的朋友是个舞者。”

他扬起眉毛，听到我会说他的语言显然很惊讶。“我看得出来。”

我不知道隔离区是不是又有一条新规定，不准我们跳舞；或者是塔雅在不知情的情况下把音乐放得太大声，让他在窗外都听得到，所以觉得我们冒犯了他；或者他不喜欢芭蕾舞。然而说不定他只是一时兴起，想伤害别人。我看过士兵在街上踢路过的老人，纯粹只因为他们可以这么做。在那当下，我真希望我父亲在场，他总是笑容可掬，碰到偶尔进面包店里盘问的士兵，他也总是能从烤箱里拿出新鲜糕饼，让他们分心。

看到现在这个警察伸手到口袋里，我忍不住放声尖叫，伸手抱住塔雅，拉着她和我一起趴在地上。我知道他一定是要拿枪，而我马上要送命。

我连恋爱都没谈过，小说还没完成，没进大学，也还没有机会拥抱自己的宝宝。

但是我们没听到枪声，只听到警察清了清喉咙。我终于鼓起勇气眯着眼抬头看他，发现他掏出来的是自己的名片，奶油色的小名片上印的是：艾瑞克・夏佛，斯图加特芭蕾舞团。“在占领波兰之前，我是斯图加特芭蕾舞团的艺术指导，”他说，“如果你的朋友需要我给她一点指引，我会很乐意提供。”他轻点个头，转身离开时还随手带上门。

塔雅一句德文都听不懂，她拿起我手上的名片问道：“他想要我做什么？”

“要教你跳舞。”

她瞪大了双眼。“你在开我玩笑。”

“没有。他过去在斯图加特芭蕾舞团工作过。”

塔雅跳起来，开始在房间里打转，她高兴地咧开嘴笑，让我几乎跌进她的快乐当中。但接着她眼底的光芒变得炽热又愤怒，而且这次变化来得和刚才一样快。“所以说，我好到可以去上课，却不足以走在奇格斯卡街上？”

她把名片撕成两截，丢进火炉中。“至少，我们有东西可以烧了。”塔雅说。

回想起来，我的小外甥麦亚之前没有生病真是奇迹。我姐姐和鲁彬带着麦亚，和其他六对夫妇同住在一个公寓里，家中随时有人咳嗽、打喷嚏或流鼻水。但是麦亚很健康，也适应得很好，肯乖乖待在芭希雅的怀里，在他够大之后，芭希雅必须到纺织工厂工作，麦亚也乐意去托儿所。但是芭希雅这个星期来找我母亲，她很焦急，因为麦亚在咳嗽。这孩子不但发烧，昨晚差点还喘不过气来，而且嘴唇已经泛紫。

当时是一九四一年的二月底，我母亲和芭希雅为了照顾麦亚彻夜没睡，两个人轮流抱孩子。但是她们隔天都得上工，否则工作可能不保。每天都有几百个犹太人从其他国家来到隔离区，工人太容易取代。有些人甚至被送到隔离区外面去工作。但我们不想冒着让家人离散的风险。

因为麦亚生病，所以我父亲打算让鲁彬早点离开面包店回家。从各方面来说，这都不是小事，而最大的问题在于父亲无权作这种决定，而且他们还得把面包送到位于贾库巴街四号的集散处准备分派，鲁彬提早离开代表人力的减少。“敏卡，”那天早上，我父亲说，“你中午过来接替鲁彬。”

学校都停办了，所以我也得工作，在生产鞋靴、腰带和枪套的皮件工厂当送货员。塔雅和我一起工作，我们跑遍隔离区办杂事或送货。我们觉得，就算我溜班也不会有人发现，要不然塔雅也可以代我那天下午的班。其实我知道，若我能到面包店去，我父亲会很高兴。鲁彬不是面包师傅，他之所以被指派来和我父亲一起工作，纯粹是因为他们一起排队找工作。虽然烘焙面包不需要读大学进修，但这绝对是一门学问，我父亲过去常说我有天分。我凭本能，就知道该捏下多少面团来制作一个三十公分左右的短棍面包；就算在睡梦中，我也能编出十三股花样的辫子面包。但是鲁彬呢，他老是出错，面团不是搅得太湿就是太干，当他该用铲子从砖炉里取出面包免得底部烤焦时，他偏偏在做白日梦。

结束早上的跑腿工作之后，我溜到了面包店，没回到制鞋工厂。经过纺织工厂时，我在窗玻璃上瞥见自己的倒影。一开始我挪开视线——我们在街上看到人多半是如此。看到别人是一件悲伤的事，你会看到自己的痛苦写在对方的脸上。但接着我发现那不过是我自己，但这个影像既奇特又陌生。我去年还带着婴儿肥的圆润脸颊已经消失，如今颧骨突出，双眼显得更大，一头曾经代表骄傲与喜悦的浓密长发，现在又干又扁地藏在毛帽之下。我瘦到像个芭蕾女伶，像塔雅。

我不知道怎么会完全没注意自己瘦了这么多，也不晓得我家人是不是也如此。我们经常处于饥饿状态，就算有额外的面包可吃，但食物永远不够，而且往往腐烂又有臭味。进了面包店之后，我仔细观察我父亲。他站在砖炉前面，只穿着内衣，在热气下流了一身汗。他的肌肉不如以往结实，看来像是线条分明的绳索，而他的腹胃扁平，双颊也凹陷。然而当他一边指示助手，一边把手中揉好成形的面团放在板子上的时候，在我眼里，他仍然一样威风凛凛。“小敏卡，”他的声音从撒着面粉的桌台上传了过来，“来这里帮我的忙。”

鲁彬对我点点头，脱下他身上的围裙。他和我父亲说好，要从面包店的后门溜出去，但是不会惊动别人，免得有人觉得他有特别待遇。我走到父亲身边，以熟练的手法捏下面团，整出短棍面包的形状。“今天的工作怎么样？”他问道。

我耸耸肩。“和平常一样。麦亚有没有什么变化？”

父亲摇摇头。“没有，但是没变化就是好消息。”

我们只说了这些。即使是说话也会耗费太多精力，况且我们还得制作出一定分量的面包，然后送到集散处去。我想到从前我父亲自己的面包店，他偶尔会用破嗓的男中音唱歌，而柜台前的芭希雅会批评他吓走顾客。我还记得，在夏天，当太阳开始滑向对街的建筑物后方时，光线会在四点半左右斜斜地照入店内；我会拿着课本，坐在放着软垫的窗台上打瞌睡，肚子里装着父亲特地为我烤的面包，裙子上的肉桂糖粉在阳光下闪烁；而这时父亲会摇醒我，自问是做了什么事才生了一个如此懒惰的女儿，但他脸上不变的笑容让我知道，他讲的是反话。

我想到麦亚，他才刚学会喊我的名字。

就在该把面包放进篮子，送去贾库巴街集散处之前，店门突然打开，一道冷风跟着钻了进来。鲁彬走进面包店，双手插在口袋里，下巴埋在围住脖子的披肩之间。“鲁彬？”我的胃抽了一下。他会来这里，一定是要告诉我们坏消息。

他摇摇头。“还是没有变化，”鲁彬说，“芭希雅和你母亲在家里照顾麦亚。”他转头看向我父亲，耸耸肩说：“坐在那里对我也没帮助。”

“那么，去拿篮子吧。”我父亲按按鲁彬的肩膀。

鲁彬和我和其他员工动手收拾放在网架上等待冷却的面包。这个工作很费力，紧紧包在一起的面包比你想象中来得重。我把一个个的篮子搬到停放在店门口的推车上时，看到对街有三个小男孩弯腰驼背地缩在一起，他们虽然在发抖，但只要我们来到门外，他们便会踩着脚站在雪地上，因为他们站在这里可以闻得到热腾腾的香气，这是仅次于吃下面包的最好享受。

推车装满之后，我父亲走到车后开始推，两个稍微强壮些的员工拉起车前的把手，负责拉车。父亲要我跟在他旁边，因为我没有足够的力气拉车。“喔！”我喊了一声，突然想起我把围巾捆在店里的一张椅背上。“我马上回来。”我跑回店里，发现鲁彬还在里头。他外套前襟半开，正要把一条面包往里塞。

这时，我们四目相接。

私藏面包是犯法的行为。在黑市里买卖食物也一样。但偶尔仍然有人在黑市兜售配给，通常，那是因为悲惨的际遇使然。

“敏卡，”鲁彬平稳地说，“你什么都没看到。”

我点点头。我不得不点头。如果我向父亲举报鲁彬，他也会假装没看到。但如果鲁彬因为拿面包去换东西被捕，而他们又发现我父亲知情，那么我父亲可能也会受到惩罚。

我们推着嘎吱作响的推车来到贾库巴街，往上蹿出来的热气逗弄着我们的嗅觉。但前一分钟还走在我后面的鲁彬突然失去了踪影。我父亲什么话也没说，这让我不由得纳闷，说不定他早就知道我努力隐瞒他的事。

我骗父亲，说要把借来的书还给塔雅，在宵禁之前会回家，但其实我去了城里走私犯和小偷买卖的地方。我看过这种交易，也希望能在鲁彬做出傻事之前阻止他。夜幕低垂之后，灰色的天空和圆石地面合为一体，你没办法确认自己看到的是真是假，那些在黑暗中移动的绝望人影，愿意拿他们的食物、珠宝和灵魂来买卖。

要找出芭希雅的丈夫不难，他留着一把红色的胡子，手里抱着棕色纸张包裹的面包。“鲁彬！”我喊道，“等一下！”他看着我，正要从他手中接下面包的男人也看过来——他有一双空洞的黑眼睛。

包裹在转眼间便消失无踪，想必是滑进男人外套某个肮脏的裂缝里了。

“不管你在做什么，”我拉着鲁彬的手臂恳求他，“别这么做，芭希雅不会希望你做这种事的。”

鲁彬甩开我的手。“你还小，敏卡，你什么都不懂。”

但我不是个孩子。隔离区里已经没有孩子了，真的。我们在别无选择的情况下，全都长大了。即使像麦亚这样的婴儿也不是小孩，因为他的人生回忆中，只有眼前这种遭遇。

“叫那女孩走开，”黑眼男人恶声恶气地说，“否则交易取消。”

我没理会他。“有什么值得你赔上性命？”

在他和芭希雅订婚的那天晚上，鲁彬亲吻我的额头，说他一直想要个妹妹；鲁彬在我去年生日时送我一本德文版的《格林童话》当作礼物；他向我保证，无论有哪个男孩想约我出去，都必须先经过他的把关。同样是这个鲁彬，现在用力推了我一把，让我跌倒在地。

我的毛裤袜磨破了。我坐起来，揉着擦撞到圆石路面的膝盖。我看着黑眼男人把一个咖啡色的小袋子塞进鲁彬的手中。

在同一时间，我听到叫喊声和口哨声，接着，三个士兵围住了鲁彬和黑眼男人。“敏卡！”鲁彬大喊我的名字，把包裹丢给我。

他被压制倒地，我也正好接到了包裹。士兵用步枪枪托用力砸向鲁彬的头，而我拔腿就跑。

我一路没停，跑着穿越横跨奇格斯卡街的天桥，尽管知道士兵没有追过来，我仍然继续狂奔。我跑进了家门，一进门就倒在我母亲怀里，边哭边说出鲁彬的遭遇，芭希雅抱着啼哭不停的麦亚站在门口，听到我的话，不禁放声尖叫。

这时候，我才想起自己的手上还紧抓着包裹。我摊开手掌，打开的指头像是玫瑰花瓣。

我母亲用厨房的刀子割开包裹上的绳子，脏污的蜡纸打了开来，露出里头一小瓶药。

有什么值得你赔上性命？我这么问过他。

是他的儿子。

在隔离区里，小道消息的传递方式和紫藤花一样，扭曲、迂回，在预期不到的时候爆发出鲜丽的色彩。透过这个管道，我们得知鲁彬被关进了牢里。但即使芭希雅每天都到监狱想和他见面，却得不到许可。

我父亲运用他在隔离区外的人脉想打听鲁彬的消息，当然，如果能利用这些关系让他回家更好。但是当初让我进天主教学校念书的关系，如今已经派不上用场。除非我父亲刚好有个纳粹党卫队的朋友，否则鲁彬得继续待在牢里。

这让我想到上次看到塔雅、来自斯图加特芭蕾舞团的警察。他不见得能帮得上忙，但是在茫茫的德军当中，他至少是个叫得出名字的人。可惜塔雅烧掉了他的名片，我无法将希望寄托在这个渺茫的可能性上。

我们不知道鲁彬会有什么遭遇，然而这个月稍早，朗考斯基主席发出了声明，盗贼和罪犯将会被遣送到德国服劳役。长老以这种方式来摆脱隔离区里的贱民。然而，有谁会把鲁彬当成罪犯？我怀疑牢里有多少真正的罪犯。

知道鲁彬可能会被送走之后，芭希雅伤心欲绝，但她还得照顾麦亚——这孩子吃了药之后，病情立刻有起色。一天晚上，她溜进我的房间。当时才刚过凌晨三点，我马上以为宝宝出了状况。“怎么了？”

“我需要你帮忙。”芭希雅说。

“为什么？”

“因为你聪明。”

芭希雅甚少承认她需要我，更别说承认我聪明。我在床上坐起身来。“你想做傻事。”我猜。

“不是傻，是必要。”

这句话让我想到拿面包去变卖的鲁彬。我愤怒地瞪着她。“你们两个都没想过家里还有个要靠你们照顾的小男孩？如果你也被逮捕了怎么办？”

“就是这样，我才想请你帮忙，”芭希雅说，“拜托，敏卡。”

“你是鲁彬的妻子。如果连你都没办法去监狱里看他，我也无计可施。”

“我知道，”芭希雅轻柔地说，“但是我要去找的人不是他。”

亥姆·朗考斯基在隔离区里的名声，正好处在爱戴与恨意之间的微妙区域。在公开场合，你必须爱戴主席，否则你会生不如死，因为他一手掌控恩惠、住房和食物的配给。但是你也不得不想，这个人自愿和德国人达成协议，不但让自己人挨饿，还可以将我们恶劣的生活条件解释为：至少大家都还活着。

我们还听过谣传，漂亮女孩是朗考斯基的弱点。这正是芭希雅和我可以指望的。

要请我母亲照顾麦亚不是难事，我们只要说芭希雅又要再次试着去监狱探望她的丈夫就行。同时，她想为丈夫穿上最时髦的衣服，尽可能梳个漂亮的发型也是正常的事。我没有欺骗母亲，我只是没说出我们的目的地不是监狱，而是朗考斯基主席的办公室。

我们必须说服犹太长老和我们单独见面，这其中所有我能说的话，我姐姐都能自己说，但是我了解她为什么希望我在场。进门时，她需要我给她勇气，走出办公室时，她需要我的支持。

和我家的狭窄街区或面包店相比，主席的办公室宛如皇宫。当然了，他有职员为他工作。他秘书身上有股香水味，不像我们飘散出灰尘和烟味。她看了我一眼，然后向站在门口、像哨兵般的犹太警察使个眼色。“主席不在。”她说。

朗考斯基待在隔离区的时间不短，他会要学生表演分列式让他检阅，也会发表演说、主持婚礼仪式，或是巡视那些他以为足以让德国人认为我们不可或缺的工厂。所以，当芭希雅和我来到他的办公室时，他很可能真的不在。但是我们在冷风中坐了好几个小时，亲眼看到主席在不到十五分钟之前，才在一小群人的陪伴下走进这栋建筑。

主席很好认。他有一头雪白的头发，戴着圆框眼镜，厚重毛外套的袖子上有个黄星符号。刚才我们在外头冷得发抖时，我一看到这个符号，便抓住芭希雅的手。“你看，”我低声说，“到头来，他和你我毕竟没什么不同。”

所以我直视秘书的双眼，说：“你在说谎。”

她扬起眉毛。“主席不在，”她再说一次，“就算他在，没事先约好，他也不会和你们见面。而且，他下个月已经没有任何空当儿可以安排了。”

我知道这同样是谎言。因为我听到她透过电话为主席和粮食配给局负责人约好明天早上九点见面。我正要开口反驳，芭希雅用手肘撞了撞我的肋骨。“对不起，”她往前走了一步，挪开目光，说，“你是不是弄丢了这东西？”

她拿出一对耳环。我知道耳环不是秘书搞丢的。事实上，在我姐姐打扮好准备出门时，耳环还好端端地挂在她的耳朵上。这对漂亮的珍珠耳环是鲁彬送给她的结婚礼物。“芭希雅！”我倒抽了一口气，说，“你不可以这样！”

她对秘书微微一笑，然后咬着牙对我说：“闭嘴，敏卡。”

女秘书噘着嘴，拿走我姐姐手里的耳环。

“我不敢保证。”她说。

接着，她朝关上的办公室门口走过去。她腿上的丝袜让我好生艳羡，我等不及，好想赶快让塔雅知道我看到一个和德国女人一样优雅的犹太女人。她敲敲门，一会儿之后，里头传来个低沉的声音，要她进去。

她回头瞥了我们一眼，轻巧地走进办公室。

“你要怎么跟他说？”芭希雅低声问我。

我们决定由我负责交涉。芭希雅的角色是顺从的妻子，以美貌让主席分心，但是她担心若要由她来解释前来求见的原因，会讲不出话来。

“我甚至不知道我们能不能进去。”我回答。

我有个计划。我打算请主席释放鲁彬，让他和妻子一起庆祝下个星期的结婚纪念日。如此一来，他会成为拥护提倡真爱的人。朗考斯基最喜欢的，就是在他子民眼中的美好形象。

门开了，秘书朝我们走过来，说：“你有五分钟时间。”

我们手牵着手往前走，但秘书拉住我的手臂。“她可以进去，”她说，“但你不行。”

“可是——”芭希雅慌乱地回头看我。

“求他，”我催促姐姐，“跪下来求他。”

芭希雅扬起下巴，点点头，走向门内。

秘书又坐下来开始打字，我紧张地站在接待室中央。警察一不小心和我四目交接，立刻又挪开了视线。

我姐姐在走进犹太长老办公室的二十二分钟之后，才又走出来。她衬衫背后的下摆拉了出来，嘴上的口红——是我们向塔雅借来的——只剩下左嘴角的一抹红晕。

“他怎么说？”我急急忙忙地问，但芭希雅勾住我的手，匆匆将我拉出朗考斯基的办公室。

我们再次走到街上，冷风嗖嗖地将我们的乱发拂到脸上，我又问了芭希雅一次。她放开我的手，弯腰对着路边的圆石呕吐。

我帮她拨开脸上的头发。我猜，这应该表示她没能救出鲁彬。所以，当她在一会儿之后转头对我说话时，我才会那么惊讶。她的脸色苍白又紧绷，眼神炽热。“他不必去德国了，”她说，“主席会分派他到波兰国内的劳改营。”芭希雅紧紧抓住我的手。“我救了他，敏卡，我救了我丈夫。”

我抱住姐姐，她回拥着我，接着，她伸直手臂推开我。“你不可以告诉妈妈或爸爸，说我们来过这里。”芭希雅说，“答应我。”

“可是他们会想知道鲁彬怎么——”

“他们会以为是鲁彬自己想办法解决的。”她很坚持，“他们不会想知道我们亏欠主席。”

这是真的。我父亲对朗考斯基有诸多抱怨，他不会想对这个人有任何亏欠。

那天晚上，麦亚睡在我们两个中间，我听到姐姐静静地哭泣。“怎么了？”

“没事，我很好。”

“你应该要高兴才对。鲁彬没事了。”

芭希雅点点头。在银色的月光下，芭希雅像座雕像，我只看得到她的轮廓。她低头看着麦亚，用指头按着他的嘴唇，像是要他安静，又像在亲吻他。

“芭希雅？”我低声问，“你怎么说服主席的？”

“就像你教我的。”一颗泪珠滑过她的脸颊，滴到我们之间的被单上，“我跪了下来。”

在鲁彬被送到劳改营的期间，芭希雅带麦亚回家里同住。我们就像从前一样，姐妹同睡一张床，只是现在有个麦亚夹在我们中间，像个秘密。麦亚正在学习分辨颜色和动物的叫声——虽说，他只曾在书中的图片上看过那些动物。我们不停地说他聪明，说鲁彬回家之后，一定会觉得很骄傲，好像鲁彬随时会回家。

鲁彬没有写信回来，而我们全家人都在替他找借口。他可能太累太忙，说不定是没有纸笔或是没有邮政服务。唯一敢说出我们心中想法的只有塔雅：鲁彬之所以没写信，是因为他死了。

一九四一年十月，塔雅和我都食物中毒了。这种事不稀奇，我们的食物质量本来就有问题，只是从前没碰上而已，而且我们在连续吐了两天之后，还有力气拖着身子下床准备去上工。只不过病倒之后，我们也丢了工作。

之后，我们到路托米斯卡街等待重新分发，有个男孩和我们一起排队等候，他叫作亚隆，从前也和我们一起上学，他在考试时会不经意地吹口哨，因此常惹上麻烦。亚隆的大门牙之间有道缝，因为个子太高，所以经常弯腰驼背，整个人看起来就像个问号。“他们派我到哪里都好，就是别叫我去面包店。”亚隆说。

我想到我父亲，生气地问：“面包店有什么不好？”

“没有，只是好到不可能成真，就像是炼狱。冬天太暖和，身边都是食物却不能吃。”

我摇摇头，忍不住笑了。我喜欢亚隆。他长得不好看，但总是能逗我笑。塔雅最懂这些事，她说亚隆喜欢我，所以才会刚好在我走出学校时帮我拉着门，或是在不得不转弯才能回到他家之前，尽可能陪我穿过隔离区的街道。有一次，他甚至在学校的午餐时间把面包给我吃。塔雅说，在这种时候，这个举动和求婚没有两样。

亚隆不是鲍尔先生，真要比的话，他也不是乔塞克。但有时在夜里，当我身边的芭希雅和麦亚睡着之后，我会抬起手用手背压着嘴唇，想象和亚隆接吻的感觉。我没有为他痴迷，真的，我只是喜欢那个念头：竟然会有人在一个穿着破衣服厚底靴、头发犹如绳索的女孩身上看到美感。

广场上有些十岁左右的小孩子也在等待，一些长者站不住，只好靠在旁人身上。我父母事先教我该怎么应对，希望能让我分派到父亲的面包店或是母亲工作的裁缝工厂。有时候，分发工作的人员会将能力或经验列入考虑；但有时候只是随机处理。

塔雅抓住我的手臂。“我们可以说我们是姐妹，说不定可以又分派在同一个地方工作。”

我不觉得这会有什么差别。再说，这时已经轮到亚隆了。当分派工作的官员在桌上的文件草草写了几个字交给他的时候，我趁机仔细观察他。他转过身，面带微笑地说：“纺织厂。”

“你懂得缝纫？”塔雅问道。

亚隆耸耸肩。“不会，但显然我马上就会学到。”

“下一个。”

这声命令打断我们的对话，我拉着塔雅往前走了一步。“一次一个人。”我面前的男人说。

于是我走到塔雅前面。“我妹妹和我都会烘焙，也会缝……”

他盯着塔雅看。但话说回来，每个人都会盯着塔雅看，她太漂亮。他指着停在广场角落上的卡车。“你们上那辆车去。”

我慌了手脚，因为离开隔离区的人——比如鲁彬——从来不会回来。“拜托！”我恳求，“面包店、马鞍店都好。”我想到没有人想要的工作，“我愿意挖坟墓。拜托你，别把我送出隔离区。”

男人看向我的身后。“下一个。”他喊道。

塔雅哭了出来。“对不起，敏卡，”她边哭边说，“如果不是因为我们想在一起——”

我还来不及回答，一个士兵便抓着她的肩膀，将她推向卡车的车斗。我跟在塔雅后面爬上去。车上的女孩和我们年龄相当，我认出几个同学，有些女孩慌张失措，有的露出厌烦的表情，但是大家都没说话，我知道最好别问我们会被送到哪里去。说不定，我根本不想知道答案。

一会儿之后，车子载着我们穿过隔离区的围墙门——我在里头待了一年半，从来未曾走出来。

我可以明显地感觉到围墙门在我们身后再次关上。在外头呼吸比较容易，颜色比较鲜艳，气温也高了一点点。外头是另一个世界，车上的十个女孩目瞪口呆，静静地坐在上下跳动的车斗上，离开了家人。

我不知道是否会有人让我父母知道我离开了隔离区，不知道亚隆是否会想念我，麦亚认不认得我，会不会再看到我。我紧紧抓住塔雅的手。“如果我们会死，”我说，“至少也死在一起。”

听到这句话，坐在塔雅身边的女孩笑了起来。“死？你这个蠢蛋。你们不会死。好几个星期以来，我每天都搭上这辆车。你们要去的地方是德军总部。”

我想起刚才那个男人端详塔雅的神情，不禁开始怀疑我们究竟要去帮那些德军做什么事。

车子载我们经过我度过童年的街道，但这地方有些不同。在我儿时记忆当中的细节——卖报纸的男孩、戴着超大帽子的鱼贩，还有走到户外，在阳光下眯着眼抽烟的裁缝师，这些熟悉的脸孔都不见了。连德国士兵搭在广场上的绞台也被拆了下来。这让我想到我从前写过的故事，有个女孩在熟悉的世界里醒来之后，发现自己所有痕迹都被抹去，她的家人不认识她，学校里没有她的记录，一切都没发生过。眼前景象让我感觉仿佛只是在做梦，梦到我过去的生活。

十五分钟之后，我们又经过了另一处围篱门，门同样在我们身后锁了起来。德军把从前罗兹的市政府拿来充当军营。下了卡车之后，我们被转交给一个肩膀宽厚、双手红肿又皲裂的女人管理。她说的是德文，但显然我们当中有些女孩知道这些程序，因为她们过去也曾经被派进军营工作。我们每个人都领到桶子、抹布和一些氨水，接着，她要我们跟她走。她不时会停下来，指派某个女孩到某栋建筑去，塔雅、刚才骂我蠢蛋的女孩和我被派进一处石砌大厅，这地方的屋顶飘扬着一面纳粹大旗。

我跟着女人穿过几道走廊之后来到宿舍区，这里有几间小公寓，像相邻的牙齿般靠在一起。“你，”她用德文说，“你去擦窗户。”

我点点头，伸手去转门把。这里一定是德国军官的宿舍，看起来和我见过的其他军营都不同。这里头没有行军床或置物箱，而是放着精美的木雕书桌和一张没整理过的单人床。水槽边的置物架上排着整整齐齐的盘子，桌上的盘子上沾着鲜紫色的果酱。

我开始流口水，我不知多久没吃到果酱了。

但是我知道，说不定有人从墙上的裂缝看着我。于是我把关于食物的念头全都推开，拿起桶子、抹布和氨水，直接走向公寓八扇窗户的其中一面。

我这辈子从来没有清理过任何东西。我母亲不但下厨、打扫、整理，还要帮我收拾善后。尽管到了现在，每天早上负责整理床铺拉整被单的人，仍然是芭希雅。

我看看手上的氨水，扭开瓶盖，冲鼻的气味让我几乎窒息。我立刻盖上瓶盖，但双眼全是泪。我在餐桌边坐下来，发现自己正面对着早餐盘。

我飞快地用指头抹下果酱，然后塞进嘴里。

喔，天哪。我又开始流泪，但这次的原因不同。我大脑的每一条神经都开始回忆，我想起父亲烤的面包，我在上面抹上新鲜奶油和母亲手制的草莓果酱；想起我们在塔雅父亲工厂附近的田野间摘蓝莓；想到我躺在地上，想象天上的云像摩托车、鹦鹉或乌龟；想到无所事事的时光，因为孩子什么事也不必做。

果酱尝起来就像懒散的夏日，像自由。

我太过沉溺于自己的感官世界，没听到由远而近的脚步声，转瞬之间，一名军官打开门，走进他的住处。我跳了起来，迅速提起桶子，却笨手笨脚地打翻了氨水。“喔！”我喊了出来，跪下来拿抹布擦地。

他和我父亲年龄相仿，灰白色的头发正好和制服上的钮扣颜色很相配。他看着我缩成一团的身子，用德文说：“赶快完成你的工作。”而他显然不期待我听得懂，于是指了指窗户。

我点点头，转过身去。我听到他在桌边坐下时椅子嘎吱作响，接着他开始翻阅文件。我再次用颤抖的手扭开氨水的瓶盖，我掩着鼻子，想把抹布塞进细窄的瓶口，好蘸些氨水出来擦洗。我只蘸湿了抹布的一角，我小心翼翼，像在拍伤口般将抹布贴向窗户最脏的角落。

军官抬头看了一下。“*Schneller*。”他严厉地说：快一点。

我转过头，心跳已经狂乱。“对不起。”我结结巴巴地用他的语言回答，免得他火气更大，“我没擦过窗户。”

他挑起了眉毛。“你会说德文。”

我点点头。“那是我最拿手的科目。”

军官起身朝我走过来。这时候我已经慌了手脚，抖到连膝盖都要相撞。我抬起手，想挡住一定会出现的殴打，但没想到他只是抽开我紧紧抓住的抹布。他倒了些氨水在抹布上，以流畅的手势大弧度擦拭窗户，然后折起沾脏的抹布，在干净的部分又倒了些氨水。他继续擦自己的窗户，擦完之后，他拿起报纸擦拭玻璃。“用报纸擦，干了之后才不会留下痕迹。”他解释给我听。

“*Danke*。”我喃喃地向他道谢，伸手去拿抹布和氨水，但是他摇摇头。他继续将其他几扇窗户擦到一尘不染，最后，公寓里外似乎没有了界线，我仿佛走进了一处奇特的停战地带，而外面的世界对我来说，任何事都有代价。

他看着我，说：“把你刚刚学到的说一次给我听。”

我以他的母语一字不漏地重述擦拭窗户的每一个步骤，仿佛把性命寄托在这上面——说不定真的是如此。在我说完之后，军官瞪着我看，仿佛把我当成他从未见过的博物馆标本。“如果我没看着你，”他说，“我会以为你是德国人。你的德文和德国人说得一样好。”

我向他道谢，心里想的是鲍尔先生在那些午后为我上的德文会话课，我默默向这位如今不知身在何方的老师表达感激之意。接着，我伸手去拿桶子，准备在女人回来带我之前，到其他军官屋里去完成剩下的工作，但是这名军官摇摇头，把桶子放在我们两个人之间的地板上。“告诉我，”他说，“你会不会打字？”

教我洗窗户的军官交给我一张纸条，凭这张条子，我被重新分发到法斯宾德先生经营的工厂。法斯宾德先生是纯正的德国人，身高勉强超过一百五十公分，工厂里雇用了大量年轻女孩，这当中有许多都比我小。他称呼我们“*meine kleiner*”：我的小孩。这些孩子负责为德军制服缝制徽章。初次看到十岁小孩缝制纳粹党徽让我觉得惊吓，但后来也就习以为常。

我不是缝纫工，而是被派到法斯宾德先生的办公室工作，负责处理订单、接电话，在他每星期五带糖果来的时候分配给孩子。

一开始，法斯宾德先生只有在需要档案信息，或是要我听写信件和打字时，才会和我说话。但后来有一天，亚隆和几个男孩扛着几捆布过来，要让我们依订单来裁切和缝制。我想，亚隆看到我，一定和我看到他一样惊讶。“敏卡！”在我要他的同事把布送进储藏室时，他说，“你在这里工作？”

“在办公室里。”我告诉他。

“喔，”他故意逗我，“真高级的工作。”

我低头看自己的裙子。这条裙子太常穿，膝盖部分都磨破了。“是呀，”我开玩笑地说，“我简直和皇室成员一样。”

然而，我们都知道我有多幸运。我母亲在几近黑暗的光线下缝纫，眼力几乎要丧失；漂亮的塔雅仍然在清洗军官宿舍的窗户，由于长期接触碱水和肥皂，舞者优雅的双手皲裂出血。相较之下，在温暖的办公室里一天打字十二小时，和在公园里散步没有两样。

这时候，法斯宾德先生从我们身边经过，他来来回回地打量我和亚隆。接着他将我赶回办公室，要那群小孩回去工作。我回到办公桌前用打字机填写申请单，发现法斯宾德先生站到了我的面前。“这么说，”他露出微笑，说，“你有男朋友了。”

我摇摇头。“他不是我的男朋友。”

“就像我不是你老板一样。”

“他只是我学校里的朋友。”我很紧张，担心亚隆会因为和我在我工作的地方讲话，而惹他老板生气。

法斯宾德先生重重地叹了一口气。“唉，那真可惜。”他说，“因为他非常喜欢你。哈，看看，我让你脸红了。你应该给这个年轻人一个机会。”

之后，只要我们需要纺织品，法斯宾德先生一定会特别指定亚隆送货，而且会顺便指派我去帮亚隆打开储藏室的门锁——尽管工厂里有的是比秘书更适合做这件事的人。而事后呢，他会来我桌前问东问西，我后来发现，他其实很爱做媒。

我们一起使用一个小办公室，于是，他逐渐会对我吐露一些私事。他告诉我，他的妻子丽瑟是个大美人，美到只要走出门，云朵都会为她散去。他说，她本来可以挑选任何男人的，但她选了他，因为他知道怎么逗她开心。他最懊恼的是，在她过世之前，他们没有生下孩子。丽瑟六年前死于肺结核。我后来才发现，工厂里的所有人，从最小的女孩到我在内，全是他的孩子。

有一天，工厂里只有法斯宾德先生和我两个人。有时因为材料短缺，刺绣工作会因而停摆，这次我们少的是缝线。法斯宾德先生外出了一会儿，回来时显得十分慌张。“我们需要更多人手。”他大声咆哮。我从来没见过他这么沮丧。我首次觉得自己怕他，因为我们现有的工作已经不够分配了，我不知道他要更多员工来做什么。

第二天，除了我们一向雇用的一百五十名员工之外，法斯宾德先生额外找来了五十个带着幼儿的母亲。这些孩子太小，在刺绣工坊里完全派不上用处，于是他要他们负责将绣线分色。亚隆带了好几捆白布过来，纺织部门接到订单，要为东部战线生产五万六千套夏天的迷彩服，我们的工厂要负责缝纫这些制服的佩章。

所有的订单都是我经手处理，所以我很清楚，我们的工厂并没有接到委任，我们只是成了美化过的日间托儿中心。“你不必操这个心。”当我询问法斯宾德先生的时候，他断然地回答。

那个星期有个新的命令，有两万名犹太人将被逐出隔离区。朗考斯基主席出面谈判，让遣送人口减半为一万人，但是名单得由隔离区的主管单位拟定。第一批遭到遣送的，是住在隔离区内另一个独立区域的吉普赛人，接着是罪犯，然后是没有工作的人。

例如最近才进工厂工作的五十名母亲。

我有种感觉，如果法斯宾德先生有办法把名单上的一万人全带进他的小工厂，他一定会那么做。

到了一月的第一个星期，被列入名单上的人都收到了传票，我们嘲讽地称之为“喜帖”，去出席一场没人想参加的宴会。火车每天从隔离区运走一千人。到了这时候，我们的绣线终于运到，工厂的新进员工坐下来就开始绣徽章，好像天生就知道怎么做。

有天晚上，我正要盖上打字机的套子，法斯宾德先生问起我家人是否都好。这是他第一次提及我在工厂四墙之外的人生，我吓了一跳，说：“都好。”

“他们都不在名单上吧？”他的问题很直接。

这时我才发现，他对我的了解，远超过我对他的认识。因为，万人名单上也包含了吉普赛人、无工作者及罪犯——例如鲁彬——的亲戚。

我不知道当初芭希雅和朗考斯基主席谈妥的是什么条件，但这个条件显然够周全。她不知道她丈夫在哪里，是否还活着，但也没有因为他犯了罪，而被列入驱逐名单当中。

法斯宾德先生关掉电灯，月光从办公室的小窗口照进来，我勉强辨认出他的轮廓。黑暗让我突然有了勇气，我脱口问："你知道他们会被带到哪里去吗？"

"到波兰农场去工作。"他说。

我们静静地凝视对方。几个月前，我们也是说鲁彬去了波兰农场。法斯宾德先生一定从我的表情中看了出来：我不相信他。

"这场战争，"他重重地叹了一口气，"大家逃都逃不掉。"

"你觉得持有文件的人也逃不掉吗？"我低声说，"天主教徒的文件？"

我不知道为什么会把自己最重要的秘密告诉他——一个德国人，这件事，连我父母都不知道。但是这个男人的某种特质，以及他不遗余力地保护别人小孩的态度，让我觉得他可以信任。

"如果谁有天主教徒的文件，"好一会儿之后，他说，"我会要那个人到俄国去，等战争结束之后再回来。"

那天晚上下班后，我开始哭。不是因为我知道法斯宾德先生说的没错，也不是因为我仍然不可能抛下家人，自己离开。

而是因为我们两个在没人看得到的阴暗工厂办公室里，法斯宾德先生为我拉开门，仿佛我还是个年轻女士，而不只是个犹太人。

虽然我们全都相信一月的万人名单只是战争期间的单一恐怖时刻，虽然主席在演说中不断提醒，说我们是德军不可或缺的劳动力，但是在短短的两个星期之后，德国人便提出了再度遣送的要求。到了这时候，谣言已经如燎原的野火传遍所有工厂，所有的生产几乎都瘫痪了，因为没有任何人接获过遭遣送者的音讯。任何人迁居他处之后，都不太可能不和家人联系。

一天早上，当我们在放粮处等着领取配粮的时候，塔雅说："我听说他们全被杀了。"

这些日子以来，我母亲累到没办法和一堆人一起排队领取食物。有时候，等待的时间似乎比吃喝的时间更久。这个时间，我父亲仍然在面包店工作，芭希雅到日间托儿中心去接麦亚。其实，这些托儿中心早已正式解散，但许多工厂私底下仍然继续这项服务，包括芭希雅工作的纺织工厂在内。于是，排队领取配粮的工作落到我身上。至少我有塔雅陪我打发时间。"他们怎么可能每天杀一千个人？"我嘲弄地说，"而且，如果我们可以当免费劳工，他们何必杀我们？"

塔雅靠到我身边，低声说："毒气室。"

我翻了个白眼："我以为我才是小说家。"

尽管我认为塔雅说的故事太天马行空，但仍相信其中有一部分属实。比如说，隔离区的官员答应给自愿搭车驱离的人一顿免费餐食。而且食物配给量变得更少了，这仿佛在鼓励举棋不定的人，要他们早点下定决心。毕竟，如果你相信朗考斯基的说辞，能离开这个地狱般的隔离区，又能同时填饱肚子，那么大家何乐不为？

在这段期间，官员又颁布了新的法令：藏匿遣送名单上的人视同犯罪。又或像魏斯祭司，他负责为最近一次遣送交出三百名自己的会众，但是他一个名字都不肯给。当士兵去逮捕魏斯祭司时，发现他和他的妻子紧紧握着手躺在床上，早已断了气。我母亲说，魏斯夫妇能同时走，算是他们的福气。我简直不相信她以为我会笨到相信这种事。

到了一九四二年三月底，每个人都有熟人遭到遣送，这其中有我的表姐瑞芙卡、塔雅的阿姨、鲁彬的双亲，和我从前的医师。这时是逾越节前后，遣送是我们的瘟疫，但是我们没有足够的羔羊宝血好拯救家户幸免于难。似乎，能让人满意的血，全来自隔离区里的家庭。

我父母为了保护我，只让我得知关于拘捕行动的有限信息。我母亲说，无论身处什么状况都要当个*mensch*，当个正正当当的人，在照顾自己之前必先慈善对待他人；无论你和谁在一起，都要让对方觉得自己是个有价值的人。而我父亲则交代我要穿上靴子睡觉。

我等了好几个小时，才领到我们接下来两个星期的贫乏粮食。这时候，我的双腿已经冰冷，眼睫毛冻得几乎黏在一起。塔雅朝手套里呵气，想让双手暖和一点。“还好现在不是夏天，”她说，“牛奶可能没那么快酸掉。”

我和她一起走到她不得不转弯回家的路口。“我们明天要做什么？”我问道。

“喔，我不知道，”塔雅说，“要不要去逛街？”

“好，可是要能休息，喝个午茶。”

塔雅咧开嘴笑。“拜托，敏卡，你能不能不要想到食物？”

我笑了，在路口转弯。我一个人越走越快，避免和擦身而过的士兵甚或是认识的邻居有目光接触。这段日子，要直视其他人是件困难的事。大家看起来都好空洞，有时候我甚至会想，说不定我会跌进他们空洞的目光中，再也爬不出来。

我跨过少了一阶的木梯——塔雅的家人在十二月把这阶木梯拆下来当柴烧——回到家，立刻注意到家里没人。至少，里头没有灯光，没有声音，没有生命。

“有人吗？”我大声问话，一边走进屋里，把装着配给的帆布袋放在厨房的桌子上。

我父亲坐在椅子上，双手抱着头，他的额头上有一道长长的伤口，血水从他的指缝往下滴。“爸爸？”我喊了出来，跑到他身边拉开他的手，好检查伤口，“你怎么了？”

他看着我，但目光茫然。“他们把她带走了，”他不成声地说，“他们把你妈妈带走了。”

看来，为了补足遣送的配额，被带走的人不见得一定会出现在名单上。要不然就是我母亲收到了她的“喜帖”，但决定不告诉我们，免得我们担心。我们不知道确切的情况，只知道我父亲从面包店回家时，看到党卫队员在客厅里对我母亲和表叔大喊大叫。还好，当时芭希雅带麦亚出去散步，正好不在家。在我母亲想跑向我父亲时，他被士兵拿枪托击昏。而当他醒来时，她已经不在了。

他一边说，我一边帮他清理包扎前额的伤口。接着他要我坐在椅子上，在我脚边跪下。我知道他正在拆我的鞋带。他脱下我左脚的靴子，对着地板敲松鞋跟，然后把鞋跟拉开，露出藏在隔层里的金币。他掏出隔层里的钱。“你的另一个鞋跟里还有钱。”他说，似乎想让他自己安心，确认这个做法没错。

他帮我穿上靴子之后，拉起我的手，带我走到屋外。我们在街上走了好几个小时，想问出是否有人知道遭拘捕的人会被带到什么地方，但大家都避开我们，仿佛悲惨的际遇会传染。太阳逐渐西沉，像个掉落在屋顶的破碎蛋黄。“爸爸，”我告诉他，“宵禁时间快到了。”但是他似乎没听到我的话。我吓坏了，觉得这无疑是他最后的愿望。如果他找不到我母亲，他宁可不留在隔离区里。没多久，我们便遇到了两名巡逻的党卫队队员。其中一个党卫队员指着我父亲叫骂：“滚出这条街！”但我父亲继续往前走，他伸手拿出金币，党卫队员则举枪瞄准。

我冲到父亲的前面。“求求你，”我用德文恳求他，“他脑袋迷糊了。”

第二个党卫队员往前走，拉着同事的手，将枪管往下压。我又能呼吸了。“*Was ist los*？”他问道，怎么了？

父亲看着我，他的表情痛苦，我几乎没办法直视他的双眼。“问他们把她带到哪里去了。”

于是我照他的话做。我解释我母亲和表叔被党卫队从家里带走，我们想找他们。接着，我父亲用了世界共同的语言表达：他把金币塞进党卫队员戴着手套的手中。

在路灯的光线下，党卫队员的响应也带着阴影，他们的回答在双方之间慢慢膨胀开来。“*Verschwenden Sie nicht Ihr Geld*。”说完话，他把金币扔到人行道上。他朝我们公寓的方向扬了扬下巴，提醒我们现在已经到了宵禁时间。

“我的金币和别人的一样好！”党卫队员继续往前走，我父亲愤怒地朝他们的背影吼叫。“我们可以再去问别人，敏卡，”他向我保证，“隔离区里一定有愿意拿信息换钱的士兵。”

我跪下来，捡起圆石路面上闪闪发光的金币。“对，爸爸。”我说。但我知道他的愿望不可能成真，因为我听得懂党卫队员说的话。

不必浪费你们的钱。

在母亲失踪的隔日，我仍然去工作。工厂里有些女孩没来，其他女孩则是边刺绣边哭。我坐在打字机前面，想把全副精力放在申请单上却徒劳无功。在连续出错五次之后，我终于一掌拍向按键，接着所有按键同时弹了起来，打出一行毫无意义的字，仿佛全世界都开始造谣。

法斯宾德先生从里头的办公室走出来，看到我在哭。“你会让其他女孩也跟着难过。”他说。果然，我看到工厂里有几个女孩透过隔开我办公室的窗户往里看。“进来。”我跟着他走进他的办公室，像往常准备听写那样坐了下来。

他没假装自己没听说昨天傍晚的拘捕事件，也没叫我别哭，甚至还把他的手帕递给我。“今天，你到里头来工作。”宣布完毕，他走了出去，顺手关上门。

有整整五天时间，我在办公室里像僵尸似的工作，一回到家，又变得像鬼魂一样，静静地跟在我父亲后面收拾善后。自从母亲离开之后，他不吃也不睡。芭希雅只好像喂麦亚那样，用汤匙喂父亲喝汤。我不知道他怎么熬过面包店的工作，但我猜，他的同事应该接手处理他一个人做不到的事，为他掩护。我不确定是母亲突然失踪比较糟，还是看着父亲一点一滴消失比较悲哀。

一天晚上，我离开工厂走路回家，一路上，我一直觉得背后有个影子跟踪，像龙一样呼出热气，吹在我的脖子上。但每次我回头却都没发现异状，只看到形容枯槁的邻居赶着回家，在一进家门之后又立刻关上门，免得苦难跟在身后溜进门槛。尽管如此，我仍然甩不开被人跟踪的感觉，我越来越害怕，而且程度倍增，恐惧像是父亲手揉的面团，只要时间够长，就足以塞满我脑袋里的所有空间。我心跳狂乱地冲进家门，家里的气氛变得好奇怪，我的表叔和表姐都不在之后，我们似乎成了入侵者，而不是客人。“芭希雅？”我喊道，“爸爸？”然而我只是想碰运气。这时候，家里只有我一个人。

我解开围巾的结，打开外套的扣子，但是我仍然把围巾和外套穿戴在身上，因为公寓里没有暖气。接着，我把一把水果刀藏在袖子里，以防万一。

我听到房间里有东西打破的声音。

这个声音来自公寓里唯一的卧室，我们刚搬进来时，我的表叔和表姐就住在里面。我虽然穿着厚重的靴子，但尽可能保持安静，蹑手蹑脚地走过去往门里看。房间窗户有一片玻璃被人打破，我四处张望，想看是否有人丢石头进来，但是地板上除了玻璃碎片之外，什么都没有。我跪下来，小心翼翼地用掌心扫起玻璃屑，拿裙子当簸箕。

看到了。我完全没想到会有个影子从我眼角边闪过。

我跳了起来，碎玻璃全掉回了地上。我用力拉开卧室的门，看到一个破窗而入、躲在我家里的瘦高男孩。我挥动原来藏在袖子里的水果刀，将他逼到角落上。“这里没东西给你，”我高声说，“没有食物，没有钱。滚开。”

他双眼圆睁，一身衣服又破又旧。但是他和我们这些挨饿的人不同，我看得出他衬衫下有结实的肌肉。他往前走了一步。

“不准动，否则我会杀了你。”我吼了出来。在那一刻，我相信自己办得到。

“我知道你母亲出了什么事。”他说。

我有办法编出不死巫皮欧爱上人类女郎的故事，却无法相信男孩口中的奇幻际遇。他叫作赫斯，和我母亲搭乘同一列运输火车离开隔离区。火车开了将近六十五公里之后来到科沃，接着大家换乘另一辆窄轨火车到了波维契。他们抵达时，天已经晚了，于是大家被带到几公里之外的一处废弃磨坊。

赫斯就是在磨坊里见到我母亲的。她说，她有个年龄和他相近的女儿，而且她很担心我，希望能想办法传话回隔离区。她问赫斯，想知道他是否也有家人住在隔离区里。“她让我想到我自己的母亲，”赫斯说，“我父母在第二次拘捕的时候就被带走了。我本来以为，如果我们都被带到同一个地方工作，我可能有机会再次和他们见面。”

这时候，我们已经坐下来说话，芭希雅和我父亲也在场，仔细聆听赫斯的每一句话。毕竟，如果他可以在这里出现，那么我母亲是不是也很快就能回来？“说下去。”我父亲催促他。

赫斯抠抠手上一个疙瘩，双唇打战。“第二天早上，士兵把我们分为几个小组。你母亲和其中一组人搭上卡车，我和另外九个人是一个十人小组，都是高壮的年轻男人。我们搭车到一间石砌的大宅，接着又被带到主屋的地下室。地下室的墙壁上签满了名字，另外有个用意第绪语写的句子：来到这里就不可能活着离开。那地方有窗户，但全用木条封了起来。”赫斯用力吞下口水，“但是我听得到窗外的声音。我听到另一辆卡车开进大宅，这次，一名德军告诉这批人，说他们会被派去东线工作。但是他们必须先冲澡，然后穿上消毒过的干净衣服。卡车上的人开始拍手，一会儿之后，我们听到他们光着脚，从地下室的窗边经过。”

“所以她没事。”我父亲呼出了一口气。

赫斯低头看自己的腿。“第二天早上，我和其他几个在地下室里过夜的同伴被带到树林里去工作。离开时，我注意到一辆厢型货车停在房子前面。车后厢是打开的，和地面之间架着一道斜板。地板上有一片木制的格板，和我们在小区澡堂看到的地板一样，”他说，“但是我们不是要进到货车里，而是爬上两侧都盖着防水布的卡车。另外有三十个左右的党卫队队员和我们同行。抵达之后，我看到地上有个大坑，我领到一把铲子，他们要我们继续把坑挖得更大。大概在早上八点过后，第一辆货车开过来。这辆货车和我在大宅旁看到的那辆很像。几个德国人上前打开后车门，接着迅速跑开，车厢冒出一阵灰色的烟雾。大概五分钟之后，党卫队员要我们其中三个人进车厢去。我是其中之一。”他倒抽一口气，像是用吸管呼吸，“里头的人是被毒气毒死的，其中有些人还彼此拉着手，大家都只穿着内衣裤，皮肤也还有余温。其中有几个人还活着，这时候，党卫队员便会对他们开枪。尸体被搬出来之后，党卫队开始搜身找金子、珠宝或钱，然后把尸体埋进坑里，随后再收起稍早发给这些人用来冲澡的毛巾和肥皂，给下一批人使用。”

我目瞪口呆地看着赫斯。这没道理，为什么会有人花这么多心思来杀人？而且这些人可以劳动，生产德军需要的战备物资。这时候我开始推算，赫斯在这里，我母亲不在。赫斯看到尸体被人从货车上搬下来。“你在说谎。”我斥责他。

“我希望我说的是谎话，”他喃喃地说，“你母亲在当天的第三辆货车上。”

我父亲趴在桌子上，开始啜泣。

“被挑去林子里挖洞的男孩中，有六个在当天被枪杀，因为他们动作太慢。我虽然熬了过来，但是我也不想活，打算那天在地下室里上吊自杀。接着我又想到，虽然我家人都不在了，但是你母亲不同，说不定，我可以找到你们。第二天，当他们来载我们到树林的时候，我向党卫队员要香烟抽，有个队员递给我一支烟，但接着卡车里的每个人都吵着要烟。就在大家挤向他的时候，我拿出口袋里的笔戳破防水布，然后撕开一条长长的缝，再跳出来。他们开枪射击但没打中我，我成功地跑出树林，又找到一座谷仓，躲在隔层的干草堆下面。躲了两天之后，我才溜出来，回到了隔离区。”

我听着赫斯说出他的经历，但其实我想骂他是个傻子，大家都想离开隔离区，只有他还潜进来。但是话说回来，如果离开隔离区代表死在充满毒气的货车柜里，说不定，赫斯才是真正聪明的人。我不是那么想相信赫斯的说法，我没办法接受。但是我父亲立刻盖上家中唯一的镜子。他没在椅子上坐下，而是直接坐在地上。他撕开自己的衬衫，芭希雅和我跟着他做，循宗教传统仪式来悼念我母亲。

那天晚上，我听到父亲在哭泣。我在他和我母亲共享的床垫上坐了下来。这个公寓本来太过拥挤，而现在的空间却大过我们所需。“敏卡，”我父亲说话的声音好轻柔，说不定是出自我的想象，“在我的葬礼上，记得……记得……”他泣不成声，没办法说出他想要我记住的事。

他在一夜之间白了头。如果不是亲眼看见，我绝对不可能相信。

最难理解的应该是：骇人听闻的惨剧怎么会变得如此稀松平常？我曾经想过，怎么会有人亲眼目睹巫皮欧凑向刚死受害者的脖子吸血，而有办法不转开视线。而现在，我从自己的经验中得知，你真的可以看着一名老妇头部中弹，然后为了她的血水溅到你的外套而叹气；能够听到猛烈的枪声，却连眼睛都不眨一下。而且你不会继续认为事情还会更糟，因为最糟的状况都发生过了。

或者说，我是这么以为的。

九月一日，好几辆军车停到隔离区的几座医院前面，党卫队员把里头的病人拖了出来。塔雅告诉我，有人在儿童医院看到婴儿被人从窗户抛出来。我猜，一直到那个时候，我才明白赫斯可能没有说谎。这些穿着医院睡袍的男男女女脚步蹒跚，有些甚至虚弱到无法自行站立，这群人不可能去东线劳动。第二天下午，主席发表了演说。我和芭希雅站在广场上，麦亚夹在我们两个之间动个不停。他又开始咳嗽了，而且变得很烦躁。我父亲不再是过去那个男人，仿佛成了影子，他留在家里没出来。他仍然勉强去面包店工作，但除此之外，不再到任何公开场所。就某方面而言，我的小外甥应该比我父亲更有能力照顾自己。

朗考斯基主席破碎的声音透过竖在广场角落的扩音机传了出来。“隔离区面临惨痛的打击，”他说，“他们要的是隔离区里最重要的孩子和老人。我自己没享到恩典，没有儿女，因此才会把生命中最美好的时光奉献给儿童，和儿童一起生活一起呼吸。我从来没想过会有这么一天，我必须用自己的双手将献礼送上祭坛。我已经上了年纪，但是我还是得伸出双手恳求……兄弟姐妹们，请把他们交给我！父亲和母亲们，把你们的孩子交给我。”

我身边的群众发出惊呼、尖叫和怒吼。这时候我正好抱着麦亚，听到主席的话，我将他搂得更紧了些，但芭希雅一把从我怀里抢走麦亚，将头埋在孩子的头发间，这孩子有一头和鲁彬一样的红发。

主席继续说，接下来要遣送两万人，而病人和老人只能凑出一万三千人。我身边有个人喊：“我们一起去！”另一个女人高声提议：没有任何父母会送出独生子女，有多名子女的家庭应当要先送出孩子。

“不，”芭希雅喃喃地说，她的双眼底充满恐惧，“我不会让他们带走麦亚。”

她将麦亚搂得太紧，孩子开始哭。主席仍然继续演说：唯有如此，才能满足德国人。他知道自己的要求有多么可怕，他也说服德国人，只带走十岁以下的孩童，因为他们不会知道自己的遭遇。

芭希雅弯腰吐了出来。接着，她推开群众，抱着麦亚朝主席讲台的反方向走。“我了解撕裂肢体有什么感觉。”朗考斯基仍然想为自己辩护。

我也了解。

撕裂肢体，等于血流不止。

那天工厂下班之后，法斯宾德先生不让我们离开，连回家向父母报告我们会晚归都不行。他告诉前来要求解释的人员，我们有笔订单赶着交货，大家都得留下来整夜加班缝纫。他封锁了所有的门，拿着枪站在出入口——我从来没看过他带枪。我想，若有士兵想来工厂带走他雇用的孩子，他可能会起而对抗自己的国家。我知道，这是为了保护我们。因为宵禁的限制，大家不得不待在家中，而党卫队和警察会挨家挨户搜捕要遣送的孩童。

接着，我们听到了枪声和尖叫声。法斯宾德先生要大家保持安静，工厂里那几名年轻母亲几乎要崩溃，把孩子抱在怀里摇动安抚。法斯宾德先生发糖果给他们吃，让他们拿线轴当积木玩。

到了第二天早上，我几乎要发狂。我无法不去想芭希雅和麦亚，我父亲仍然失神，我不知道有谁能保护我姐姐和外甥。“法斯宾德先生，”我恳求他，“请你让我回家，我十八岁了，不可能被当作孩子。”

“你是我的小孩。”法斯宾德先生回答。

我做出一件大胆的举动，去碰他的手。法斯宾德先生对我虽然好，但是我从来没敢以为自己和他站在平等的地位。“如果我明天或后天才回家，发现有人在我离家期间带走了我的家人，我不觉得我还能面对自己。”

他久久地看着我，然后带我到门口。他陪我走到工厂外，朝一名年轻的德国警察招招手。“这女孩一定得安全到家，”他说，“这是第一优先，而且如果她没能安全到家，我一定唯你是问。听懂了吗？”

这个警察没大我几岁。他点点头，法斯宾德的报复威胁让他不敢说话。他陪我走回我家，在房子的前梯处便停下了脚步。

我低声用德文向他道谢，急忙跑进屋里。家里没开灯，但我知道德军不会因此而不走进我家里找麦亚。我父亲听到我进门的声音站了起来，他将我拥入怀中，抚摸我的头发。“小敏卡，”他说，“我以为我也失去你了。”

“芭希雅呢？”我问道。父亲带我走进厨房，两年前，我可怜的表姐瑞芙卡拆下橱柜的承板当柴烧，这个小小的空间上盖着一张用报纸做成的脚垫。一拉开脚垫，我看到芭希雅惊慌失措地看着我，我还听到麦亚吸吮大拇指的声响。

“很好，”我说，“这很好，我们来改进一下。”我疯狂地在公寓里寻找，最后看到父亲从面包店带回来的大桶子。我们拿这个面粉桶来充当餐桌，取代之前被我们劈开当柴烧的桌子。我推倒桶子，把桶子滚进厨房，然后把桶子立在洞口上面。厨房里有面粉桶很正常，而且是个阻碍，让士兵不至于发现下面有个躲藏的空间。

我知道他们越来越接近了，因为邻近的公寓传来尖叫声，被带走的人和留下来的人都在哭喊。然而一直到了三个小时之后，他们才来到我家。他们一把推开门，询问麦亚在哪里。“我不知道。”我父亲说，“我女儿没在宵禁前回家。”

一名党卫队员转头看着我。“说实话。”

“我父亲说的是实话。”我说。

接着我听到了。咳嗽声，还有细弱的哭声。

我立刻抬起手捂着嘴。“你生病了吗？”党卫队员问道。

我不能说对，因为这会让我被列入应要遣送的病人名单里。“只是呛到而已。”我一边说，一边在声音消失之前拍自己的胸口。

这几个人没有继续追究，而是动手打开柜子和抽屉，寻找小到足以藏匿小孩的空间。他们用刺刀戳我们的床垫，看麦亚是否躲在里头，甚至连火炉深处都没漏掉。当党卫队员走进厨房用枪管搜索柜子，把我们贫乏的口粮扫进空桶里的时候，我静静站着不敢动。他低头看着桶子的开口。

他转过身，面无表情地看着我。“如果我们找到她带着小孩躲藏，我们会杀了她。”说完话，他一脚踢向桶子。

桶子没倒也没摇晃，只是略略被踢向右边，下面的报纸也跟着移动，露出小地洞的一线缺口。

我屏住气，心想他们一定会发现，但这个党卫队员已经转身，要其他人到隔壁的公寓去。

父亲和我看着他们离开。当我想再走进厨房时，我父亲说：“再等一下。”他偷偷指着窗户。窗外，我们的邻居被拖到马路上，往前走了几步之后遭到枪毙。又过了十分钟，党卫队离开了这条街，附近只剩下其他母亲的哀号。这时，我父亲才跑进厨房，挪开桶子。

“芭希雅，”我喊着，“结束了。”她满脸泪水，又哭又笑。她坐起身子，在我父亲拉着她离开小洞时，依然没放开麦亚。“我以为他们会听到咳嗽声。”我说，紧紧拥抱我姐姐。

“我也这么想，”芭希雅承认，“可是他真的好乖，对不对，我的小男人？”

我们都低下头看，芭希雅将麦亚的脸紧紧压向她的脖子，只有这样，她才能让他安静。麦亚没有再咳嗽了，也没有哭。

但是我姐姐——她低头看到儿子发青的嘴唇和空洞的双眼，放声大哭。

孩子们搭上马车离开，出了隔离区的栅门。有些孩子身上穿的是他们最好的衣服——到这个时候，这些衣服也褪去了原有的光彩。每个孩子都扯着嗓门哭喊，想找自己的母亲。而这些母亲必须回到工作岗位，假装什么事都没发生。

隔离区成了鬼城。我们这群疲惫的工人像是一道灰色的河流，大家都不想回忆过去，也不觉得自己还有未来。这里没有欢笑，再也看不到画在地上的“跳房子”图案；系在头发上的缎带和笑语同时消失，这里没有色彩，没有美景。

他们说，正是因为如此，她的死才会那么美丽。她像只鸟，从跨越路托米斯卡街的天桥上纵身一跃，飞向犹太人不许进入的街道。他们说，芭希雅的长发飘散在背后，仿佛一双翅膀，而她的裙子犹如鸟尾。他们说，在她腾空时，子弹击中了她，让她披上一身绯红的羽翼，成了永远不再振翅的凤凰。

黑暗中有声嗥叫，因为太轻柔，听起来更像是低沉的呜呜。我划下火柴，闻到了硫黄味，接着，火把又开始燃烧。有个男人蹲在我面前的血泊中，他的眼神狂野，头发纠结。他嘴角的血持续地往下滴，他捧着一块生肉的双手沾满了血。我往后退，拼命想呼吸。我在峭壁边的洞窟里，亚历山大告诉过我，这地方是他暂时的栖身之处。在他从村里的广场逃脱之后，我本来以为能在这里找到他。但这——这不是亚历山大。

这个男人——我还能称他为男人吗？——往前走了一步。他手上那块吃到一半的肉有手掌，有指头。这只手抓着我想忘也忘不了的镀金拐杖头。巴鲁克·贝勒不再是失踪人口了。

我眼前的世界一片模糊，开始天旋地转。“不是什么野兽，”我强迫自己说话，“是你。”

这个吃人肉的动物露出微笑，牙齿上还沾着鲜血。“野兽……巫皮欧。何必这么计较呢？”

“你杀了巴鲁克·贝勒。”

“真虚伪，老实一点，你敢说你从来没希望他死吗？”

我回想这个男人几次来到我家茅屋催缴我们拿不出来的税款，强迫我父亲接受让我们越陷越深的条件。我看着眼前的野兽，突然觉得好反胃。“我父亲，”我喃喃地问，“也是你杀的吗？”看到巫皮欧没有回答，我冲向前去，以指甲和愤怒当作武器来攻击他。我抓破他的皮肤，对他又踢又打。我要为父亲报仇，就算送命也值得。

突然间，有一双手抱住我的腰，将我往后拉。

“住手。”亚历山大喊道，用全身的重量把我压制在地上。从这个角度，我看得到巫皮欧肮脏的赤脚上系着一条链子，脚边有一堆白骨。我还看得到亚历山大磨破的袖口上沾着血。无论他是如何挣脱达米安捆住他的绳索的，他一定很痛。

“放开我。”我喊了出来。我不要亚历山大救我，如果我可以为我父亲复仇，我不要他出手。

“别这样。”亚历山大恳求我，我这才发现他要保护的人不是我，“拜托你，他是我弟弟。”

我不再挣扎。这是卡希米？是亚历山大白天照顾、晚上锁起来，以免他吃下不该吃的食物的弱智男孩？的确，我从来没有看过他皮面罩下的脸孔。但是亚历山大也说过，他会吃下石头、树枝和泥土这些人不吃的食物。如果这是个谎话，那么我怎么能相信他告诉我的其他一切？

我摇摇头，试着去了解。亚历山大保护过我，在我受伤时救了我的性命，而伤我的却是他的弟弟。但是他和我身边这个怪物有相同的琥珀色眼眸，血管里流动着相同的血液。“他是你弟弟，”我沙哑地重复他的话，“但是我没有了父亲。”我挣脱亚历山大，面对卡希米，“因为你杀了他！说出来！”我抖得太厉害，几乎站不住身子。但是卡希米不愿说话，不肯让我称心。

我漫无目的地朝来时路狂奔，在急转弯处踢到岩石绊倒，一脚踩空之后，我重重地扑倒在地上。就在我挣扎着想站起来时，亚历山大的双臂环住了我。我全身僵硬，想到他间接地为我带来这些痛苦。“你本来可以阻止他的，”我哭着说，“他谋杀了世上唯一爱我的人。”

“你父亲不是世上唯一爱你的人，”亚历山大坦白地说，“而且你也不能把他的死怪在卡希米身上。”他转开头，脸孔陷入了阴影当中，“因为，杀他的人是我。”

敏卡

那段时间，隔离区里陆续有人消失；他们就像玻璃上的指纹一样，曾经存在人们的眼前，在下一瞬间却无影无踪。死亡在我步履艰辛走在街上时伴着我；趁我洗脸时在我耳边低语；当我躺在床上发抖时拥抱着我。法斯宾德先生已经不是我的老板了，我被重新指派，离开了办公室，进入工厂缝制皮靴。我的双手就算不拿针线也已经会颤抖，要穿针引线更是难。大家都有随时遭到遣送的心理准备。工厂里有些女人拆下婚戒上的钻石，请医师帮她们镶在牙齿上；有些女人上工时会把小袋金币塞进阴道带进来，以防警察到工厂执行拘捕行动。尽管如此，我们还是继续活下去。我们仍然工作、吃饭、庆祝生日、说长道短、读书写字、祈祷加上玩乐，然后隔天早晨醒来，再过同样的生活。

一九四四年七月的某一天，我去接塔雅，准备两个人一起排队领配粮，但是她已经被送走了，而我几乎没时间哀伤。到了这时候，失去身边最重要的人已是意料当中的事。何况三天之后，父亲和我也知道自己都被列入了遣送名单。

七月的天气很热，炎热到让人无法相信在短短几个月之前，我们无论怎么努力都没办法取暖。工厂里的温度滚烫，我们不能开窗，空气又闷又潮湿，大家的喉头就像是塞了海绵。我连续工作了十二小时才走出工厂，外面的新鲜空气让我心怀感谢，我不急着回家，因为回到家，我只能和父亲坐着等待，不知道隔天早上当我们到广场集合之后会发生什么事。

于是我走进隔离区里蜿蜒的小巷弄。我知道亚隆住在这一带，而我有好几个星期没见到他了。他很可能和塔雅一样，已经被遣送出去了。

我拦住一名路人，询问他是否认识亚隆，但他只是摇摇头，继续往前走。我的做法太让人难以想象，我们不会说起那些从自己身边被送走的人，这就像某些文化把死亡当作禁忌一样，免得他们永远缠着我们不放。“亚隆，”我问一位年长妇人，“亚隆·桑戴克，你见过他吗？”

她看着我。我惊讶地发现她没比我大多少，但是她的头发已经灰白，也开始掉落，松垮的皮肤挂在骨头上，和衣架上过大的衣服没有两样。她说：“他住那里。”她指着同一条街，远一点的门。

亚隆带着惊恐的表情开门，他怎么可能不害怕？随着敲门声而来的通常是闯进家里的军人。但他看到来的是我，脸色立刻缓和下来。“敏卡。”他伸手将我拉进屋里。他家里和火炉一样热。

“有别人在吗？”

他摇摇头。他穿着内衣和裤子，裤头用针别了起来，以免从他皮包骨头的腰间滑下来。他的肩膀上满是汗水，看起来又湿又亮，像是黄铜旗杆的圆端。

我踮起脚亲吻他。

他尝起来有香烟的味道，颈后的头发潮湿。我紧紧贴向他的身体，深吻着他，仿佛这一刻已经让我期待了许多年。我猜，其实这也是事实。只是对象不是亚隆。

最后，亚隆终于发现这不是幻觉。他抱住我的腰，开始回吻，一开始略带尝试，接着越来越强烈，像个挨饿太久的男人终于走进一场盛宴。

我抽开身直视他的双眼，然后解开上衣的扣子，让前襟敞开来。

事实上这不值得一看。我的肋骨比胸部还明显，双眼下挂着永远存在的黑眼圈，头发干燥纠结，但幸好还够长。

一会儿之后，我才认出亚隆的目光，怜悯。“敏卡，你在做什么？”他低声问道。

我突然觉得好尴尬，立刻拉好衬衫盖住自己。我太丑，连这个曾经对我有兴趣的男孩都不屑一顾。“如果你不懂，那只能说我表现得太差了，”我说，“对不起，打扰你了——”

我边扣扣子边转身，急着想出门。这时亚隆拉住我的手臂。“别走，”他静静地说，“请你别走。”

在他再次亲吻我的时候，我心想，如果我们有时间，说不定在另一个人生里，我终究会爱上他。

他扶着我躺在他的垫子上，这个他用来睡觉的垫子就摆在这间套房的正中央。这时没有必要问为什么，为什么是他。我不想回答任何问题，而他也不想听。他坐在我身边，握住我的手。“你确定吗？”亚隆问我。

看到我点头，他才脱下我的衣服，让皮肤上的汗水干去。接着，他脱下自己的内衣和裤子，整个人覆盖住我。

他在我双腿间移动，推进我体内时，我觉得痛。我不明白这有什么好大做文章的，那些诗人何必赞颂这一刻，史诗当中的珀涅罗珀为什么要苦苦等待奥德赛，骑士出征时又为何要把爱人送的缎带绑在剑柄上。随后我才懂。在我肋骨下跳动的心跳缓和下来配合他的速度，他的血液和我的有相同的律动，像是场必然发生的合唱。我变了，和他在一起，我从丑小鸭变成雪白的天鹅。在那短暂的一瞬间，我成了某个人的梦想，是他活下去的理由。

事后，等我穿上衣服，亚隆坚持陪我回家，他似乎把我们当成真正的情侣。我们在我家外头停下了脚步。我父亲在家，我知道，他在整理行李，每个人只能带一件行李离开。他会想知道我去了哪里。亚隆低下头，在大庭广众之下，在路过的邻人面前亲吻我。他看起来好快乐，我觉得自己似乎亏欠他，应该要透露一部分真相。“我想知道那是什么感觉。”我低声说。因为这可能是我最后的机会。

“结果呢？”

我抬头看着他。“非常感谢你。”

亚隆笑了出来，“这话听起来好正式。”他向我夸张地鞠躬，“勒文小姐，我明天可以来看你吗？”

如果我有那么一点爱他，那么我欠他的不止刚刚那一丁点真相。我欠他一个安慰的谎言。

我行了个屈膝礼，强迫自己微笑，仿佛明天我还会在这里接受他的追求。“当然可以，桑戴克先生。”我说。

那是我们最后一次交谈。

如果你要用一只行李箱收拾自己的一生——不只是衣物等用品而已，还要加上你对离开的亲友、对小时候的自己等种种记忆——你会带走什么东西？挚友送的生日礼物？和你母亲的最后一张合照？两年前巡回马戏团进城演出的入场券票根？你和你父亲屏息凝望佩戴满身珠宝的女郎从半空中飞过，目不转睛地看着一个勇敢的男人把脑袋塞进狮子嘴里……你带走这些东西，是为了让新的住处有家的感觉，还是因为你需要记得自己从哪里来?

最后，除了这些东西之外，我还带了《堕落少女日记》、麦亚的婴儿鞋和芭希雅在婚礼上戴的头纱。我当然会带我的小说，我已经写满四本笔记簿了。我把其中三本放进行李箱，另一本放在我的小背包里。接着，我把天主教徒的文件放进靴跟夹层，和金币放在一起。我父亲最后一次拉开公寓大门时仍然没说话，但这里其实也不是我们的家。

这时是夏天，但是我们穿着厚重的冬衣。从这点你可以看出来，即使到了那一刻，尽管听到太多传言，我们仍然抱着希望。或者你可以说我们愚蠢，因为我们还会想到未来。

我们不是坐车而是走路，因为遣送的人数太多，大约有好几百人。我们徒步行走时，军人骑着马走在我们身边，阳光照得他们的配枪闪闪发亮。

我父亲走得很慢。先是我母亲被带走，接着，失去麦亚和芭希雅也让他大受打击。他一直没有恢复往常的样子，经常在对话还没结束前便已经双眼茫然，而且肌肉萎缩，走路时不是跨步前进，而是拖着脚移动。他就像是长期暴露在严苛的环境中，褪掉了所有的色彩，虽然你还能看得出他过去的模样，但他其实更像行尸走肉。

士兵要我们维持快步走路的速度，我担心父亲跟不上。我既虚弱又脱水，眼前的道路仿佛有起伏会波动，但是我仍然比父亲强壮。“我们离火车站不远了，”我催促他，“你可以办到的，爸爸。”我一只手拿着自己的东西，用另一只手接下他的行李箱，好减轻他的负担。

走在我前面的女孩绊了一跤，我停下脚步。我父亲也跟着停下来。行进队伍像是潮水冲撞水堤一样起了波澜。“*Was ist los*？”离我们最近的士兵开口询问怎么了。他踢了踢侧躺在地上的女孩。接着他弯腰捡起路边的树枝，戳戳女孩，要她站起来。

看她爬不起来，士兵用树枝缠住她的头发开始拉扯，而且逐渐加大力量。他怒斥女孩，要她站起来，但她仍然倒地不起。这时士兵开始扭动树枝，拉得女孩放声尖叫，头皮也跟着撕裂开来。

另一名士兵靠过来，举起手枪，朝女孩的头部开枪。

周遭突然又静了下来。

我开始哭，哭得喘不过气。我不知道这女孩的名字，而她的脑浆溅在了我的靴子上。

我亲眼见过十来个遭到枪杀的人，到了现在，我也不再会为此震惊。胸口中弹的人会像是落石，死得干干净净。头部中枪则是一团糟，灰白色脑髓和粉红色的泡沫状组织会四处喷溅。现在这些脑浆喷到了我的靴子上，卡在鞋带间，我不知道这是她大脑中的哪个部分，是主掌语言、行动的部分，还是保存下初吻、疼爱的宠物，或是她搬进隔离区那天的记忆？

我感觉到父亲伸手握住我的手臂，我不晓得他还有这样的力量。“小敏卡，”他低声说，“看着我。”他等着我直视他的双眼，等到我惊慌的喘气逐渐平缓。“如果你死，你会是胸口中枪，不是头部中弹。我向你保证。”

我意识到这是他从前那些计划葬礼玩笑话的黑色版本。只不过这次，他计划的是我的葬礼。

一直到我们搭上火车之后，我父亲才再度开口。我们的行李箱都被收走，人像牲口般挤在运货的车厢里。我父亲坐下来，伸手像我小时候那样揽着我。“你和我，”他轻柔地说，“会在我们要去的地方再开间面包店，方圆十里的人都会来吃我们做的面包。而且我每天都会为你特制一个面包，用你最喜欢的肉桂和巧克力当作内馅。喔，面包出炉时，味道就像天堂一样……”

我发现车厢内静了下来，大家都在听我父亲描述他的美梦。

“他们可以强占我的家，”他说，“带走我的钱、我的妻子和女儿。他们可以夺走我的生计、食物，和——”这时，他顿了一下——“我的孙子。但是他们抢不走我的梦想。”

他的话像一面网子，拉来每个人的同声附和。“我的梦，”车厢另一头的男人说，“是把他们加诸在我们身上的全都还回去。”

车厢的木板内壁“砰”的一响，我们都吓了一跳。

我们，他们。

然而，并非每个犹太人都是受害者，看看朗考斯基主席，他和新一任妻子安安稳稳坐在不费吹灰之力得来的家中拟定遣送名单，手上沾着我家人的血。而且，德国人也并非个个是杀人犯。看看法斯宾德先生在搜捕儿童的那个夜里救了多少儿童。

又有人在拍打车厢，这次的声音来自我枕着头的木板下方。“出来，”有人从车外透过缝隙朝里头低声说，“能逃就逃，你们火车要开进奥斯威辛。”

现场一团混乱。

下车的站台坡道上一片人海。我们麻木又紧张，走出闷热又让人窒息的车厢之后，大家拼命想呼吸新鲜空气。每个人都在喊叫，想找到自己的家人。每隔几尺就有拿着枪对准我们的军人，他们命令男人走一边，女人走一边，大伙儿扯开嗓门，只想让自己的声音压过他们的，好让亲人听见。远处有一排比我们早到的人，我看到更远的地方有一栋加了烟囱的建筑物。

几个穿条纹衣的男人努力要我们排队。他们看起来像是乳草的豆荚，原来色彩鲜丽的植物如今干枯，随时都会被旁人呼一口气吹开。他们用波兰文告诉我们把带来的东西都放在坡道上。我抓住其中一个男人的袖子。“那是工厂吗？”我指着加了烟囱的建筑物问。

“对，”他张嘴说话，露出一口黄牙，“是他们用来杀人的工厂。”

那一刻，我想起那个把母亲遭遇告诉我的男孩，想起自己当时以为，他若不是骗子就是疯子。

我父亲跟着其他男人走向左边。“爸爸！”我尖叫着跑向他。

当枪托击中我太阳穴时，我看到了星星。我眼前一片雪白，而在我再次眨眨眼之后，我看到父亲已经和成排的男人往坡道走去。而我呢，我惊讶地发现有个从前和我一起在法斯宾德先生刺绣厂工作的女人拉着我往前走。我转头拉长脖子看，正好看到我父亲站在排头的军人面前。那个军人撇着嘴，指头靠在唇边，一边往前走，一边打量每一个人，然后说“*Links*（左边）”或是“*Rechts*（右边）”。

我看到我父亲朝左边走，走向较长的队伍。“他们要把他带到哪里去？”我狂躁地问。

没有人回答我。

在推挤之间，我往前站到了一名军官面前。他身边还站着另一个指挥我们的白袍男人。这名一头金发的军官很高，拿着一把手枪。我转过头，想在移动的人群中找到我父亲。穿白袍的男人单手抓住我的下巴，我拼命忍耐，才没朝他吐口水。他看看我头边刚出现的瘀青，说：“*Links*”然后打个手势要我往左边走。

我很高兴，因为我和我父亲往同一个方向去，这表示我们可以相聚。“*Danke*（谢谢）。”我出于习惯，轻声响应。但是金发军官听到了我小声道谢。“*Sprichst du deutsch*？（你会说德语？）”他问道。

“*J-ja*，*fließend*。”我结结巴巴地回答：我德文说得很流利。

军人靠在穿白袍男人的耳边低声说了几句话。白袍男人耸耸肩。“*Rechts*。”听他这么说，我反而慌了。

我父亲被派向左边，但现在我要到右边去，而这全因为我笨到开口说德文。说不定我冒犯了他们，也许我根本不该响应，更何况我还用他们的语言响应。但是我显然是少数，因为其他大部分女人——包括和我一起在法斯宾德先生工厂工作的女人——都往左走。我摇头抗议，恳求他们让我往左走，但有个穿着条纹衣服的波兰男人将我推向右边。

你知道吗，我好几度回想这件事。想到如果我当初往左走会有什么遭遇，那个时候，我浑身上下每一条筋骨都拉着我向左。但是大家都喜欢美好的结局，而且我知道，无论他们怎么说，我都得照办，如此一来，我才有可能再次见到我父亲。

我从那个和我说话的军人身边走过，发现他的右手——拿着手枪的手——有些抽动，几乎像是在颤抖。我担心就算不是故意，他也可能不小心射杀我。于是我急忙离开，和少数几个女人站在一起。之后，另一个军人命令我们走向一栋造型像个字母 I 的红砖建筑。我看到道路的对面有一群人静静地坐在带烟囱建筑物前面的树林里。我不知道父亲是不是和他们在一起，不知道他是否看得到我。

我们被赶进红砖建筑里，警卫要我们脱掉衣服。所有的衣物都得脱，包括衣服、鞋子、袜子、内衣和发夹。我环顾四周，赤身裸体的陌生人让我不自在，但是让我更尴尬的，是我发现几个看管我们的男性军人并不打算让我们保留隐私。然而，他们并没有盯着我们看，而是露出漠然的表情。我的动作很慢，我要脱的仿佛不是衣服布料，而是一层层的皮肤。我一手遮住自己的身体，另一手照父亲教我的方式拎住靴子。

一名警卫朝我走过来。他的目光犹如冰霜，掠过我之后，落在我的靴子上。“好靴子。”他说。我用双手抱住靴子。

他伸手拿走我抱在怀里的靴子，交给我一双木底鞋。“对你来说，这双靴子太好了。”他说。

随着那双靴子消失的，还有我走出此地或换得父亲消息的希望。这双靴子也带走了乔塞克为我拿到的天主教徒文件。

我们被带到一张桌子旁边，这里有几个穿条纹衣的犹太女人，她们的手上拿着电动剃刀。我走过去，发现她们正在帮女人剃头发。有些女人因为本来就短发，所以不必受罪，但其他人就没这么幸运了。

我不是爱慕虚荣的女孩，而且从小到大就没漂亮过，一向只是塔雅甚或芭希雅的影子。在我们搬进隔离区之前，我还带点儿婴儿肥，有张圆脸，甚至在走路时大腿内侧还会互相摩擦。长期挨饿让我变瘦，但没让我变美。

我唯一的可取之处是我的头发。没错，我的头发现在既干燥又没有光泽，但仍然看得出深深浅浅的棕色，从栗棕、红棕到浅棕色都有，自然卷的长发到了发尾卷个弯。就算我编起马尾，背后的辫子仍然和手掌一样粗。

“拜托，”我说，“别剪掉我的头发。”

“看你有没有什么东西可以拿来说服我修一下就好。”她靠近了些，“你看起来就像有办法走私东西进来的人。”

我想到那双落入德国人手上的靴子。我猜想，这个女人也曾经和我们一样排着队。如果这些德国人想把我们变成野兽，不得不说，他们已经成功办到了。“就算我有，”我低声回答，“也是到最后才可能落到你手上。”

她看看我，拿起剃刀贴向我的头皮，剃光我的头发。

在那一刻，我知道自己不再是敏卡。我是另一种生物，不再有人性。我边发抖边啜泣，跟着其他人匆促茫然地走进淋浴间。我只能想到我母亲，和那个男孩口中的假浴室，那些灌满气体、载着满满尸体到树林里掩埋的卡车。我抬头看莲蓬头，纳闷稍后喷出来的会是水还是毒气，猜想自己是否是唯一听说过这些谣言的人，不知道有谁的心脏同样也快要跳出来。

接着，我听到“嗞”的声响。我闭上眼睛，想要在脑海里描绘出那些在我短暂人生中曾经爱过的人。我的父母、芭希雅、塔雅、鲁彬和麦亚、乔塞克、鲍尔先生，甚至还有亚隆。我想要念着这些名字死去。

我感觉到细细的水流。冰冷、散落的水。在我还没来得及转圈之前，莲蓬头开了又关。没有毒气，没有毒气，这就像我的祈祷文。也许那个男孩误会了，也许这里和海姆诺发生的事情不会一样。说不定这里就像军人说的，是个劳动营。

又来了，这又是个抱着期待的低泣。

“*Raus*！”警卫吼着要我们出去。我身上还在滴水，狼狈地走出淋浴间去领衣服。我领到一件连身工作洋装、发罩和一件灰蓝条纹的外套，没有袜子也没有内衣。

我迅速地穿上衣服，想遮住赤裸而且无异于其他女人所带来的羞耻感。我还在扣外套，一个警卫就抓住我走向桌边，这里有个男人在我的左前臂涂抹酒精，另一个男人在我手上写字。一开始，我不知道他们要做什么，只觉得灼伤，闻到皮肉烧焦的味道。我低头一看：A14660。我像牲口般被烙上印记，我不再是个有名字的人。

我们被推进漆黑的营房，在眼睛习惯了昏暗的光线之后，我看到上下三层的铺位，而上面铺的是草秆，像是马厩。营房里没有窗户，里头又闷又臭，挤进了好几百个女人。

我想到来时的车厢，我们挤在里头度过了好几个看不见太阳、无法伸展或上厕所的日子。如果到头来也是一死，我不愿再经历一次。最好现在就死，我心想。

在我明白自己在做什么之前，我的双脚已经带着我走向营房入口，我以最快的速度奔跑，尽全力穿着木鞋冲过泥巴地，朝通电的铁丝网跑过去。

我知道，只要我靠得够近，我就可以得到自由。亚隆、塔雅和我的父亲（求主保佑他）会记得我是敏卡，而不是这个光头野兽，不是一串号码。我像要冲向爱人一样，敞开了双臂。

我听到有个女人在呼喊。我听到有个警卫在怒吼，接着冲过来将我拉倒在地，用全身的重量压住我。随后，他扯着我的衣领拉我站起来，将我用力推回营房里，推得我趴倒在混凝土地板上。

外头有人重重地关上门。我撑住身子跪起来，才发现有人朝我伸出一只手。“你在想什么！”有个女孩说，“你可能会死，敏卡！”

我眯起眼睛，一时没办法在昏暗的光线下看清楚她的光头和脸上的瘀青。随后，我认出了塔雅。

就这样，我又恢复成了一个“人”。

塔雅早我两天来到这个地方，已经知道营区的例行运作。女子集中营中有一名女警卫官，她的直属上司是一名男督导官。塔雅来到集中营的头一天，就看到这个督导官在点名时打死一名因脚步踉跄而脱队的女人。另外，在营房里还有同样是犹太裔的室长和舍监，前者管理宿舍内的独立房间，后者管理整栋宿舍，这些人有时候比德国警卫更严苛。我们的舍监是个匈牙利女人，叫作波芭拉，每次看到她，我都会想到巨型鱿鱼。她住在宿舍的独立房间，下巴和肥胖的脖子直接相连，双眼像闪闪发光的煤炭碎片。她的声音和男人一样低沉，早晨四点就扯开嗓门叫我们起床。塔雅教我穿着鞋子睡觉，免得被其他俘虏偷走，她还要我睡觉时把碗也塞进衬衫里，这也是为了相同的理由。她说，我们必须把床铺的麦秆垫和薄毯整理好，但当然了，麦秆不可能像真正的床垫整理得那么好，这只是波芭拉用来杀一儆百的一种手段。塔雅还告诉我要跑着抢用厕所，因为宿舍里有好几百人，上厕所的名额有限，而且没多久之后就要点名，一迟到就会挨打。塔雅摸摸自己的头，一边把这些规矩告诉我。她的太阳穴边仍然有斑斓的紫色瘀青，这是她吃足苦头才换来的教训。

点名有时要花好几个钟头的时间，在波芭拉叫出号码时，我们全都要立正站好。如果有人缺席，那么在找人时一切活动都要暂停。通常，没出现的人不是病了，就是死在营房里。把缺席者拖出来归位之后，波芭拉才会重新开始点名。这些人会强迫我们“运动”，先是原地跑步几小时，然后再跟着波芭拉的口令开始青蛙跳。“运动”之后，我们才能领取配粮：充当咖啡的棕色液体和一片黑面包。“留一半下来。”塔雅在第一天就这么告诉我。我以为她在开玩笑，然而她不是。这片面包是我们唯一的固体食物。我们的午餐是汤和烂掉的青菜，晚餐的汤里可能会加点腐臭的肉。塔雅向我保证，吃饱会比较好睡。

尽管我们没有足够的粮食来维持体力，但有时候仍得参加活动。有时候我们得学唱德文歌，学德文句子，包括基本的命令。

这些活动使用的地点都是我第一天下火车时看到的，那栋狭长建筑物的阴影下。这栋建筑物的烟囱日夜都冒着烟。一些比我们早关进集中营的人说，那是焚化厂，是犹太人盖的。唯一离开这个地狱的方法，是烧成烟灰从烟囱飘出去。

在我到达集中营的第五天，波芭拉在点名之后要我们脱下衣服。我们在院子里排成一列，一个穿白袍的男人从我们面前走过，一个个检视我们。我记得他，我抵达时，在坡道上看过他。和他在一起的是那个右手会颤抖的党卫队军官，到了这时候，我已经知道他就是女子集中营的督导官。我不知道他是否认得出我——那个和他用德文说话的女孩。然而他连看都没看我一下，他怎么会记得我呢？我不过是这群消瘦、光头俘虏的其中一人。我知道自己最好别说话也别乱动，特别是有党卫队军官在场时。如果我让波芭拉面上无光，事后一定会付出代价。

穿白袍的男人挑了八个女孩，她们立刻被带离营区，送进十号房，也就是医学中心。身上有擦伤、割伤、烧伤或水泡的人一并被带走。他的目光扫过塔雅，接着落在我脸上。我几乎能感觉到他的目光从我的额头往下划过下巴来到胸骨。天气虽然热，但我的牙齿不由自主地打战。

他移开目光之后，我听到塔雅重重地呼出一口气。

一个小时之后，留下来的人终于可以穿上衣服，去拿自己的碗。波芭拉说，吃过早餐之后，我们要到隔离区的外面去。有个叫作依兰卡的女孩自愿拿装咖啡的大桶子，因为这个工作可以让她得到额外的面包配给。“你看看，”我们拿着碗排队时，我低声对塔雅说，“咖啡桶比她还大。”

这是真的，依兰卡非常娇小，但看她拿着金属大桶的样子，你会以为她拿的是天上的甘霖而不是咖啡水。她轻轻放下大桶，连一滴都没溅出来。

然而波芭拉就没那么小心了。轮到我领的时候，大半杯的咖啡都倒到了地上。我看着舍监弄出来的一小片泥水，时间虽短，但正好让她注意到我脸上失落的表情。“真是对不起啊。”她用我们都知道她一点也不觉得抱歉的语气说话。接着她把面包递出来，但她不是交到我手上，而是把面包掉进刚刚制造出来的咖啡泥水里。

我跪下来想去拿起面包，因为就算面包沾到泥巴，也比一整天没东西可吃来得好。但在我的指头碰到面包之前，一只靴子踩了上去，把面包往泥浆里压得更深，而且这只脚停的时间够久，分明是刻意的。我在阳光下眯起眼睛，看到一名德国军官的轮廓。我往后退，等他通过。

他经过之后，我把从泥巴里捡起来的面包压在衣服上，想吸掉脏污。我看不到军官的脸，但是我知道他是谁。当他经过我面前时，我看到他的右手仍然在抽动。

塔雅、我和其他五个女人共享一张通铺。我们住的营房和隔离所没有两样，只不过人更多——大约有四百个人挤在同一栋营房里。这里头的气味难以形容，没有洗澡的人体、汗水、化脓的伤口、蛀牙，再加上我们身边那股挥之不去、甜腻、烧焦又让人作呕的皮肉焚烧味。而最近刚出现的则是这几个女人的味道。她们有些人在这里已经好几个月了，瘦到只剩下一把骨头，脸上和腰臀之间的皮肤松垮，双眼凹陷，眼圈乌黑。夜里，躺在拥挤的通铺上，我可以感觉到隔壁女人的髋关节靠着我背后，像两把匕首般抵住我的后腰。如果我们其中有人在梦里翻身，其他人都得跟着转。

我花了一个星期的时间想找我父亲。他是不是在营里的另一个地方，也和我一样在劳动？他会不会也想知道我是否还活着？和我们共享一张通铺的爱葛娜毫不掩饰地告诉我，我父亲已经走了，在第一天就被送进了毒气室。“你以为这个集中营是哪门子集中营？”她语带责难，“死亡集中营。”

爱葛娜来这里一个月了，她天性爱争辩，会和舍监——我们都称这个女人为野兽舍监——顶嘴，然后遭短棍毒打；她会朝警卫吐口水，接着挨鞭子。但她也会在我夜里断断续续的睡眠中，打退来偷我外套的俘虏。光是这点小小的忠诚心，就足以让我对她心怀感激。

两天前，长官来检阅我们的营房。我们排成一列，舍监和警卫拉开我们铺在床上的被单，然后将通铺从墙边拉开，检查我们是否藏匿了什么东西。我知道俘虏常藏东西——我看过有些女人藏纸牌、钱，或是香烟。我还看过有个女孩病得太严重，于是她小心地把中午没喝的汤藏在我们充当床垫的麦秆下，好留着晚上喝，完全不顾在营房里不得进食的禁令。

警卫来到我们通铺边拉开床单，我惊讶地看到麦秆下藏了一本波兰女作家玛丽亚·董布洛斯卡的书。“这是什么？”

警卫把书摔向我们一个十五岁同床女孩的脸，他手上的金戒指划破她的皮肤，她脸颊开始流血。

“是我的。”爱葛娜往前走了一步。

我不相信书是她的。爱葛娜来自波兰乡下，要看懂标示都很困难，何况是一本小说。但是她傲然地站到了警卫面前，声称书是她的。爱葛娜最后被拉到外头鞭打到昏迷。我想到我母亲在德国人开始拘捕犹太人时给我的建议：当个正正当当的人。爱葛娜不只正当，她还更进了一步。

塔雅、我和海伦娜——那个十五岁女孩——到外头扶起爱葛娜，把她带进营房里。因为她没办法自己站起来，我们把自己一部分晚餐分给她吃。另一个女人之前——在她前一个人生中——是个护士，她尽全力帮爱葛娜清理见血的伤口，帮她包扎。

我们住的地方有跳蚤有老鼠，而我们能用来洗澡的水少得可怜。爱葛娜的伤口红肿发炎还化脓，她晚上不可能好过。“明天，”塔雅告诉她，“我们会带你去医院。”

“不要，”爱葛娜很坚持，“如果去了一定回不来。”医院就在焚化厂旁边，所以我们也称医院为“等候室”。

黑暗中，我躺在爱葛娜身边，明显感觉到她体温过高。她抓住我的袖子。“答应我……”她说。但是她没把话说完，要不然就是我睡着了。

第二天早上，我们的野兽舍监进来高声喊我们起床，塔雅和我一如往常地跑去用厕所，然后再排队等候点名。但是爱葛娜不在队伍当中。野兽舍监连续两次喊出她的号码，接着指着我们下了命令：“把她找出来。”塔雅和我回到营房里。“她可能病得太严重，站不起来。”我们看到爱葛娜盖着薄毯子的身形时，塔雅低声对我说。

“爱葛娜，”我轻声喊她，摇摇她的肩膀，“你一定要起来。”

她没有动静。

“塔雅，”我说，“我觉得……我觉得她……”

我说不出口，因为说出来，等于让这件事成真。远远看着令人反胃的烟，猜测那些建筑物里的情况是一回事；知道有个过世的女人整夜就贴在我身边，又是另一回事。

塔雅俯下身，合起爱葛娜的眼睛。接着，她抓住爱葛娜已经僵硬的手臂。“别光是站着。”她喃喃地说。于是我靠到床铺边，拉起爱葛娜的另一只手。要把她带下床并非难事，她的重量轻如鸿毛。我们把她的手臂搭在我们的脖子上，像是三个好同学一起合照。接着，我们拉直爱葛娜的身子，一左一右地架着她来到院子里点名，因为只要缺了一名俘虏，我们又得重新开始点名。我们架着她，撑过了两个小时半的点名时间，苍蝇在她嘴边和眼角嗡嗡地飞。

“上帝为什么要对我们做这种事？”我喃喃地问。

“上帝没有对我们做任何事，”塔雅说，“是德国人。”

点名结束之后，我们把爱葛娜的尸体和昨晚在营房里过世的另外十个女人一起放进推车里，我纳闷地想，董布洛斯卡的书现在不知道哪里去了。是被某个德国军人没收销毁，还是说，如今这样的世界上还容得下那样的美。

奥斯威辛什么都不长。没有草坪，没有磨菇，没有杂草，连野花都没有，只有灰蒙蒙的一片荒地。

今天早上我徒步去工作，经过男子营简陋的营房，经过永不见止息的焚化炉，心里想的就是这一片荒凉。塔雅和我很幸运，因为我们被派到了“加拿大”。所有由火车带过来的行李都是在这里分类整理，我们要把有价值的东西清点出来交给警卫，再由他们带给负责的党卫队军官送回柏林，至于衣服，则是送往别的地方。此外，没有人会需要的物品，例如眼镜、义肢和照片，全都会被销毁。我们之所以称这地方为加拿大，是因为在我们的想象当中，加拿大是个富饶的国家，而当我们看见每天随着火车堆进棚里的行李，自然会有相同的感觉。而且，如果警卫看向别处，你在加拿大很可能偷偷藏起手套、内衣，甚或一顶帽子。我不够勇敢，不敢做这种事，但是现在的夜里越来越凉，如果能在工作服里加件温暖的衣物，被惩罚也值得。

但这个惩罚可不假、很严重。在配枪警卫的监督和要求我们加快动作的命令下工作已经很难，但是负责管理加拿大的党卫队军官同样也花不少时间穿梭在我们之间，确保我们不会在工作时偷窃。他是个瘦小的男人，没比我高多少。我就看过，他把一个将烛台藏在外套袖子里的女人拉出去。虽然我们没有亲眼看到他动手打人，但却听得到声音。后来，那个昏迷不醒的女人被丢在营房前面，军官回来我们工作的行列中巡视，脸上还露出反胃的表情。这让他看起来像个人，但如果他是人，又怎么会对我们做出这种事？

塔雅和我讨论过。“大概是因为他不高兴弄脏自己的手吧。再说，你有什么好在乎的？”她耸耸肩，说，“你只需要知道他是个怪物就好。”

但是怪物有很多种。毕竟，我写作巫皮欧的故事也有好几年的时间。但是巫皮欧是一些死不掉的人，他们也过着活人的生活。从前我们在罗兹有对邻居，丈夫住院治疗一段时间，出院之后忘了妻子的名字，也不知道自己住在哪里。他会踢家里的猫，和水手一样满口脏话，完全不是妻子熟悉又深爱的男人。于是她找来一名治疗师。治疗师是个老女人，她来到我邻居家之后，表示她也无计可施，因为有个恶灵——某个死人的灵魂，准备不择手段好好利用这具新躯体，因为过去那个躯体已经不敷使用——在这名丈夫住院时附着在了他身上。他被强行霸占的恶灵附体，篡夺了他的意志。

在管理加拿大的党卫队军官经过我身边时，我偷偷把他当成恶灵先生，一个脆弱、无法逼出侵占他体内恶魔的人类。

“你这个傻女孩，”那天晚上，躺在共享的床铺上，我压低声音把这个念头告诉塔雅，她说，“不是任何事都可以编成故事，敏卡。”

我不相信她。因为，并非每个人都把这个集中营和这些悲惨事件当作事实看待。拿盟军来说吧，如果他们听到有人被带进毒气室受死，而且一次就是好几百人，难道他们不会老早把我们救出去了吗？

今天我领到一把剪刀，要用来剪除衣服的内里，我手边有一堆大衣要剪。我在衣服里不时会找到结婚戒指、金耳环和铜板，我都会一一交给警卫。我心里想的是，不知道我的靴子最后会到谁的手上，而她得花多少时间，才找得到藏在鞋跟里的宝藏。

恶灵先生前后巡视时总会带起一波涟漪，大家都会提高警觉，仿佛他的存在是一股电流。我虽然没有回头看，但是我听到他和另一名党卫队军官越走越近。他们在交谈，我边拆内里边听。

怎么样，啤酒吧见？

八点见。

你别再说你太忙了。我开始觉得你在回避自己的亲兄弟。

我回过头偷看。军官之间很少用这么友善的方式说话，他们通常是以对我们吼叫的方式对彼此叫喊。但是这两个人显然有亲戚关系。

“我会去的。”恶灵先生笑着郑重回答。

他谈话的对象是监督女舍点名，负责管理女子集中营，也就是手会发抖的那名军官。

这个人不是被恶魔窃占心灵，他本身就是恶魔，没别的解释。他下令手下鞭打爱葛娜，监看点名的态度阴晴不定。他若觉得无趣，点名便进行得快，但在暴怒之下，又会把气出在我们身上。比如说那天早上，他举起手枪射杀一个虚弱到站不直身子的女孩，在看到女孩身边的人吓得跳起来时，他连后者也一起杀了。

这两个军官是亲戚？

我猜，他们的确有些相像。他们的下巴长得一样，头发也都是沙金色。而今天晚上，在他们殴打我们、让我们挨饿又奴役我们之后，他们要一起去喝啤酒。

我停下手上的工作，脑子里想着这件事，监看我整理行李和背包的警卫斥喝了一声，要我继续工作。于是我从看似永远不会减少的行李堆中拉出一个皮革行李箱，丢掉里头的一件睡袍、几件胸罩和内衣，还有一顶蕾丝帽。我看到一串用丝巾包起来的珍珠，于是向正靠在棚子墙边抽烟的军官报告，把项链交给他记录登册。

接着我又拉出另一件行李。

我认得这件行李。

应该有不少人和我父亲有相同的小行李箱，但其中有几个人的行李箱手把是缠线修理过的？几年前，我拿这个行李箱当假想城堡的道具玩，弄坏了它。我跪了下去，背对着警卫打开皮箱扣。

皮箱里有我祖母留下来的烛台，用我父亲的晨祷披肩仔细地包了起来，下面放的是他的袜子、内衣和我母亲为他织的毛衣。他告诉过我，他不喜欢那件衣服，毛衣的袖子太长而且会扎刺皮肤，但是看我母亲费了那么多心力织毛衣，他怎么可能不假装这是他最爱的衣服？

我喘不过气，也无法动弹。无论爱葛娜说过什么话，无论我每天经过焚化厂的时候看到什么证据，看到有多少新来者茫然地等着走进里面，直到我看到这只皮箱之前，我一直不相信父亲真的死了。

我成了孤儿。在这个世上无依无靠。

我用颤抖的双手捧起晨祷披肩亲吻，把它放到要扔掉的废物堆上。我把烛台放在一边，回想母亲在安息日晚餐念的祷文。接着，我拿起那件毛衣。

我的母亲用她的双手穿针织出这件毛衣，我父亲把它放在心上。

我不能让其他人穿这件毛衣，没有人会知道这毛衣诉说着什么故事。这些毛线有第二重意义，每一针每一线，都道出了我家的故事。我母亲在织袖子的时候，芭希雅跌了一跤，头撞到钢琴椅的边角，必须送医院缝合伤口。而领口收针需要技巧，母亲还请我们编织手艺高超的管家帮忙。还有，她为我父亲丈量毛衣下摆宽度时，大声开玩笑地说，她根本没想到自己会嫁给一个腰身像只猩猩的男人。

“历史”这个词的存在是有原因的，它的中心意思，叙述的是一个人的生命。

我把头埋进毛衣里，开始啜泣，我前后地摆晃着身子，不顾自己是否会招来警卫的注意。

我父亲把葬礼的细节托付给我……可是到了最后，我却来不及帮他办后事。

我擦干眼泪，开始拉扯毛衣的下摆，把拉松的毛线像绷带般缠在自己的手上，像是阻止灵魂流逝的止血带。

离我最近的警卫靠过来，他大声吼叫，拿枪指着我的脸。

“下手，”我想，“把我也带走。”

我继续拉扯，松开的毛线又皱又脏，散落在我的身边。塔雅可能正看着我，只是担心自己的安危，不敢开口要我住手。但是我停不下来，我濒临崩溃。

这场骚动引来了其他几名警卫，他们也过来察看。其中一个警卫弯腰抓起烛台，我伸出一只手抢回来，接着拿起用来拆剪毛皮大衣的剪刀，拉开刀刃割向自己的脖子。

那个乌克兰警卫放声大笑。

突然间，有人静静地说了：“这里发生了什么事？”

管理加拿大的党卫队军官推开警卫，他朝我走过来，看到了打开的行李箱、被我拆毁的毛衣以及我发白的指头抓着的烛台。

今天早上他一声令下之后，我看到警卫拿警棍殴打一名俘虏的后背，打到她连血都吐了出来。那个女人拒绝丢弃她在行李箱里找到的晨祷围巾。我正在做的事——摧毁德国人自以为是他们财产的物品——比她更糟。我闭上眼睛，等待且欢迎即将到来的枪击。

然而，我只感觉到军官拿走我手上的烛台。

我张开眼睛，发现恶灵先生的脸离我只有几寸远。我看得到他脸颊肌肉的抽动，看得到他金色的胡茬儿。“*Wen gehört dieser Koffer*？”这是谁的皮箱？

我喃喃地说：*Meinem Vater*（我父亲）。

党卫队军官眯起眼睛。他久久地看着我，然后转头要其他警卫不准再看。最后，他才看了我一眼。“回去工作。”说完话，他便走开了。

我不再继续数日子了。日子一天天模糊流失，像是雨中的粉彩画。我们拖着脚步从集中营的一头走到另一头，排队领取水煮萝卜汤。我以为自己知道什么是饥饿，其实我看得不够多。有些女孩会偷行李箱里的罐头，但是我还没有勇气那么做。有时候，我会梦到父亲为我特制的面包，肉桂会在我的舌头上像烟火般燃烧。我闭上眼睛时，会看到满桌丰盛的安息日晚餐呼唤着我，会尝到油香酥脆的鸡皮——从前，烤鸡一出炉，我会立刻撕下鸡皮，而我母亲也总是会拍打我的手，要我等烤鸡上桌之后再吃。而这些东西我在梦里都吃得到，但是一入口就化成灰，不是炭灰，而是从日夜焚烧的焚化炉里铲出来的灰烬。

在这段期间，我也学会了如何生存。点名时最理想的排队位置是一排五个人的正中间，离党卫队员的手枪和鞭子远远的，但是离其他俘虏够近，晕倒时会有人扶。而排队取食物的时候，排在队伍的中段最好，排在前面虽然可以先领，但是拿到的都是汤水和浮在最上面的少许蔬菜，排在中间比较有可能领到有营养的汤料。

警卫和由俘虏中挑出来的犹太警卫都很警觉，不准我们在工作、行进或搬迁营房时谈话。我们只有晚上在营房里，才能自由说话。但是日子一久，我发现说话会耗费我太多精力。此外，我们有什么好说？如果我们真的要说，也只能聊食物——我们最想念什么食物，波兰哪里可以喝到最浓醇的热巧克力，吃到最甜的杏仁糖，或是最香的小点心。我偶尔会分享自己对于美食的记忆，这时，我发现其他人也会听。“那是因为你说的不只是故事，”塔雅解释，“你是在用文字作画。”

也许是这样没错，但是颜料有趣的地方就在这里。一开始先泼洒上冰冷的事实，洗刷褪色之后，你想在表面上补色，却发现一样难看。我每天早上排队走到加拿大的时候，都会看到犹太人在小树林里等候，等着被带进焚化厂。他们还穿着衣服，但我想的是他们还能穿多久，才轮到我去剪下毛料外套的内里或找出裤袋里的东西。我走路时一定垂下目光看地面，如果我抬头，会看到他们因为我的光头和稻草人般枯槁的身体而可怜我。如果我抬头，他们会看到我的脸，看出他们马上要听到的话——冲澡是在出去劳动之前的预防措施——根本是谎言。如果我抬起头，我怕我会高声喊出事实，告诉他们那味道不是来自工厂或厨房，而是来自他们被焚化的亲朋好友。我会放声尖叫，说不定一开口就永远停不下来。

有些女人会祈祷。我看不出那有什么必要，因为如果真有上帝，他不可能放任这种事发生。有些人表示奥斯威辛太恐怖，所以上帝不会到这种地方来。如果我祈祷，也是为了希望自己早早睡着，才不会太注意我那已经要翻过来吞噬胃壁的胃。于是，即便我不想，但仍然排队点名，排队去工作，排队领食物，排队工作，走回营房，排队点名，排队领食物，爬回通铺睡觉。

比起其他女人的工作，我的任务并不难。我们至少可以走进棚子里躲避酷寒，而且搬的是箱子和衣服，不是石头。我这个工作最苦的一环，是知道我是最后一个接触物品主人衣物的人，也是最后一个看到他照片、读他妻子写给他情书的人。而最让我难过的，是处理小男孩和小女孩的遗物，玩具、毯子，有漂亮图案的皮鞋。这里没有任何孩子存活，最早被送去“冲澡”的就是儿童。在整理孩子的物品时，我总是忍不住落泪。拿着这些小主人不可能再次抱起的玩偶小熊丢进待销毁物品的垃圾堆，真的让人锥心刺骨。

我开始觉得自己背负重大的责任，我的脑子仿佛储藏空间，我有义务为这些逝去的人留下记录。我们偷衣物的机会最多，但我在加拿大偷来的第一件东西不是围巾也不是保暖的袜子，而是某个人的回忆。

我答应过自己，在一条生命被抹灭之前，我一定要额外花点时间来为他的人生留下记号，就算这代表我头上得挨警卫一棍也无妨。我会以尊严的态度碰触眼镜，在编织的婴儿袜上系粉红色缎带，或背下皮革装订的小册子上的某个地址。

照片是我最大的挑战，因为唯有照片，才足以证明这些内衣的主人或是提着这件行李的人曾经活在世上，一度拥有快乐的人生。而我的工作，是擦拭他曾经存在的痕迹。

然而，有一天，我没有这么做。

在警卫离开身边之后，我偷偷翻开一本相簿。里头的每张相片下面都写了说明，也标注了日期。在照片上，每个人都面带笑容。我看到一名年轻女人——她应该是箱子的主人——对着一个年轻男人笑。我看着他们的结婚照，出国度假的照片，还有女郎想抢下相机的特写。我真想知道这是在多久以前的事。

接着我看到一连好几张孩子的照片，而且仔仔细细地加上说明。“安妮雅，三天大”“安妮雅会坐了”“安妮雅的第一步”“安妮雅第一天上学”“掉第一颗牙！”。

然后，照片忽然没有了。

这孩子和我书中人物有相同的名字，这让我更感慨。我听到警卫在我背后斥喝另外一个女人，于是我迅速从卡纸上取下一张照片——那张照片的一角已经松脱——塞进我的袖子里。

警卫走回来时，我简直吓坏了，我以为他一定看到我偷窃。然而他只是催我加快速度。

第一天晚上，我带着安妮雅、赫歇、吉达，和少了两颗门牙的汉姆照片回营房。第二天，我胆子更大，偷了八张照片。接着我分派到不同的工作，要把衣服放到推车上，运到棚屋里。我一回到整理私人物品的岗位，立刻把不同的照片藏在袖子里，带回营房后，再塞到铺床的麦秆下。

我不觉得这是偷窃，我认为这是保存资料。我在睡前会拿出这叠越来越厚的亡者照片，低声念出他们的名字。安妮雅、赫歇、吉达、汉姆。沃夫、敏黛拉、朵雅、伊萨瑞儿。西蒙、爱卡、双胞胎洛克和夏雅。行了割礼之后哭个不停的伊莱；婚礼当天的桑德拉。

只要我还记得他们，他们就还在这里。

塔雅和我并肩工作，我知道她牙齿痛，也看到她为了忍住呻吟而肩膀颤抖。如果你露出病态，那么在警卫面前，你会是个比平常更明显的目标，他们会把小毛病撕裂成大伤口。

我从眼角余光看到她拿起一本小签名簿，封面上有亮片装饰。我们小时候，塔雅也有一本这样的小册子。当年，我们偶尔站在戏院或华丽的餐厅前面，等着看穿白色皮草大衣和银色高跟鞋的女人挽着英俊的男伴走出来。我不知道他们是否真的是名人，但是在我们眼里，他们就是名流。塔雅偷偷看我一眼，把签名簿塞进凳子下，我赶快拿刚剪去衬里的大衣盖在上面。

这册子里夹着电影票根和建筑物的素描图、薄荷糖包装纸、一首诗——我认得这首教人玩拍手游戏的诗——一条绑头发的缎带、一片从漂亮洋装上剪下来的薄纱，还有面包店抽奖的中奖存根。封底内页写了两个字：勿忘。封面的内页贴了一张两个女孩的合照，上面写着“叶塔和我”。我不知道谁是这个“我”，因为我没找到物主的身份数据，但是从细致的字迹上看得出，应该是个年轻女孩。

我决定叫她塔雅。

我看向我的挚友，发现她正用袖子擦拭着眼泪。她可能正在想她那本亮片签名簿的下落，要不然，就是在想那个曾经拥有小册子的快乐女孩。

若不是因为我看到自己的变化，我不可能认得出塔雅。我曾经嫉妒的修长舞者身材如今只剩下皮包骨，隔着衣服也能看到她脊椎一节节的骨头，像篱笆顶柱一样往外凸。她的双眼凹陷，嘴唇干裂，而她现在正咬着指甲出血的伤口。

我相信，我在她眼里应该也同样吓人，就像我眼中的她一样。

我撕下贴着照片的纸张塞进袖子里，到了现在，这已经是个熟练的动作。

突然间，有只手从后方越过我的肩膀，一把抽走签名簿。

恶灵先生站得离我好近，我能闻到他刮胡水飘散出来的松木味。我没有转头，没有说话，也没打招呼。我听到他翻动签名簿的声音。

他应该会注意到封面内页有东西被撕掉的痕迹吧？

他往前走，把签名簿丢到准备送去焚毁的一堆东西上。但之后，至少有十五分钟的时间，我都能感觉到他用炽热的眼光盯着我的后颈看，于是那天，我在加拿大什么也不敢再拿了。

到了晚上，塔雅痛得睡不着觉。“敏卡，”她在我身边直发抖，低声对我说，“如果我死了，你连我的照片都没有，不能保存。”

“我不需要你的照片，因为你不会死。”我告诉她。

我知道她的牙齿已经发炎感染，她的口气散发出体内的腐臭气味，而且她的脸颊肿得有平常的两倍大。如果不把牙齿拔掉，她会送命。我搂住她，让她的后背靠在我胸前，尽可能给她温暖。“和我一起念他们的名字，”我恳求她，“这可以让你分心。”

塔雅摇摇头。“好痛……”

“拜托，”我说，“试试看。”我甚至不需要照片，就可以念出：安妮雅、赫歇、吉达、麦亚、沃夫。我每说出口一个名字，就在脑海里描绘他们的脸孔。

接着，塔雅用细弱的声音说：“敏黛拉？”

“没错。朵雅、伊萨瑞儿。”

“西蒙，”塔雅接着说，“爱卡。”

洛克、夏雅、伊莱、费兹、丽芭、帕拉。里耶伯、摩撒、布兰纳。叶塔和塔雅。

当她不再跟着我念的时候，身子也放松了下来。

我先确认她仍然在呼吸，才让自己睡着。

第二天塔雅红肿着一张脸醒过来，而且皮肤发烫。她没办法自己起床，我只好扶起她，撑着她去用厕所，再回头去整理床铺。当野兽舍监进来时，我正准备自愿去抬早餐，因为帮忙提桶子可以让我多拿到一份食物。我把这份多出来的配粮给塔雅吃，但她虚弱到没办法把碗凑到嘴边。发现她不愿意进食，我像芭希雅从前唱歌哄麦亚的方式哄她张开嘴。

她沙哑地说："你唱歌真难听。"她露出一丝微笑，正好可以让我把汤水灌进她的嘴里。

我架着她参加早点名，祈祷督导官——手会抖的党卫队军官，我给了他一个别号：战栗先生——看不出她生病。战栗先生可能因为某种特殊状况才会抖成那个样子，但无论那是什么情况，都没有严重到让他无法透过自己的双手施加最严厉的惩罚。上个星期，有个新来的女孩在他下令向右转的时候向左转，结果他连坐惩罚了整个营房的人，下令我们在冰冷的大雨中连续做了两个小时的体操。不消说，在这么多挨饿的女人当中有十个倒下，而在她们倒下时，战栗先生踏着泥巴走过去踢那些倒下的人。但他今天似乎有些匆忙，没有惩戒我们任何人，反而是急着结束点名，然后要犹太警卫解散。

我好像出任务一样，因为我不只要掩护塔雅，做双倍工作，而且还要找到我想偷的某样东西。我要找的是细小又锐利，可以敲掉一颗牙齿的工具。

在整理行李时，我想办法让塔雅坐在我身边，而且配合她的工作速度，在她必须把有价值的物品放到棚屋中央上锁的箱子时，我也要跟过去。但是到了这个工作天结束的时候，我只找到三套假牙、一件结婚礼服、几条口红，但是没找到够硬又够尖锐的可用物品。

接着……

我在一个皮书包破开的丝质内里找到一支钢笔。

我握住笔，感觉到痛。在过去的生活中拿笔是那么自然，当前的状况硬生生地剥夺了我拿笔的权利，而现在，这个感觉涌了上来。我仿佛看到自己蜷着身子坐在我父亲面包店的窗台上写作；我记得自己咬着笔头，听到了安妮雅和亚历山大在我脑海里对话。我手中的故事仿佛血液般流动，有时候，我觉得自己只是在叙述一部播映中的电影，我不是创作者，而是放映师。写作让我觉得自己完全解放，得到超乎想象的自由。然而现在，我却几乎记不得写作的感觉了。

之前，我没有发现自己进集中营来这几个星期有多么思念写作。真正的作家无法不写，在鲍尔先生和我讨论哥德时曾经这么说。就是这样，勒文小姐，你才会知道自己是否会走上诗人的路。

我拿着钢笔的指头发痒。我不知道钢笔里还有没有墨水，于是把笔尖压向烫在左前臂的数字上测试，宛如罗夏墨迹测验①的美丽黑墨滴落，盖掉了他们在我手臂上烫下的伤痕。

我偷偷把钢笔放进口袋。我提醒自己，这是为了塔雅，不是为我自己。

那天晚上，我找来另一个女孩帮忙，在晚点名时架住塔雅。两个小时之后，我们终于回营房，这时，她几乎已经站不住。我想拉开塔

---

① 罗夏墨迹测验：又称为墨迹测验，由瑞士精神医生赫曼·罗夏（Hermann Rorschach）于一九二一年最先编制。心理医生可以借由受测者对特定墨迹的看法（看起来像什么），来判断受测者的性格。

雅的嘴唇检查牙齿感染的状况，但她甚至不愿意让我碰她的脸。

她前额的高温几乎烫到我的手。“塔雅，”我说，“你必须相信我。”

她摇摇头，几乎陷入错乱，哭着说：“别管我。”

“好，但是我要先敲掉你那颗烂牙。”

我这句话穿过她混沌的脑子，她听到了。“不可以。”

“不要讲话，张开你的嘴巴。”我喃喃地说，然后伸手去抓她的下巴，但她扭开头。

“会痛吗？”她抽抽噎噎地问。

我点点头，直视她的双眼。“会。如果我有毒气，绝对会让你用。”

塔雅笑了，从一开始的轻笑转成狂笑，让其他几个躺在卧铺上的女孩忍不住转头看。“毒气，”她边喘边说，“你拿不到毒气？”

我也发现这有多可笑了，在离营房不到几尺之外，就是大规模毒杀的地点。突然间，我也跟着笑了出来。这种黑色幽默太不恰当也太恐怖，但我们就是停不住，崩溃般地嘲讽大笑，让其他人厌恶地转开头去。

在终于恢复自制之后，我们伸出消瘦的手臂彼此拥抱，像两只肢体细长的合掌螳螂。“如果你没办法麻醉我，”塔雅说，“至少想办法让我分心，好吗？”

“我可以唱歌。”我提议道。

“你是想让我更难过，还是减轻我的痛苦？”她看着我，绝望地说，“说故事给我听好了。”

我点点头。拿出口袋里的笔，尽可能擦干净，这不是简单的事，因为我的衣服太脏了。接着，我看着我最好的朋友，我唯一的朋友。

我不能说些我们的童年回忆，因为那太惹人难过。我也不能编织未来，因为我们几乎没有未来。

我只记得一个故事，一个我写了好几年而且塔雅也读过的故事。

“父亲把葬礼的细节托付给我，”我开始说故事，这些文字从我的内心深处浮现出来。“‘安妮雅，’他说，‘我葬礼上不要看到威士忌，要用顶级的黑莓酒。还有，提醒你：记得要大家都别哭，跳舞就好。在他们把我棺木吊进墓穴时，我要喇叭响亮吹奏，还要白色蝴蝶。’我父亲就是这么有个性。他是村里的面包师傅，每天除了为居民烘烤面包，他还会特别帮我烤一个与众不同的面包。他在面团里加入肉桂和浓郁的巧克力，为我烤出这个外型像公主小皇冠的面包。其中的秘密配方，他说：是他对我的爱，他的爱足以让这个面包比我尝过的任何东西都美味。”

我轻轻拉开塔雅的嘴，把钢笔对准她红肿的牙龈，接着再拿起我从厕所里捡来的石头。“我们住在村郊，这个村子小到每个居民彼此都认识，叫得出名字。我家主屋的墙壁是卵石砌成，屋顶用的是干草，而父亲用来烤面包的壁炉同时提供了小茅屋温暖。我在后院的小花园里种了一些豆子，当父亲拉开砖炉小门，把长铲子伸进炉里拉出一条条外皮烤得香酥的面包时，我常坐在厨房桌边剥豆荚，看着炉里红色的余烬勾勒出他汗湿背心下结实的背肌线条。‘我不想在夏天办葬礼，安妮雅，’他老爱说，‘你千万要让我死在一个吹着清风的凉爽日子里，而且要在候鸟南飞之前，这样，它们才可能为我欢唱。’”

“我假装记下他的叮嘱。我不介意这类触及死亡的话题，我觉得父亲强壮得很，也不相信他这些愿望真会有实现的一天。村里有些人对于我们父女之间这种互动、拿这种会发生的事实开玩笑，感到有些奇怪。因为我母亲在我襁褓时便已经过世，家里只剩下我们两个人相依为命。”

我低头看，塔雅沉迷在我的故事里，终于放松下来。但是也发现整个营房都静了下来，所有的女人都在听我说故事。

“我父亲把葬礼的细节托付给我……”我边说边把石头放到钢笔上方，“可是到了最后，我却来不及为他办后事。”

我拿着石头，利落敲向充当凿子的钢笔，塔雅惨叫了一声。她整个人跳起来，好像被剑刺穿。我往后退，怕是自己做了错事，只能看着她双手捂住嘴巴，从我身边滚开。

当她再次看着我的时候，我发现她的眼珠泛红，她太用力尖叫，连血丝都迸了出来。而且，血水沿着下巴往下滴，让她像是杀戮之后的巫皮欧。“对不起，”我哭喊，“我不是故意要弄痛你……”

“敏卡。”她又流血又流泪地说话。她抓住我的手——应该说，我觉得她想抓住我的手，但后来我才发现她有东西给我。

她的手掌上有一颗破碎的烂牙。

塔雅的高烧在第二天退去。我再次自愿去厨房抬早餐，好多拿一份让塔雅吃，补充她的体力。当她对我微笑时，我看到她原来蛀掉的牙齿现在剩下一个黑洞。

这天傍晚，我们的营房里多了一个新来的女人。她的家乡在拉多姆，她在火车站站台的坡道上听了一个穿条纹制服男人的话，把三岁大的孩子交给她年迈的母亲照顾。“如果我早知道，”她知道真相之后哭着说，“如果我知道他的目的，我不可能那么做。”

“那你们两个会一起死。”说话的是爱丝特，她今年五十二岁，是营房里年纪最大的女人。她和我们一起在加拿大工作，经营稳定的黑市生意，拿从行李箱偷来的香烟、衣物换取额外的配粮。

这个新来的女人哭个不停。这并非不寻常，但她不但哭，还哭得很大声。而我们在缺乏食物又长时间劳动的情况下都已经十分疲倦，她的哭声让我们更难过。这比来自鲁布尔的那名彻夜大声祈祷的祭司女儿更糟。

“敏卡，”在新来的女人连续哭了好几个小时之后，爱丝特终于说，“想点办法好吗。”

“我能怎么办？”我没办法把她的孩子或母亲带回来，没办法收回已经发生的事。老实说，这个女人让我厌烦，我已经失去了人性。何况，我们全都经历过相同的失落。她凭什么剥夺我们宝贵的几小时睡眠时间？

“如果我们不能让她闭嘴，”另一个女孩说，“说不定，我们可以淹死她。”

大家纷纷表示同意。“你决定怎么样，敏卡？”爱丝特问道。

一开始，我不知道她这话是什么意思，后来我才发现这些女人想听我写的故事，也就是前一天晚上我用来安慰塔雅的故事。如果故事能当麻醉剂，那么为什么不能抚慰这名为孩子哭泣的母亲？

大伙儿坐在一起，仿佛池塘边脆弱摇摆的芦苇，彼此依靠扶持。在黑暗当中，我看到她们的眼睛发亮。

“讲故事啊，”塔雅用手肘轻碰我，“你有一群着迷的听众。”

于是我开始说安妮雅的故事。那年的十月比平常更寒冷，大树枝上落下的叶片卷起阵阵小龙卷风像魔鬼般在她的脚边起舞，她因而知道有事要发生，这是她父亲告诉过她的——她父亲教会她一切：如何系鞋带，如何靠星座辨认方向，怎么看出躲藏在人脸背后的魔鬼。

我描述村民焦躁不安的心情。有些农场的动物遭到屠杀，家中的宠物狗失踪，看来，他们的身边似乎躲着掠食者。

我说起警卫队长达米安，他想娶安妮雅为妻，甚至打算胁迫她同意。同时，达米安也告诉紧张的群众，只要他们留在城墙里便可以安全无虑。

在搬进隔离区之前，我刚好写到这个段落。当时，我真的那么相信。

营房里一片鸦雀无声。祭司的女儿停止祷告，新来的女人也不再哭泣。

我继续说，达米安从安妮雅手中拿下她在市场上贩卖的最后一条面包，他高高举起铜板，要她先亲吻他。之后，安妮雅匆忙带着空篮子离开，而达米安盯着她的背影看。“茅屋和主屋之间有条小溪。”我把自己当成安妮雅，开始说故事。

“我父亲在上面架了一块木板，方便我们来来去去。今天我走到溪边，弯下腰喝水，掬水想洗掉刚才达米安留在我嘴唇上的苦味。”

我合起双手，说：“溪水是红色的。我放下手上的篮子，沿着木板往前走……接着，我看到了。”

“看到什么？”爱丝特喃喃地问。

在那一刻，我想起母亲的话，她要我当个堂堂正正的人，把其他人的福祉置于自己之上。我看着新来的女人，迎视她的双眼。

“你们明天才会知道。”我说。

有时候，再多活一天的需要，会让你留在世上。

爱丝特要我把故事写下来。“天晓得，”她说，“说不定你哪天会成为名人。”

我笑了出来。“要不然，就是故事和我一起死。”

但是我知道爱丝特的意思。她要的是让故事保存下来，即使我被带走，故事也能继续流传。故事永远比作者活得更久。尽管歌德和狄更斯早已过世，但透过部分他们选择告诉读者的故事，我们还是能对作者本人有深入的认识。

我想，这就是后来我会写下故事的原因。我没有留下让人可偷、可缅怀的照片，我的家乡没有亲人会思念我。我可能不够杰出，不值得怀念；看看我在这些日子里做的事就知道，我不过是个俘虏，是个号码而已。如果我死在这个地狱里——这个可能性显然很大，也许会有别人活下来，把这由某个女孩在营房夜里写下的故事告诉他们的孩子。虚构的故事就是这样，一旦发表出来，就具备了永不止息的传染能量。故事和潘多拉盒子里的内容一样，释放之后便无法再次禁锢。而且故事还会有感染力，由创作者传达给听故事的人，再继续流传下去。

讽刺的是，让写故事成真的，是那些照片。有一天，在我讲故事的时候，我把一沓大头照掉在地上。我急着收拾，但我发现有些人已经低头在看。其中一张照片的白框上写着“莫萨，十个月”。

有人写下这个信息。

这张小小的正方形照片比我惯用的纸张小，但总是张纸。而我有好几十张照片和一支钢笔。

生活有了目标之后，我从两方面着手。我每天晚上在营房里扮演《天方夜谭》中的山鲁佐德王后，努力编织安妮雅和亚历山大的故事，让他们成为栩栩如生的角色。另一方面，我会在月光下，在同伴的鼾声和偶尔出现的梦话声中写作几个小时。为了保护我的作品，我用德文写作。如果有人发现这些小卡片，我相信我一定会受到严厉的惩罚，但若警卫能看到我以他们认识的语言来书写故事，他们不会把这些东西当作俘虏之间煽动反叛行动的秘密纸条。我凭着记忆写下故事，边写边润饰修改，只要碰到提及食物的场景，便会更加详尽地描述。我详尽地描述安妮雅父亲为她特制的美味面包，撕开薄薄的面皮之后她尝到奶油香，而面包的温度停留在她的上颚，肉桂的滋味在她的舌尖打转。

我一直写到钢笔的墨水耗尽，把故事仔细地刻写在超过一百张逝者脸孔的背后。

“*Raus*（出去）！”

我才刚梦到自己被带进一个房间，里头一公里长的桌子上摆满了一堆堆的食物，而我必须从头吃到尾，把食物吃完，否则不得离开。但接着野兽舍监拿着铁棍随机敲打床铺，我在匆忙翻身起床之前，背上腿上都挨了好几棍。

她背对着我吼叫。几名警卫也进来了，他们推开挡路的女人，掀开床铺上的薄毯又拨开麦秆，要找出违禁品。

有时候，我们会先听到风声。我也不晓得消息打哪儿来，但是要检查营房的谣言总是会传进我们耳中，所以我们有时间把藏在床铺上的东西改藏在自己身上。但是这天，我们什么也没听说。我想起几星期前被没收的那本小说，那次的刑罚让爱葛娜送了命。而昨天晚上，我把写在那沓照片背后的故事藏在了铺床的麦秆下。

警卫找到一部收音机，把一个女孩拖了出去。有了这个收音机，我们晚上可以听肖邦、李斯特和巴赫的音乐，我们甚至听过塔雅在罗兹一场独舞演出的柴可夫斯基芭蕾舞曲，这使得她在梦里哭了出来。

音乐当中偶尔还会夹杂着新闻快报，我从中得知德军进攻失利，可能没办法重新拿下比利时。我也知道美国在这年夏天登陆法国之后，继续往内陆挺进。我告诉自己，战争迟早会结束。

但这都得等我先熬过这次的营房检查。

野兽舍监把手伸进我床位下铺的麦秆中，掏出一个像是纸包着的小石头一样的东西。她拿到嘴边舔了一下。“谁睡这个位置？”她问道。

五名挤在那个小空间的女孩往前站，五个人紧紧拉着手。“这块巧克力是谁偷的？”野兽舍监问。

这五个女孩都显得十分困惑。这块巧克力很有可能是某个反应快的女孩为了拯救自己，而把私藏的东西塞进她们的床铺下。但她们只能沉默地站着，低头看冰冷的地板。

舍监一把抓住其中一个女孩的头发。这女孩和我们一起在加拿大工作，我们可以把头发留长。我的头发现在大概有一寸长了。这是在加拿大工作其中一项令人嫉妒的特权。那里的警卫叫我们“肥猪”，因为我们看起来比大多数女性俘虏健康，因为我们可以从行李箱里偷到少量食物。“这是你的吗？”野兽舍监怒斥。

女孩摇摇头。“我没……没有……”

“也许这样可以唤醒你的回忆。”她拿着铁棍挥打这五个女孩的脸，打断她们的牙齿、鼻子，让她们全跪了下来。

她踢开倒在地上的女孩，开始搜我们的卧铺。我的心开始和机关枪一样跳动，额边冒出斗大的汗珠，看着她拉出那沓我用裙摆拉出来的线绑在一起的照片。

野兽舍监正要拉开绳结时，塔雅往前跨了一步。“那是我的。”

我惊讶地张大了嘴。我知道她有什么打算，她想报答我救她一命之恩。我还来不及开口，另一个女人也往前站了，她是三天前刚到的那个为了儿子和母亲哭个不停的女人。我连她叫什么名字都还不知道。“她说谎，”女人说，“东西是我的。”

“她们两个都在骗你。”我看着不知名的女人，不明白她有什么动机，她为什么想救我？或是说，是她自己想死？“她没在加拿大工作，而她——”我朝塔雅点了点头——“不会说德文。”

前一秒钟，我还虚张声势地站着，下一秒钟，我已经被拖出了营房。外头正下着大雨，狂风像一头呼啸的龙。我的一只木鞋卡在泥巴里，我在最后一刻捞起鞋子。如果你没鞋子穿，你活不下去，事情就是这么简单。

院子中间站着一个党卫队军官，雨水打在他的毛制服上。那是战栗先生。他的手一点也不抖，紧紧举起鞭子挥向那名和我住同一个营房、偷了收音机的女孩。她面朝下，趴在泥浆里。他每挥一次鞭子，就要她站起来，等她站了起来，他又继续挥鞭。

我是下一个。

我无法控制地打起哆嗦，从头到脚都在发抖。我的牙齿打战，流着鼻水。我不知道他是否会杀了偷收音机的女孩。

或杀了我。

去思考“死亡”，是个奇特的经验。我不由自主地想起我和父亲之间的笑话，那些我从前为他记下的死亡条件。现在，我也替自己设定了几个条件：

如果我死，请让我死快一点。

如果是枪杀，请瞄准我的心脏而不是脑袋。

最好是别让我感觉到痛苦。

我宁愿迅速地因外力致死，也不要感染疾病而死。我甚至欣然接受毒气。说不定那种感觉就像入睡后长眠不醒。

我不知道自己从什么时候开始，觉得在这个集中营里的大规模屠杀是人道的做法——我猜，德国人就是这么想，但如果另一个选择是形销骨立，因为饥饿而一丝一毫地丧失清明的神智，那么，说不定早点结束生命才是比较好的选择。

警卫拖着我走向战栗先生，他抬起头，雨水滑过他的脸。我发现他的双眼和玻璃一样，颜色极浅，像一面银色的镜子。“我手上工作还没结束。”他用德文说。

“要我们在这里等吗，督导官？”警卫问道。

“我不打算为了几个不遵守规定的畜牲，在这种让人厌恶的大雨中站一整天。”他说。

我抬起下巴，用德文清楚地说：“*Ich bin kein Tier*。”

我不是畜牲。

他眯起眼睛看着我。我立刻垂下视线，看着自己的脚。

他举起拿着鞭子的右手，“啪”的一声让鞭子划过我的脸颊，我的头跟着甩向一侧。“*Da irrst du dich*。”

你错了。

我跪倒在泥浆里，用手捂着脸。鞭尾在我眼睛下方划开一道伤口，血水混着雨水往下流到我的下巴。我看到身边那个躺在泥浆里的女孩，她的制服被鞭子打裂，后背皮开肉绽，像是玫瑰花瓣。

我听到身后有人说话，带我过来的警卫正在向另一个刚走过来的人报告我的违纪状况。这个刚来的军官跨过我的身子，说：“督导官，你太忙。容我帮忙好吗？”

我看到他穿着制服的背影，以及他戴着手套交握在背后的双手。我盯着他发亮的靴子看，不明白他怎么可能穿越泥浆而不弄脏靴子。

我简直不相信自己临死前想的会是这种事。

战栗先生耸耸肩，把注意力放回趴在我身边的女孩。另一个军官走了开去，我被架着穿过营区，经过加拿大，随着这个军官进到了行政大楼里。他下令要警卫带我到楼下某个像囚房的地方，进去之后，我听到沉重的门锁“咔嗒”一声锁上。

囚房里没有灯光，石砌的墙壁和地板让这地方看来像个老酒窖，有点儿潮，而且到处有湿滑的青苔。我背抵着墙坐，偶尔把红肿的脸颊贴在冰冷的石头上。这当中我一度睡着，一直到我感觉有只老鼠钻进我裙下在我腿上跑动，这才醒了过来。之后，我决定站着。

几个小时后，我脸上伤口不再出血了。我纳闷地猜想，也许那个军官忘了我，或说不定他只是想等到雨停，让战栗先生有足够的时间惩罚我。但到了这时候，我的脸颊已经严重发炎，肿得我连眼睛都睁不开。我听到有人拉开门，当光线照进狭窄的空间时，我眯起了眼睛。

我被带到一间办公室，门上标示的是：F. 哈特曼，高级小队领袖。办公室里有一张木制的大办公桌，许多档案柜，还有一张装饰繁复的椅子——那种通常是律师会用的椅子。这张椅子上坐着的人，是管理加拿大的军官。

他面前的绿色桌垫上有文件有档案，而我所有的照片就摊在上头，而且所有照片都翻到了背面，也就是我写的故事。

我知道战栗先生有能力做出什么事，我每天在点名的时候都可以看到。然而，就某方面而言，恶灵先生更可怕，因为我无法预料他的反应。

他负责管理加拿大，我从他手上偷来一些东西，现在，这些证据就摊在我们两个之间。

“你可以离开了。”他对带我进来的警卫说。

恶灵先生的背后有扇窗户。看着落在玻璃上的雨珠，我知道自己站在室内而且温暖，这个简单的事实让我心满意足。办公室里，收音机低声播放着古典音乐。若不是因为我可能即将被殴打到死，我也许会把这一刻当作我进集中营后首度感觉到的正常时光。

“这么看，你会说德文。”他用他的母语说话。

我点点头。“*Ja, Herr Hauptscharführer*（是的，高级小队领袖）。”

“显然你也会写。”

我的目光落到了桌上的照片。“我在学校里学过。”我回答。

他递给我一本笔记本和一支笔。“证明给我看。”他在房间里踱步，背诵一首诗。“*Ich weiß nicht, was soll es bedeuten, / Daß ich so traurig bin, / Ein Märchen aus uralten Zeiten, / Das kommt mir nicht aus dem Sinn.*”

我知道这首诗。从前鲍尔先生的德文课上考过这首诗，而且我拿到了最高分。我在心里默默翻译：但愿我明白其中的含意，忧伤笼罩着我。来自古老传说的幽魂，不愿放过我。

“*Die Luft ist kühl und es dunkelt*,”恶灵先生继续念，“*Und ruhig fließt der Rhein...*”

暮色中的空气冰冷，莱茵河水轻柔地流动……

“*Der Gipfel des Berges funkelt*①,”我不由自主地低声念道，“*im Abendsonnenschein*②.”

他听到了我的低语。接着，他拿起我抄写的笔记，然后又看向我，仿佛我是个他从来没见过的怪物。“你知道这首作品。”

---

① 山峰闪闪烁烁。

② 在阳光的余晖之下。

我点点头。“是海因里希・海涅的《罗蕾莱》。”

“*Ein unbekannter Verfasser*。”他纠正我：作者佚名。

我这才想起海涅是犹太人。

“你知道你偷了帝国的财产。”他喃喃地说。

“是的，我知道，”我脱口说出，“对不起，我犯了错。”

他挑挑眉。“你承认犯了蓄意偷窃罪？”

“不是的。我犯的错是以为帝国不会在乎这些照片。”

他张开嘴巴想说话，随即又闭了起来。他不能承认照片有其价值，因为这等于承认遭到杀害的人也有价值，然而他也不能承认照片没有意义，若他这么说，无疑是削弱了他惩罚我的论点。“那不是重点，”他终于说，“重点是，这些东西不属于你。”

军官重重地坐回椅子上，抡起指头敲着桌面。他拿起一张照片，翻到我写了字的背面。“你这个故事的其他章节在哪里？”

我想象警卫搜索整个营房，想找出更多写了字的照片。如果他们没找出东西，是不是会动手打人，在听到想要的答案之前决不罢休？

“我还没写出来。”我承认。

这让他吓了一跳。我发现，他以为我只是重述我在某处听来的故事。照理来说，我应该没有足够的智慧，创作不出这样的作品。

“你，”他说，“你虚构出这个怪物……巫皮欧？”

“对。”我回答，“嗯，我是说，不是这样。每个波兰人都知道巫皮欧的故事，但故事里这个特定的巫皮欧是我虚构出来的。”

“大部分女孩写的都是爱情故事，你却选了野兽。”他若有所思地说。

我们用德文交谈，为了写作而对话；仿佛他不会突然掏出手枪瞄准我的脑袋枪杀我。

“你选的这个主题让我想到另外一个神话中的野兽，”他说，“悲叹狮。你听过吗？”

这是考试，是陷阱，还是某种间接的体罚？我的答案是否会影响我将要遭受的惩处？我听过水怪旺尼克，森林精灵吉渥松纳，但这些都是波兰的民间故事。如果我说谎，表示我听过悲叹狮呢？若是我老实承认不知道，下场是否会比较好？

“古希腊人写过有关悲叹狮的故事，我在学校里学过。悲叹狮是狮头人身的怪物，所有你想得到的人类语言他都会说，”军官冷冷地说，“这很方便。”

我低头看自己的腿。如果他知道我给他取的绰号——恶灵先生——也是出自神话里的怪物，真不知道他会怎么想。

“就像你的巫皮欧一样，这头野兽滥杀，而且会吃下他的猎物。但是悲叹狮有个特点，他会割下受害者的头放在身边，然后坐下来哭泣。”他看着我，直到我抬起头直视他，“你觉得怎么样？”

我咽咽口水。我从来没听说过悲叹狮的故事，但是我了解巫皮欧——亚历山大的程度更胜于我对自己的认识。我孕育出这个人物，赐予他生命。“说不定，有些怪物，”我静静地说，“可能还有良知。”

军官的鼻翼偾张。他站起来绕到办公桌前，我立刻缩起身子，抬起手臂准备抵挡他的殴打。

“你知道吗，”他说话的声音几乎像低语，“光是偷窃，我就可以拿你来作为其他人的警惕，公开鞭打你，就像督导官刚才处罚另一个俘虏那样。或者，我也可以杀了你。”

我的泪水不受控制地流了出来。原来，我也不是骄傲到不屑为自己渺小的生命求饶。“请别杀我，叫我做什么都可以。”

这位党卫队的高级小队领袖犹豫了一下。“那你告诉我，”他说，“故事接下来怎么发展？”

用目瞪口呆来形容我当时的状况，未免轻描淡写。这名军官不但没有出手动我一根汗毛，还让我在这天接下来的时间都留在办公室里打字，列出所有在加拿大找到的物品。后来我知道，这些物资都会送到仍然受到德国控制的欧洲地区。他告诉我，这就是我的新工作，我要听写、书信打字、接电话（当然是以德文对话），帮他留下口信。当他离开办公室，穿过营区去加拿大例行巡察时，他不会留我一个人，而是要另一名军官到办公室里来监督，以免我做出什么可疑的行为。在这段打字的时间，我的指头用力敲打键盘。而他回办公室之后，则是一言不发地坐在办公桌后面，用计算器加总一些数字。他边工作，计算器边吐出白舌般弯曲的计算纸。

到了下午，我开始头晕目眩。和加拿大不同，我在这里没领到午餐喝的汤。姑且不论那碗汤有多少养分，总算是食物。当小队领袖结束某趟加拿大的巡察，带回松饼和咖啡时，我的肚子大声地咕噜叫，他离我非常近，我知道他听得见。

没多久之后，有人敲了敲门，坐在椅子上的我差点跳了起来。小队领袖喊了一声，请外头的访客进来。我虽然不敢让视线离开面前正在处理的文件，但我立刻听出督导官的声音，他的声音听起来就像是烟雾，沿着刀锋边缘往下降。“烂透了，这鬼日子。”他粗鲁地开门进来，说，“走吧，我得到餐厅去磨钝我的神经，之后还有点名时间要忍受。”

我背上的汗毛全竖了起来。要忍耐点名的人是他？

我低头认真打字，他的目光落在我身上。“嗯，”他说，“这算什么？”

“我需要秘书，雷纳。早在一个月前我就告诉你了。这个办公室要处理的文件一天比一天多。”

“可是我也告诉过你，说我会安排。”

“你拖太久了。如果举报我会让你舒服一点，那就去吧。”他耸耸肩，“反正我自己处理好了。”

督导官来到我身边踱步。“你处理的方式，就是带走我的工人？”

“是我自己的工人。”小队领袖说。

“没经过我的同意。”

“拜托，雷纳，你可以再找个工人。这个刚好德文流利得很。”

“*Wirklich*？”他说：真的？

他问的是我，但是我背对着他，所以没发现他在等我的回答。突然，有个东西打中我的后脑勺，我跌下椅子跪倒在地上。“问你话就要回答！”督导官高高地站在我前面，再次抬起他的手。

在他第二次挥打之前，他的弟弟紧紧拉住他的手臂。“请你把我的人员交给我来管教。”

督导官的目光闪烁。“这是你对上级长官的请求，法兰兹？”

“不，”小队领袖回答，“这是我对兄长的要求。”

紧张的情势瞬间解除，压力像是从窗口泄了出去。“这么说，你决定养只宠物。”督导官笑了，“你不是第一个这么做的军官，但我还是要质疑你的判断力，毕竟，德国领土内有不少漂亮的非犹太德国人有这种意愿。”

我拖着自己的身子坐回椅子上，用舌头舔了舔牙齿，确认有没有牙齿被撞到松脱。我不知道小队领袖是否有这种打算，带我来当他的妓女。

这会是我完全没有设想到的另一种惩罚方式。

我还没听说过哪个军人性骚扰俘虏。原因不是他们多有绅士风度，而是因为这种关系于法不合，而这些军人一向是规矩至上。再说，我们是犹太人，因此完全引不起任何人的兴趣。和我们躺在一起，就和伴着害虫一样惹人厌。

“我们到餐厅再说吧。”小队领袖建议。他把吃剩的松饼放在办公桌上，经过我身边时，他说：“我走了之后，你去清理我的办公桌。”

我点点头，然后移开了视线。我知道督导官在打量我的脸孔和藏在工作服下只剩下一把骨头的身子。“记住，法兰兹，”他说，“流浪狗会咬人。”

这次，小队领袖没有派低阶军官看守我，而是直接把我锁在办公室里。他的信任反而让我焦躁。他先是对我的写作有兴趣，接着又宣布我是他的秘书——这个工作可以让我在冬天里保持一整天的温暖；现在已经进入冬天，秘书工作绝非劳务。如果他打算强暴我，何必故作友善？

所以不会是强暴。

这个想法像大石般，落入我心口的井底。

这种事不会发生。在和纳粹军官发生任何关系之前，我会先拿拆信刀切开自己的喉咙。

我默默地向亚隆道谢，他成了我生命中的第一个男人，这个德国人不必上场。

我走到他的办公桌边。我有多久没吃到松饼了？我父亲偶尔会烤松饼，他用的是粗磨的玉米粉和最好的白砂糖。这个松饼的颜色比较深，里头还夹着红醋栗。

我用指头把蜡纸上的饼屑扫在一起，撕下一截纸包起半个松饼，放进我的衣服里，打算留着稍后吃，我要和塔雅分享。接着，我把指头舔干净。这个味道几乎让我跪下来。我还喝掉最后几滴咖啡，最后才小心地把蜡纸和喝干的纸杯丢进垃圾桶。

但我立刻开始惊慌。万一这不是什么信任的表现，而是另一个测试怎么办？如果他回到办公室检查垃圾桶，看我是否偷了他没吃完的食物怎么办？我不断设想各种情境。这两兄弟会走进来，然后督导官会说："我早就告诉你了，法兰兹。"接着，小队领袖会耸耸肩，把我交给他的哥哥执行那顿我从早上等到现在的鞭刑。如果偷拿死者的照片是错事，那么拿走军官没吃完的食物一定更糟。

当小队领袖打开门锁走进来时——这会儿就他一个人，我已经紧张到牙齿打战。他皱着眉头问我："你会冷吗？"我闻到他口气中的啤酒味。

我点点头，虽然这是我在几个星期以来最暖的时候。

他没去检查垃圾桶，而是粗略地环顾四周，然后才坐在自己的桌角，拿起那一沓照片。"我必须没收这些照片，你懂吧？"

"懂。"我低声说。

好一会儿之后，我才明白他手上拿了个东西要给我。一本皮革封面的小记事本，还有一支钢笔。"你改用这个。"

我犹豫地收下礼物，手上的笔很沉重。我忍不住把记事本凑到鼻子前面，闻着纸张和皮革的味道。

"这个安排，"他正式地问，"你能接受吗？"

难道我可以选择？

我愿意用身体来交换心灵的满足吗？因为这是他的意图，至少，他的兄长是这么说的。我可以换取写作的自由，而且还能得到一个别人抢着要的工作。

看我没回答，他叹了一口气，然后站起来。“来吧。”他说。

我又开始发抖，这次抖到让他离开我身边。该是我报答的时候了。我的双手交抱在胸前，紧紧抱住记事本，只想知道他要把我带到哪里去。到军官宿舍吧，我想。

我办得到。在我脑海里，我哪里都能去。我可以闭上双眼，想着安妮雅、亚历山大，和那个我可以控制的世界。既然我可以用这个故事来安慰塔雅，抚慰营房里的其他俘虏，我也可以拿它来麻醉自己。

我咬着牙走出办公室。外头的雨虽然已经停了，但地上仍然有一滩滩的泥浆。小队领袖穿着厚重的靴子涉水而过，我则是勉强跟上他的脚步。他没朝营区另一边的军官宿舍去，反而是带我回到我的营房入口。所有的女人都已经结束工作回到了营房，等着晚点名。

小队领袖把舍监叫过来，后者摆出谄媚的脸色。“这名俘虏从现在开始要在我办公室里工作。”他宣布，“这本子和钢笔都是我的东西。如果这些东西不见，我会要你向我还有督导官负责。这样够清楚吗？”

野兽舍监光是点头没说话。她背后的营房里也一片安静，其他女人的好奇显而易见。然后小队领袖转过头对我说：“明天之前要写出十页。”

他没带我回他宿舍强暴我，而是就这么离开了。

野兽舍监立刻讥讽地说：“他现在可能会保护你，但是在他对你双腿间厌烦之后，他会找上别人。”

我推开她，走到正等着我的塔雅身边。“他对你做了什么事？”

她捉着我的小手臂问道，“我担心了一整天。”

我整个人瘫了下来，开始回想这天发生的事，慢慢消化这个奇特的转变。“他什么都没做，”我告诉她，“没有惩罚我。若真要说有什么事发生，那也是我升了新职位，因为我会说德文。我从今天开始为一个会念诗，而且要听巫皮欧故事的军官工作。”

塔雅皱起眉头。“他究竟想要什么？”

“我不知道，”我也觉得惊讶，“他没碰我。而且，你看……”我拿出塞在连身裙腰带下的那半个松饼，交到她手上，“他还把这东西留给了我。”

“他给你食物？”塔雅倒抽了一口气。

“嗯，不完全是这样。但是他留在桌上了。”

塔雅吃下松饼，陶醉地闭上眼睛。但一会儿之后，她直视着我，说：“你可以让猪穿上礼服，敏卡，但这不代表它可以进入上流社会。”

第二天早上点过名之后，我到小队领袖的办公室报到。他不在里头，但有个低阶军官等在那打开门锁让我进办公室。我想，他应该在加拿大，监督在棚子里工作的塔雅和其他女孩。

在我打字机旁的临时办公桌上有一沓文件要打。

而椅背上，披着一件女用毛衣外套。

我每天有固定的时间安排，早上到小队领袖的办公室报到，他去加拿大巡察时会留下工作给我处理。中午，小队领袖会从总营区将午餐带回办公室。通常他会多带一份汤或是多一片面包，但他从来不吃完，而是明知我会吃，仍然在离开办公室之前留下来。

在他吃午餐的时候，我会大声朗诵前一晚写下的故事。然后他会提问：安妮雅知不知道达米安想陷害亚历山大？我们会不会看到卡希米动手杀人？

但是他的问题多半围绕在亚历山大身上。

一个人对兄弟的爱，是否和对女人的爱情不同？你会不会牺牲一种爱，来换取另一种爱？为了救安妮雅，亚历山大必须隐藏自己的身份，他因此会付出什么代价？

我虽然不敢向最亲近的塔雅承认，但是我已经开始期待去工作了，特别是午餐时间。当我读故事给小队领袖听的时候，整个集中营似乎跟着消失。他仔细聆听的方式，让我忘了外面还有警卫在虐待俘虏，有人被送进毒气室遇害后再由别人拖出这些尸体，像堆木柴一样堆进焚化炉。当我朗诵自己的作品时，我迷失在其中，我可以置身任何地方——回到我在罗兹的卧室、在鲍尔先生教室外的走廊上涂涂写写、和塔雅一起到咖啡厅喝热巧克力，或是回到我父亲的面包店，蜷着身子坐在窗台上。我没笨到以为自己可以和这个军官平起平坐，但是在这些时刻，我至少觉得自己的声音仿佛还有重要性。

某一天，当我念故事的时候，小队领袖把身子靠向椅背，将穿着靴子的双脚架到桌子上。这时我正念到故事的高潮，安妮雅走进潮湿的洞穴去找亚历山大，却看到了他野蛮的弟弟。我用颤抖的声音叙述安妮雅如何摸索地走进黑暗当中，她的靴子踩在甲虫的硬壳上发出嘎吱声响，接着又踩到老鼠的尾巴。

“手电筒摇曳的光线投射在山洞潮湿的墙壁上……”

他蹙起眉头，说：“手电筒的光束不会‘摇曳’，火把才会。而且就算真的是这样，也未免太陈腔滥调了。”

我看着他。每次他这样批评的时候，我都不知道该怎么响应。我应该为自己辩护吗？我在这段诡异的伙伴关系当中，有发言的权利吗？

“火把的光线会像芭蕾女伶一样跳跃，”小队领袖说，“像幽灵一样盘旋不去，你懂吗？”

我点点头，在笔记的页首处写下笔记。

“继续。”他命令我。

“突如其来的一阵风吹熄了我用来照路的火把。我站在黑暗中发抖，看不到一尺之外的地面。接着，我听到窸窸窣窣的声响，看到动静。我转过身。‘亚历山大？’我低声问，‘是你吗？’”

我抬头看，发现小队领袖听得入迷。

“黑暗中有声嗥叫，因为太轻柔，听起来更像是低沉的呜呜。我划下火柴，闻到了硫黄味，接着，火把又开始燃烧。有个男人蹲在我面前的血泊中，他的眼神狂野，头发纠结。他嘴角的血持续地往下滴，他捧着一块生肉的双手沾满了血。我往后退，拼命想呼吸……他手上那块吃到一半的肉有手掌，有指头。这只手抓着我想忘也忘不了的镀金拐杖头。巴鲁克·贝勒不再是失踪人口了。”

外头有人敲门，一名低阶军官把头探进办公室。“小队领袖，”他说，“已经两点钟了——”

我“啪”一声盖上记事本，为打字机卷上一张新的表格。

“我自己看得懂时间，”小队领袖说，“该走的时候我会说。”在低阶军官关上门之后，他才说：“你先不要开始打字，继续念。”

我点点头，慌忙拿出记事本，清了清喉咙。

“我眼前的世界一片模糊，开始天旋地转。‘不是什么野兽，’我强迫自己说话，‘是你。’这个吃人肉的动物露出微笑，牙齿上还沾着鲜血。‘野兽……巫皮欧。何必这么计较呢？’”

小队领袖笑了出来。

“‘你杀了巴鲁克·贝勒。’”

“‘真虚伪，老实一点，你敢说你从来没希望他死吗？’我回想这个男人几次来到我家茅屋催缴我们拿不出来的税款，强迫我父亲接受让我们越陷越深的条件。我看着眼前的野兽，突然觉得好反胃。‘我父亲，’我喃喃地问，‘也是你杀的吗？’看到巫皮欧没有回答，我冲向前去，以指甲和愤怒当作武器来攻击他。我抓破他的皮肤，对他又踢又打。我要为父亲报仇，就算送命也值得。”

我继续描述亚历山大抵达洞穴的场景，以及安妮雅如何努力把她爱上的男人与有个野兽弟弟的男人联想在一起。但是，这让他成了一个怎么样的人？

接着，安妮雅仓皇跑出洞穴，亚历山大追了上去，她指控他明明有能力阻止他的父亲被杀，却没有挽救这件事。“‘你父亲不是世上唯一爱你的人，’”我念道，“‘而且你也不能把他的死怪在卡希米身上。’他转开头，脸孔陷入了阴影当中。‘因为，杀他的人是我。’”

我读完这段文字，最后几个字停留在办公室里，像是富人的雪茄烟雾，留下浓烈的余韵。小队领袖慢慢地拍起手，拍了两次，热切不减地说：“太好了，我没料到会有这个转折。”

我涨红了脸。“谢谢你。”我再次盖上记事本，双手交叠放在腿上，等他打发我离开。

没想到小队领袖往前靠。“多告诉我一些他的事，”他说，“亚历山大。”

“但是我已经把到目前为止写出来的全告诉你了。”

“对，但是你知道的比写出来得多。他是不是打一出生就是谋杀犯了？”

“巫皮欧不是这样来的，你必须是非自然死亡的受害者。”

“可是，”小队领袖指出来，“亚历山大和卡希米都有同样不幸的命运。这是巧合，还是纯粹运气不好？”

他似乎把我书中的角色当作真人来讨论。其实对我来说，这些角色真的存在。

“卡希米是在为亚历山大复仇时死的，”我说，“也因为这样，亚历山大才觉得自己必须保护他。而且，既然卡希米比他晚成为巫皮欧，他还无法像亚历山大那样控制自己的食欲。”

“所以，理论上来说，这两个人都有正常的童年，双亲疼爱有加，会带他们上教堂，为他们庆祝生日。两兄弟会上学，可能会送报、做工，或是成了艺术家。然后这两人在某天遇到某种状况，醒来之后就成了可怕的嗜血怪物。”

“传说中是这么讲的，没错。”

“可是你，你是作家。你可以随心所欲，”他指出，“看看安妮雅。在那一刻，她可以杀掉她心中的杀父凶手，但是你把她塑造成了一个女英雄。”

我没想到这一点，但他说得没错。世界并不是非黑即白。有些人可能当了一辈子好人，却在某一刻做出邪恶的事。安妮雅在某个情况下，也会和任何怪物一样犯下谋杀案。

“在这对兄弟的成长过程，或是在他们的过去或基因当中，有没有什么会让他们转变的因素？”小队领袖问道，“比如说某种致命的缺憾？我相信大多数人不会有这种厄运，在死后变成巫皮欧。”

“我……我不知道，”我承认，“说不定关键就在于亚历山大不想成为巫皮欧，因此，他才会有所不同。”

“你是说，一个懂得懊悔的怪物。”小队领袖陷入沉思。接着，他站起来拿起衣架上的厚外套。他把没喝的第二碗汤留在桌上。“明天，”他宣布，“再念十页。”

他走出办公室，把我反锁在里面。我仔细绑好捆着记事本的绳子，然后放在打字机旁边。我走到他的桌边拿起那碗汤。

突然间，我听到门锁转动的声音。我手一松，整碗汤泼倒在办公桌下的木地板上。小队领袖站在原地，等我转身面对他。

我忍不住发抖，不知道当他看到洒在我脚边的汤会有什么反应。但是他似乎没发现。“你认为亚历山大第一次喝下受害者的血液时，有什么反应？”他问道，“你觉得他会不会觉得羞耻？反胃？”

我摇摇头。“他没办法控制自己。”

“这会让事情比较不可憎吗？”

“是对受害者而言，”我问，“还是对巫皮欧来说？”

小队领袖眯起眼睛看我。“这有什么差别？”

我没有回答。过了一会儿，在他出去又锁上门之后，我趴跪在地上，舔舐地板上的汤。

在一个风暴过后的早晨，白雪覆盖了整个营区，塔雅和我走出营房去上工。我们跟在几个女人后面，拖拉着脚步前进。大家身上都裹了层层破烂的衣服，但仍然冷得发抖。我们每天走这条路，沿着篱笆走到集中营的坡道入口。有时候，我们会看到火车靠站，有时候在我们经过时，会看到德国人在筛选犹太人。偶尔，我们也会蹒跚经过排着等待死亡淋浴的人。

这天我们经过时，正好有一群新来的俘虏走出车厢。他们就像当初的我们一样，提着行李站在站台上，喊着挚爱亲友的名字。

突然间，我们看到了她。

她从头到脚都穿着白色的丝缎，冷风吹得她的头纱往后飘。警卫推着她排进筛选的队伍，但她仍然四处张望。

这一幕吸引了我们这群女人的眼光，所有的人都停下脚步。

你可能不会相信，但这个场景并不让我们感到沮丧：一个被人从自己婚礼中拖出来的新娘，和丈夫分离，最后运到了奥斯威辛。

相反的，这一幕给我们带来了希望。

这表示，无论这个集中营里发生什么事，无论他们拘捕、杀害了多少犹太人，外面都还有更多犹太人在生活、在恋爱、在结婚、在期待着明天。

奥斯威辛集中营的主要营区就像个村庄，有杂货店、餐厅、电影院、有歌手与音乐家演出的剧院——这当中有些是犹太人。另外还有摄影暗房、足球场，还有军官可以加入的运动俱乐部；如果有军官下注，一些过去曾经是拳击手的俘虏也会互相较量。另外，这里还有酒可以喝。有些军官有酒精类饮料的配给，但据我所知，他们会存下来一次喝醉。

我会知道，是因为几个星期之后，小队领袖偶尔会派我帮他打点杂务，比如说领香烟，或是送洗或领回洗好的衣物。我成了他的跑腿，帮他传讯到必要的地方。如果他待在办公室里，偶尔会派我传纸条给在加拿大巡逻的资浅军官。冬天来临之后，气温降得更低，我会不顾一切，冒着风险特别照顾塔雅和其他人。在小队领袖到军官俱乐部用餐或穿过营区去开会时，我知道他离开办公室的时间比较久，这时，我会用他的信纸打好纸条，要求警卫带A18557号俘虏——也就是塔雅——进办公室来问话。这种时候，塔雅和我会尽快回到办公室，她可以至少得到半个小时的温暖，再回到冷飕飕的加拿大棚屋去工作。

这里还有些像我一样有特权的俘虏，到营区中心去办事时，我们会彼此点头打招呼。我们走在最微妙脆弱的绳索上：大家恨我们，因为我们轻易就享有特权；但她们又看重我们，因为我们有办法偷到让她们生活更舒适的物品，例如食物，或是用来贿赂警卫的香烟和威士忌。我用塔雅在加拿大从行李箱里偷来的一瓶伏特加，和一名在军官俱乐部工作的俘虏换来了一颗回力球和少许灯油。我们用拇指在回力球上戳出八个洞，然后用毛衣抽下来的纱当作烛芯，于是在光明节那天，我们有蜡烛可以庆祝。据说，在营里另一个办公室当军官秘书的犹太女人用一副老花眼镜换来一只小猫，最不可思议的，是那只猫还住在她的营房里。我们因为有保护者，所以被视作不可冒犯的人，有些党卫队军人为了某些理由，认为我们不可或缺。我猜，有些人是为了性。但时间越拉越长，由几个星期进入到几个月之后，小队领袖仍然没有对我动过手，无论是愤怒或欲望，全都没有。他要的真的只是我的故事。

他偶尔会不经意地说到自己，这很有意思，因为我早已忘记，除了我们这些俘虏之外，其他人从前也有不同的生活。他本来想去海德堡念古典文学，他想成为诗人，要不然就是文学期刊的编辑。在他接获征召入伍为他的国家效力的时候，他正在写关于史诗《伊利亚特》的论文。

他非常不喜欢他的兄长。

我可以从他们的互动看出这一点。每当督导官过来找他说话的时候，我发现我会在椅子上缩起身子，似乎这么做就可以让自己消失。在大部分的时间里，他不会注意到我，对他而言我无足轻重。督导官酒瘾不小，而且一喝酒就发脾气。我在点名时亲眼看过。但有时候小队领袖会接到电话，要他到营区中心去把他哥哥带回军官宿舍。而第二天，督导官会到办公室来，说是噩梦让他不得不喝，而他喝酒，是为了他在战场看到的一切。我猜，这是他最接近道歉的表示了。但他仍然会继续喝酒，仿佛忏悔会带来反感。督导官会说他才是女子集中营的老大，每个人都必须对他负责。为了强调这一点，他有时候会动手挥开桌面的文件、推倒衣帽架，或是把计算器丢到办公室的另一边。

我怀疑其他军官是否知道这两个人的关系。或是说，他们也和我一样，不了解如此不同的两个人，怎么可能出自同一个母亲的子宫。

我这个工作的另一个福利，是我可以预知督导官大概会在什么时候失控，因为他怒气爆发的时间会规律地随着忏悔出现。

我不笨。我知道小队领袖在我书中看到的不只是娱乐效果，他同时也看出了寓言，也透过这个寓言去了解他和他兄长、他的过去和现在、他的良知和行为之间的复杂关系。如果兄弟中有一个怪物，另一个是否也一定要是怪物?

一天，小队领袖派我去营区中心的药房拿一瓶阿司匹林。外头正下着大雪，我的木鞋陷入深深的积雪，我的脚也跟着湿透。我穿着营里发的外套，头上戴着塔雅送我的光明节礼物：从加拿大偷来的粉红色毛帽和连指手套。跑这趟路通常只要十分钟，但这天因为风大雪猛，所以我花了双倍时间。

我拿到包裹正要回小队领袖的办公室时，突然看到餐厅的门猛地被撞开，督导官冲过来，挥拳殴打一名低阶军官的脸。

信不信由你，奥斯威辛也是有规定的。军官可以随意殴打看不顺眼的俘虏，但是不能没理由杀人，因为这等于减少集中营这个巨大生产齿轮的工作力。军官可以把俘虏当作是池塘里的漂浮的浮渣，可以虐待乌克兰警卫或犹太警卫，但是不能对另一名党卫队人员有所不敬。

督导官当然是个重要的人，但是一定有人比他位阶更高，这件事一定会传到上级的耳里。

我拔腿就跑，穿过营区，在结冰的地面上滑倒，冷风冻僵了我的脸颊和鼻子，最后终于跑进行政大楼的小队领袖办公室。

办公室里没有人。

我急忙又跑到外面，这次，我跑到加拿大的棚屋，看到小队领袖和几名警卫在谈话，指出他们一项疏漏的报告。

“对不起，小队领袖，”我嗫嚅着，心跳狂乱，“我能和你私下说个话吗？”

“我正在忙。”他说。

我点点头，退了开去。

如果我不说，不会有人知道我看到什么事。

如果我不说，督导官会受到惩罚。说不定会被降职或调职。这对我们所有的人来说，不失为好事一桩。

嗯，唯一例外的可能是他的弟弟。

我不知道哪件事会让我比较惊讶：是我转头走回整理行李的棚屋，还是我发现自己关心小队领袖的快乐与否。“对不起，小队领袖，”我低声说，“但这件事真的很重要。”

他遣开警卫，抓着我的手臂走到外面的风雪之中。“你不能打扰我工作，听懂了吗？”

我点点头。

“我可能给你错误的印象。这里下令的人是我不是你。我不会让手下的军官以为我——”

“督导官，”我打断他的话，“在餐厅外面和人打架。”

他脸上的血色立刻退去，焦急地走向营区中央，一走过转角立刻拔腿跑了起来。

我握了握仍在粉红手套中的药罐，走到行政大楼，回到办公室，脱下外套和帽子手套，晾在暖气上面。接着，我坐下来开始打字。

到了午餐时间，我仍然继续工作。这天我不必念小说，没多一份食物留给我。小队领袖一直到傍晚才回来。他拍掉外套上的雪花，把衣服和军官帽一起挂在架子上，接着重重地坐在办公桌后面，合起手掌。

“你有兄弟姐妹吗？”他问道。

我面对着他说：“曾经有过。”

小队领袖直视我的双眼，点了点头。

他在信纸上草草写下几个字，折起信纸放进信封里，对我说：“把这个拿到指挥官办公室去。”我吓得脸色发白。虽然我知道指挥官办公室在哪里，但是我从来没去过。“就说督导官不舒服，没办法出席点名。”

我点点头。我穿上仍然潮湿的外套，戴上帽子和手套。“等等。”在我转动门把的时候，小队领袖喊我回头，“我不知道你的名字。”

到这时候，我已经为他工作十二个星期了。“敏卡。”我喃喃地说。

“敏卡。”他让我离开，低下头继续处理桌上的文件。我明白，这是他唯一能表达谢意的方式。

之后，他再也没有喊过我的名字。

我们在加拿大扣押下来的东西，会运送到欧洲许多地方，而随对象运送的详细列表都是我打出来的。列表和实际对象有时候不符，这种情况通常会算在俘虏头上，但实际上，党卫队军人偷窃的可能性也不小。塔雅说，她经常看到一些低阶军人在自以为没人注意的时候，把东西塞进口袋里。

如果列表和对象不符，小队领袖立刻会接到电话，由他来决定惩处，尽管这时可能和实际偷窃时间已经距离好几个星期之久。

有天下午，当小队领袖去营区中心领午餐时，我就接到这样的电话。如同往常，我用标准德文应答："早安，这里是哈特曼小队领袖办公室。"

电话另一头的男人自称施密特先生。"很抱歉，小队领袖不在办公室，我可以帮他留个口信吗？"

"是的，请你告诉他，货品安全抵达。但是在我挂断电话之前我一定得问，小姐……我实在听不出你的口音。"

当他喊我"小姐"的时候，我没有纠正他。"*Ich bin Berlinerin*（我是柏林人）。"

"真的。因为你的发音好到让我都不好意思了。"施密特先生回答。

"我在瑞士念过寄宿学校。"我说谎。

"啊，对。那可能是欧洲唯一没被糟蹋过的地方。非常感谢你，小姐。再见。"

我把话筒放回支架上，感觉自己仿佛经历了一场审问。我转过头时，小队领袖正好回来。"刚刚是谁？"

"施密特先生，确认货品安全抵达。"

“你为什么说你是柏林人？”

“他问起我的口音。”

“他怀疑吗？”小队领袖问。

如果我说是，那么这是否表示我的秘书生涯即将结束？我会不会被送回加拿大，或是更糟的，被送去筛选？

“应该没有，”说话时，我知道自己心跳很快，“我说我在国外念书，他也相信我。”

小队领袖点点头，表示同意。“不是每个人都会以善意的眼光看待你在这里的工作。”他坐下来，放好餐巾，开始切一盘烤鸡肉，“我们故事讲到哪里了？”

我把身下的木椅从打字机前转开，面对他，打开皮革记事本。前一天晚上，我写下十页不可或缺的故事，但头一次觉得自己没办法大声念出来。

“继续下去啊。”小队领袖朝我挥挥他手上的叉子，催促我继续说故事。

我清了清喉咙。“我从来没这么注意过自己的呼吸或是我脉搏的跳动。”说到这里，我觉得脸上热了起来，我低头看自己的双腿。

“怎么了？”他问，“是写得不好吗？”

我摇头。

他伸手越过桌面，拿走我手上的记事本。

“当然了，我听不到心跳，而是虚无，是认知，知道我们再也不会和从前一样。这是否表示他和我的感受不同，没有感觉到，当他在我的——”

他突然停下来，脸色和我一样红。“呃，”小队领袖说，“这段可能默念就好。”

他亲吻我的方式，仿佛他中了毒，而我是解药。我想，说不定真的是这样。他轻咬我的嘴，让我的嘴唇又开始流血。当他吸吮伤口时，我弓着身子迎向他的拥抱，想象他啜饮我的血。

事后，我躺在他身边，手掌放在他的胸膛上，仿佛在丈量胸腔之下的空间。“我愿意付出一切来换回我的心，”亚历山大说，“如果这是我唯一能把心献给你的方式。”

“你这样就很完美了。”

他把头埋向我的颈边。“安妮雅，”他说，“我离完美太遥远。”

这样的亲密有种魔力，世界像是由叹息堆砌而成，而我们的皮肤比砖块厚实，比钢铁强硬。世界上只剩下你和他，不可思议地亲密，没有任何东西可以介入其中。没有敌人，没有盟友。在这个安全的避风港里，在这个神圣的时间和地点，我甚至可以开口问出答案会让我害怕的问题。“告诉我，”我低声说，“你的第一次是什么感觉？”

他没装作不懂。他侧蜷着身子贴在我身上，好让自己在说话时不必看着我：“感觉像是在荒漠里待了好几个月之后，再不喝水便会死。但是水起不了作用，我可以喝干湖水还没有感觉。我真正渴望的，是我闻到在皮肤下丰盛如醇酒的液体。”他犹豫了一下，“我试过，尝试抵抗这种冲动。但当时我已经太饥饿，头晕到几乎站不住。我爬进谷仓，希望自己能再死一次。她拿着一桶鸡饲料走进来，将饲料撒进鸡棚，我就蹲在椽木下，从那个位置，可以清楚看到她。我像天使长一样扑向她，用斗篷遮住她的尖叫声，然后将她拉到我先前躲藏的干草堆里。

“她求我饶她一命，但我自己的命更重要。于是，在饥饿的驱使下，我撕裂她的喉咙，喝干她的血，嚼她的骨吃她的肉，什么都没留下。我厌恶自己，无法相信自己变成什么怪物。我想把自己清理干净，但是她在我双手留下了血渍。我把指头塞进喉咙试着催吐，但我什么都吐不出来。然而，在那么久之后，那是我首度摆脱饥饿的感觉，也因为这样，我终于能睡觉。第二天早上，听到她的父母进谷仓找女儿、喊她的名字时，我才醒过来。她残存的身子就在我身边：她的头，金色的粗发辫还在，嘴巴因为惊吓而大大张开。她呆滞的双眸瞪着已经变成怪物的我。我守在她身边，开始哭泣。”

小队长惊讶地看着我，说：“是悲叹狮。”我点点头，高兴他看出我引用他告诉过我的神话怪物。

“第二次是个妓女，她在巷子里，正要穿上裤袜。这次容易多了，至少我是这么告诉自己的，否则我必须承认之前做了错事。第三次是我的第一个男性受害者，他是银行职员，在结束一天的工作之后，正要锁门。有个受害者是十多岁的女孩，她不巧在错误的时间，在错误的地点出现。接着是一个站在旅馆阳台上哭泣的社交名流。到了后来，我不再去注意他们的身份。重点是当我有需要时，他们正好在我面前出现。”亚历山大闭上眼睛，“结果就是，无论这些事有多么该受到指责，只要你越去做，你就越能在自己心里找出借口。”

我在他的怀里转过身。“我怎么知道你会不会在哪天杀了我？”

他看着我，犹豫了一下。“你没办法知道。”

这是到目前为止的结局。我在这里停笔，好让自己在早点名之前享受几个小时的睡眠。小队领袖把记事本放在我们两人之间的办公桌上。他的脸颊依然泛着红晕。“嗯。”他说。

我没办法直视他的双眼。在集中营里，我在陌生人面前脱下过衣服，曾经在庭院里，被警卫脱下衣服惩罚，但是我从来没有如此暴露的感觉。

“很有意思，而且叙述了这么多，其实只是为了一个吻。让这段文字生动之处，是当你提到亚历山大……其他的事迹。”他歪着头，说，“很迷人，把暴力当成和爱一样亲密。”

他的说法让我惊讶。我不能说我本来就打算这么写，但难道这不是事实？这两种关系都只有两个当事人，一个取，另一个奉献牺牲。这让我想到我在学校上的课，学习如何分析名家的文字：托马斯·曼在这里真正想要讲的是什么？说不定他什么意图也没有。说不定他只是想写出别人写不出来的故事。

“我认为你交过男朋友。”

小队领袖的声音吓了我一跳，我完全说不出话来。最后，我摇摇头。

“如果你没交过男朋友还能写得这么精准，那么这个章节就更让人印象深刻了。”小队领袖说道。

我朝他看过去。他唐突地转开头，和往常一样把没吃完的午餐留给我，自己去加拿大巡视监督。

“但就……技术上来说，”他边扣外套，一边以拘谨的口气说，“最后一段，亚历山大说第二次比较容易，”小队领袖转身戴上帽子，“他错了，这种事从来都不是这样。”

我的打字机不见了。

我站在小队领袖原来让我充当办公室的小隔间，不知道自己哪里做错。

塔雅早就说过，要我别太习惯于这种待遇，而我却没理会她的担心。当其他女人轻蔑看待，或是出言讥讽我和小队领袖发展出来的奇特“友谊”时，我同样置之不理。只要我知道真相，我何必在乎其他人对我有什么想法？我真是太爱幻想，以为只要我的故事能继续下去，我的生命也会跟着走下去。就算是《天方夜谭》里的山鲁佐德王后在第一千零一夜之后，也讲不出别的故事。但到了那时候，每天早上饶她不死，好让她在晚上继续说故事的国王，也已经被她的故事教化得更聪明、更仁慈。

而且封她为后。

我只希望盟军在我想不出故事的转折之前，能赶快出现。

“你不必继续在这里工作了，”小队领袖冷冷地说，“立刻去医院报到。”

我脸上的血色尽失。医院是毒气室的前一站，而且大家都知道，所以无论我们身体有多不舒服，我们都不愿意被带到医院。

“我没有生病。”我说。

他瞥了我一眼。“这没有谈判余地。”

我默默回想自己昨天的工作情况，包括我填写的申请单，留下的口信。我找不出自己哪里犯了错。而且，我们和往常一样，聊我的书聊了半个钟头，这促使小队领袖说出他在短暂的大学时光当中，曾经以自己的诗赢得奖项。“小队领袖，”我恳求他，“请再给我一次机会，无论我做错什么事，我都愿意改过……”

他的目光略过我，看向打开的门口，向一个年轻的党卫队员招手，由他带我出去。

我不太记得自己是如何走到第三十号建筑的。接待处的一名犹太俘虏记录下我的编号之后，把我带进一间又挤又脏的小房间。这里头，躺在纸垫上的病患多到几乎相叠，她们身上的制服沾到了带血排泄物和呕吐物，有些人长长的伤口经过初步缝合，而老鼠在疲惫到无法动弹的人身上跑动。另一名俘虏显然也是接获指派来这里工作的，她捧着一沓敷料，跟在帮病人换绷带的护士身后。我想和她打招呼，但她拒绝和我有任何视线接触。

说不定她害怕，怕被别人取代，就和我一样。

我身边的女孩少了颗眼睛。她不停地抓我的手臂。“我好渴。”她以意第绪语一再地说。

有人帮我量了体温，记录下来。“我要见医师，”我拉高嗓门，声音压过其他人的呻吟，“我很健康！”

我要告诉医生，让他们知道我很健康。我可以回去工作，什么工作都好。我最大的恐惧是留在这里，和这些看来像是坏掉了的玩偶般的女人留在一起。

有个女人推开骨瘦如柴的独眼女孩，在我旁边的纸垫上坐了下来。“闭嘴，”她对我发出嘘声，“你是笨蛋吗？”

“不是，但是我必须告诉他们——”

“如果你拼命吵闹，说自己没生病，总有医生会听到的。”

这个女人显然是疯了。因为，这难道不是我的目的？

“他们要的是那些健康的人。”她继续说。

我摇摇头，完全听不懂。

“我是因为腿上长疹子才会过来。医生检查过我，认为我身上其他部分应该都很好。”她拉起衣服，让我看她小腹上起了水泡的烫伤，“结果他用X光在我身上弄出这个伤痕。”

我开始发抖，终于懂了。我必须装病，至少病到不至于引起医师注意，但又不能太严重，免得被警卫挑中。

这看来像是要我穿越高空绳索。

“今天，从奥拉宁堡有几个大人物要过来，”她继续说，“据说是这样。如果你知道怎么做对自己最好，就不要让别人把注意力放在你身上。他们都想在上级面前呈现出最好的一面，你懂我的意思吧。”

我懂。这表示他们需要替罪羔羊。

我不知道话会不会传出去，塔雅会不会知道我被带到医院来；她会不会试着用她在加拿大找来的东西行贿，好让我被放出去。我不晓得这种机会是否太渺茫。

一会儿之后，我也躺在纸垫上。独眼女孩发着高烧，全身散发出一波波热气。“你渴不渴？”她不停地低语。

我转身，蜷起身子不去看她。我掏出口袋里的皮革记事本，从头开始读我写的故事。我把这当作麻醉剂，除了写在纸上的文字，以及这些文字创造出来的世界之外，我尽量什么都不看。

接着，我注意到一阵骚动，几名护士急急忙忙地进来清理这个小病房，移动病患的位置，让我们不至于叠躺在一起。我把记事本收回口袋里，不知道是不是医生要过来。

没想到来的是一队军人。他们跟在一名年长男人的身边。我没看过这个人，他的位阶显然很高——这点可以从他手下军官的人数，以及集中营军官对他几近奉承的态度里看得出来，他是个非常重要的人。

穿着白袍的人——他会不会是那个恶名昭彰的“医生”[①]？——像是带着这群人来参观。“在利用放射线来进行大规模绝育上，我们有持续的进展。”他用德文说话，我默默在心里翻译。我想到那个警告过我，要我闭嘴的女孩，想到她腹部的烫伤伤痕。

其他人跟着走进小房间，我看到督导官背着手站在这些人当中。

那名高阶军官抬起手，向他示意。

“区队长？需要什么吗？”

他指着帮护士拿敷料的犹太人。“那个。”

接着，督导官朝一群陪同军人的一名警卫扬起头示意，俘虏立刻被带了出去。

“这……”区队长慢慢地说，“……还可以。”

其他军官稍微松了一口气。

“尚可并非满意。”区队长补了这句话。

他大步走了出去，其他人也跟着。

午餐我喝的是领到的汤。汤上飘着丁点儿几乎看不到的料，连平常看得见的蔬菜或肉都没有。我闭上眼睛，想象小队领袖吃什么食物。烤猪肉，我知道，因为我这个星期稍早去军官俱乐部帮他拿了菜单。我吃过一次猪肉，那是在辛曼斯基家。

① 指的是约瑟夫・门格勒（Josef Mengele，1911–1979），奥斯威辛集中营的“医师”，对集中营里的人进行残酷的人体实验，人称“死亡天使”。

我纳闷地想，不知辛曼斯基一家人是否还住在罗兹；不知他们曾否想到他们的犹太朋友，以及这些人后来的际遇。

烤猪肉，搭配青豆加上樱桃淋酱，菜单上是这么写的。我不知道淋酱是什么意思，但是我仿佛品尝得到樱桃味。我记得搭马车到塔雅父亲工厂所在的乡间，当时乔塞克和几个男孩也陪我们一起出游。我们把带来野餐的食物放在格纹桌布上，乔塞克玩起游戏，高高抛起樱桃，然后用嘴接着吃，我还为他表演如何用舌头将樱桃梗打结。

我想着那一幕，想到烤猪肉，想到塔雅家的管家总是会为我们准备太多食物，我们甚至可以把吃不完的东西拿去喂池塘里的鸭——你能想象食物太多吃不完的感觉吗？我想到这些，还努力回忆胡桃的滋味，回想胡桃和花生的差别，思索味觉是否会和残废手脚的功能一样慢慢消失。我一直在想这些，所以一开始才会没听到病房入口处的声音。

小队领袖正朝着一名护士大吼大叫。“你以为我有时间浪费在你的无能上吗？”他问道，“我是不是该去找督导官，让他来解决这么一个微不足道的事？”

“不是的，小队领袖。我相信我们一定可以找到——”

“算了。”他看到我，朝我躺的位置走过来，粗暴地拉住我的手腕，“你立刻回工作岗位报到。你不再生病了。”说完话，他拉着我走出病房，走下医院阶梯，穿过院子来到行政大楼。我得小跑步才跟得上他的脚步。

进了办公室之后，我发现我的椅子、桌子和打字机又回到了原来的位置上。小队领袖坐在他的办公桌后面。尽管外头的温度低于冰点，但他不但脸色通红，而且冒着汗。一直到这天结束之前，我们才谈起这天发生的事。“小队领袖，”我犹豫地问，“我明天早上要过来报到吗？”

“要不然你要去哪里？”他问道。他的视线完全没有离开手边正在加总的资料。

那天晚上，塔雅把她的新闻告诉我，野兽舍监死了。我在三十号建筑看到的人是武装党卫队的区队长，是格吕克斯[①]派来稽查集中营的副手，而且他也到过营房来视察。根据一名和我们住在同一间营房的女人说——她是集中营里反抗势力的成员——这名副手有个习惯，会挑出几个工作轻松的犹太人，把他们送进毒气室。我们的营房来了个极力想在女警卫官面前力求表现的新舍监，她会要我们原地弹跳超过一小时，然后殴打绊倒或累得跳不动的人。一直到几个星期之后，在我帮小队领袖跑腿时，我才发现被枪杀的不只有野兽舍监。几乎所有享有特权工作的犹太人——从像我这样的秘书，一直到在军官餐厅里服务的人，在剧院里拉大提琴的人，以及在医院里的护士助手——全都不见了。

小队领袖开除我又送我到医院去不是惩罚我，而是为了救我。

两天之后，营里的积雪已经很厚，我们奉令在营区房间的院子里集合观看绞刑。几个月前，几名负责将尸体从毒气室里搬出来的俘虏起身反抗。我们没看到这些人，因为他们没和我们其他人关在一起。我听说，这些人攻击了警卫，而且还炸毁了一个焚化炉。同时有些俘虏成功逃脱营区——但大多数都被抓回来枪毙。但是这次行动引发不小的震撼。有三名德军被杀，其中有一个活活被推进焚化炉里——至少，这表示俘虏没有白死。

① 格吕克斯（Richard Gluecks，1889–1945）：纳粹高阶军官，管理纳粹集中营的最高指挥官。

上个星期大家都不好过，因为党卫队员把所有的气都出在集中营里的俘虏身上。但时间一久，我们以为事情也就此结束，没想到我们现在蜷缩着身子站在低温中，呼出的气息瞬间在面前结成雾气，看着几个女人被带上绞台。

经过追踪，炸毁焚化炉的火药来自四个在军火工厂工作的女孩。她们用布或纸包起少量火药夹带在身上，接着再交给一个在营里制衣部门的女孩转给反抗组织，最后再转交给这场反抗活动的领导人。这个在制衣部门工作的女孩和我们住在同一个营房里，她身材娇小，个性怯懦，一点也看不出是个反抗势力的成员。塔雅说：就因为如此，所以她才能当个成功的反抗军。这女孩在某天早点名时被拉了出去，我们知道她在牢房里被拘禁一阵子，而且备受折磨。她终于被送回营房时已经完全崩溃，不但没办法说话，也没办法直视我们。她会撕扯指尖的皮肤，咬指甲咬到流血，每天都会在睡梦中尖叫。

她被留在营房里，我到现在还听得到她的嘶喊。今天要绞死的两个女孩当中，有一个是她的姐姐。

她们被带到绞台前面，身上穿着平常的连身裙，只是没有外套。两个女孩用清亮的眼睛看着我们，高高抬着头。我看得出其中一个女孩和我营房那个女孩有手足的相像之处。

督导官站在绞台下，他一声令下，另一名军官便把两个女孩的手绑到背后。第一个女孩被拉到台上的绳架下，脖子上套了绞绳。转瞬之间，原本站在台上的女孩便被往上吊了起来。接着，他们带上了第二个女孩。两个人在空中扭动身子，像是被钓起的鱼。

那一整天，当我在办公室里工作的时候，我一直觉得自己还听得见那个妹妹的尖叫声——她的刑期往后延了。我知道在这么远的距离之外不可能听到她的声音，但是尖叫声时刻在我的心里，像是收音机在永无休止的回放。我想起自己的姐姐。这是头一次，我觉得芭希雅作出了正确的决定，因为她逃过了像集中营这样的炼狱。如果你知道自己会死，与其等着命运像刀子般向你砍来，何不自己选择死亡的时间和地点？也许，芭希雅的自杀并非绝望，而是最后的自制？上星期，小队领袖选择救我一命，但是这不表示下次他会一样仁慈。我唯一真正能依靠的人只有我自己。

在我想象中，和我住同一个营房的那个女孩一开始运火药时，应该也是这么想。她和芭希雅一样，她们都只是想寻找解脱。

我心神不宁的程度严重到连小队领袖都问我是不是头痛。我是头痛没错，但是我知道，在结束这天工作回到营房后，我的头还会更痛。

结果我白担心了。还不到点名时间，那个妹妹和第四个女孩在日落之前已经被绞死。我经过绞台时尽量不去看，但当她们尸体摆动时，我仍然听到了木架发出了嘎吱声响，她们就像舞动的骷髅芭蕾女伶，任裙摆在凛冽的冷风中歌唱。

一天晚上，天冷到我们醒来时头发都结了霜。早上我们领配粮时，舍监拿起一个女人手中的马口铁杯将咖啡往外泼，结果立刻结成白色的雾。在我们冻得四肢发麻参加早点名时，陪着军官巡逻的军犬不断低鸣，夹在后腿之间的尾巴挥扫结冰的地面。之后，我们把围巾缠在头上走去工作，不想让暴露在冷空气中的皮肤冻伤。

那个星期气温骤降，光是我们的营房里，就死了二十二个女人；另外有十四个露天服劳役的女人则是冷死倒地。塔雅从加拿大帮我带来保暖的贴身内衣和毛衣，所以我多了一层保护。黑市里，毯子的价格也翻涨了四倍。

我从来没如此感激自己能在小队领袖的办公室内工作，但是我知道，塔雅在没有暖气的加拿大棚房里仍然有冻死的危险。于是我重施故伎，当小队领袖去拿午餐的时候，匆忙用我从他那里偷来的信纸打下纸条，要A18557号俘虏到办公室报到。接着我穿上外套，戴上帽子和围巾，急急忙忙地穿过营区到加拿大去送讯，然后把我最要好的朋友从严寒中带进室内，就算几分钟也好。

我们手勾着手搂在一起，塔雅把她在工作时偷来的一小块巧克力塞到我的手套里。我们没有交谈，因为说话会耗费太多精力。即使在进了行政大楼之后，我们仍然得假装小队领袖传塔雅进办公室来。

我们从几名党卫队军官和警卫面前经过，避免和他们的目光接触。到了这时候，他们已经认得我，因此不会起疑。我和往常一样，打开办公室的门之后会先往里看，免得我错估时间而小队领袖已经回来。

结果，办公室里果真有人。

小队领袖的办公桌后面有个保险箱，每天从加拿大找到的钱都会放进这个保险箱上锁保存。小队领袖每次去加拿大巡视之后，他会清空在棚子中央放有价物品的箱子，然后把小东西，比如钞票、铜板和钻石带回他的办公室。据我所知，知道保险箱密码的，只有小队领袖本人。

但现在我知道自己错了。我看到督导官站在打开的保险箱门前。

他拿起一沓钞票，放进外套的胸前口袋里。

我看着他瞪大双眼；而他看着我，仿佛见到了鬼魂。

一个巫皮欧。

某个本该死去的东西。

我突然明白，他以为上个星期当区队长从奥拉宁堡过来巡视时，已经逐一处理掉所有在办公室工作的犹太人。

我惊慌地往后退出办公室。我必须离开，而且得带走塔雅。但即使我们有办法穿过篱笆甚至逃到俄国都还不够远。只要我知道督导官偷窃，只要我仍然为他弟弟工作，我就可以告发他。这表示他必须除掉我。

“快跑。”在督导官扣住我手腕时，我喊着要塔雅跑。塔雅愣了一下，正好让督导官趁机用另一只手扯住她的头发，将她拉进办公室。

他关上门。“你以为你看到什么？”他问道。

我摇摇头，垂下眼睛看着地板。

“说！”

“我……我什么都没看到，督导官。”

站在我身边的塔雅伸手握住我的手。

督导官看到我们两人衣摆间这个轻微细琐的动作。我不知道他以为自己看见了什么。他看到的是我们在传递纸条？我们之间有某种密码？还是如果他让我们走，我会把他的作为告诉我的朋友，到了那时候，就会有两个人知道他的秘密。

他从皮套里掏出手枪，朝塔雅的脸开枪。

她往后倒，但仍然握着我的手。我们背后的水泥墙炸出了雨水般的碎片。我放声尖叫。我挚友的血洒在我的脸和衣服上，除了震耳欲聋的枪声外，我什么都听不到。我趴跪在地上抱住塔雅的残尸摇晃，等着下一颗朝我而来的子弹。

“雷纳？你在这里做什么，天哪！”

小队领袖的声音仿佛来自隧道的另一头，这种感觉，就好像我被包裹在层层的棉絮下。我抬头看着他，仍然止不住尖叫。督导官掐着我的喉咙拉我站起来。“我抓到这两个人在你这里偷东西，法兰兹。还好我刚好走进来。”

他拿出一直塞在他外套口袋里的钞票。

小队长把装着午餐的托盘放在桌子上，看着我问：“是你做的吗？”

我知道怎么说都没有用。就算小队领袖相信我，他的哥哥也会无时无刻看着我，等待机会下毒手——就像他对塔雅做的事一样，这么一来，我才不会把我看到的事情告诉小队长。

喔，天哪，塔雅。

我摇头，啜泣着说：“不是，小队长。”

督导官大笑。“你以为她会怎么说？而且，你何必费心问这种问题？”

小队领袖的下巴抽动了一下。“你知道凡事都有程序，”他说，“犯人应该要逮捕而不是枪杀。”

“你打算怎么办？举报我吗？”督导官看到弟弟没有回答，整张脸涨得和喝醉酒时一样红，“程序是我订的。我做的事谁敢质疑？我看到这个俘虏偷窃帝国的财产。”

当初让我进这个办公室的，也是相同的理由。

“我当场抓到她行窃。她的共犯应该得到相同的惩罚，无论她是不是你的小妓女都一样。”督导官耸耸肩，“如果你不惩罚她，法兰兹，我会自己动手。”为了强调他的话，他再次碰触手枪扳机。

我感觉到双腿间一阵暖意，惊讶地发现自己尿湿了裙子。我脚上木鞋之间的地板上积了一小摊水。

小队领袖朝我走过来。“我没做他说的事。”我喃喃地说。

我昨夜写了十页的记事本就塞在我的裙带下。亚历山大被锁进了监狱，安妮雅在公开行刑前的那个早晨闯进狱里。他恳求她：“拜托，为我做一件事。”

“任何事我都愿意。”安妮雅说出了承诺。

“杀了我。”他说。

如果今天和平常一样，小队领袖会坐下来，听我大声读故事。但今天和平常不同。

在我为小队领袖工作的这四个月以来，他从来没碰过我。如今，他碰我了。他捧起我的脸，动作如此地轻柔，让我眼眶泛泪。他像碰触爱人似的，用拇指抚过我的皮肤，然后直视我的双眼。

接着他向我猛力挥拳，打断了我的下巴。

直到我再也站不起来，必须把带血的口水往袖子里吐以免自己呛到；直到督导官终于满意之后，小队领袖才住手。他脚步踉跄地离开我身边，仿佛刚从恍惚的状态中苏醒。他看看惨遭破坏的办公室，命令我：“把这地方清理干净。”

他离开时留下一名警卫监视我，要他在我打扫干净之后将我带到单人牢房。我轻手轻脚扶正家具，稍一扭身或动作太快，就会痛得抽搐。我用手清理水泥灰，目光不断飘向躺在地上的塔雅的尸体，每次一看到她，就觉得自己快吐出来。于是我脱下外套，盖住塔雅的上身。她的尸体已经变硬，四肢冰冷僵直。我开始发抖，这是因为冷，因为哀伤，还是惊吓？我勉强自己到放用具的柜子里拿来清洁用品、抹布和水桶，开始擦地板，期间两度因为用力而痛得昏过去，而警卫也两次用靴尖踢醒我。

把办公室打扫干净之后，我用双手架起了塔雅。她几乎没有重量，然而我也一样，额外的负担让我脚步蹒跚。在警卫的指引之下，我抬着我最好的朋友——我的外套还披在她身上——从行政大楼走到严寒的户外，来到停在加拿大外面的一台推车旁边。车里还有几具在夜里或在工作当中死去的俘虏。我用尽全身力气，抬起塔雅放进了车里。我之所以没跟着爬进去只有一个原因：她不会乐意看到我放弃。

警卫抓着我的手臂，拉着我离开塔雅。我甩开他，不顾是否会遭到惩罚，拉开我裹在塔雅身上的外套钻到她身边。她冰冷的身子已经没有可以和我分享的温度。她的手上沾着她自己干涸的血渍，我拉起这只手亲吻。

在那个和我住同一处的女孩被吊死之前，被送回营房时，她像疯了一样不断低语着：*Stehzelle*——站式牢房。犯人必须爬过一个狗洞大小的小门，才能钻进这种进去站着挨饿的牢房。站式牢房的空间又窄又高，关在里头没办法坐下。犯人不得不彻夜站立，任老鼠爬过脚背，而隔天早上被放出来之后，还必须做一整天工。此刻我被带到一处几个月来我从来没踏进的建筑物，在送进站式牢房时，我已经完全麻木。在低温中，我的双手双脚和脸孔都丧失了感觉，这是件好事，因为这一来，我的下巴也不觉得痛。我若开口说话就会痛得掉眼泪，这样也好，因为我已经没话可说。

恍惚之间，我以为我母亲在我身边。她双手抱住我，让我保持温暖。母亲在我耳边说："当个正当的人，小敏卡。"我首度真正了解这句话的意思。只要你还能把别人的福祉放在自己之上，那么你还可以为别人活下去。然而，若是连这个理由也失去，那么一切还有什么意义？

我不知道自己会有什么下场。指挥官可能会下令处罚我，也许是殴打、鞭刑，说不定判我死刑。但是督导官应该不会费心遵守规定，而是亲自来将我拉出去枪毙。他大可表示他抓到我越狱——这又是个谎言，而且让人无法信服，因为牢房上了锁，然而……谁能阻止他？

若是他杀了另一个犹太人，有谁会在乎？唯一的可能是小队领袖。也或许，那纯粹是我到今天为止，自己一厢情愿的想法。

我站着睡着了，梦见了塔雅。她冲进我工作的办公室里，要我马上离开，但是我没办法停止打字。我每敲下一个按键，就会有一枚子弹射进她的胸口、她的脑袋。

在我知道他的军阶和名字之前，我称他为恶灵先生，这个人的身体被恶灵占据，而且并非出自本意。

我没办法告诉你哪个才是真正的他——是那个可以动手把属下打到失去意识的军官，或是那个把俘虏当人看的男人。这么久以来，他用午餐的“文学时间”来告诉我，说每个人的心里都有善与恶，说怪物的存在，是因为恶的一面压倒了平衡。

而我……竟然天真到相信他的话。

我吓了一跳醒过来——有只手抓住我的脚踝。我倒抽一口气，但那只手捉得更紧，要我安静。有人拉开牢房的铁栅门，我弯下身子爬出去。有个警卫站在外面，将我的双手反绑在背后。我猜，这时应该是早晨——我不知道，因为牢房里没有窗户——而此刻是他要带我去上工的时候。

但是我要去哪里？要回小队领袖办公室？我不知道自己是否能忍受和他一起待在狭小的空间里。让我有感觉的不是那顿毒打——毕竟别的军官也打过我，而且我日复一日地看着这种事发生；那是这地方的生活方式。不是的，这也不是因为小队领袖对我暴力相向，而是因为在他动手之前那种让我难以了解的温柔。

我开始祈祷，说不定我会被派去服苦役，要在严寒的天气中连续十二个小时搬运石头。我可以接受严苛的对待，但这种对待不能出自于一个我蠢到去信任的德国人之手。

我没被带到行政大楼，但也没有去服苦役。相反的，我被带到了火车抵达集中营时供挑选俘虏用的站台坡道。

坡道上还有其他俘虏，正被赶着上车。我不懂，因为我知道程序不可能是这样反过来的。火车来到这里让所有人下车，而抵达集中营的人永远没办法离开。

警卫将我拉到站台后面，解开我手上的绳索。他的动作笨拙，似乎花了比一般来说更多的时间。接着，他将我推进一排正在上车的女人行列中。我很幸运，身上还穿着外套——沾了塔雅血渍的外套，还戴了帽子、手套和围巾，而且我用来写故事的记事本也塞在我的内衣里。我抓住一名负责赶我们上车的男性俘虏。“去哪里？”我咬着牙问，我的下巴实在太痛。

“葛罗斯罗森。”他喃喃地说。

我知道葛罗斯罗森是另一个集中营，因为我在文件上看过这个名称。而那个地方不可能比这里更糟。

进了车厢，我尽量往窗边靠。窗口虽然比较冷，但至少空气比较清新。我背抵着墙坐下来，一连站了好几个小时的双腿灼热。我不懂自己为什么会被带到这里。

有可能是因为指挥官为了我的偷窃而下了这个惩处。

也有可能是有人为了想把我从更悲惨的命运中拯救出来，让我搭上这辆远离督导官的火车。

在他对我做出那样的事之后，我没理由相信小队领袖会考虑到我，或以为他曾经想过我是否可以活着度过昨晚。这可能都是我想象出来的情节。

然而话说回来，让我在这个地狱般的集中营活到现在的，也是我的想象力。

几个小时之后我们终于抵达葛罗斯罗森，在大家得知目的地不是女子集中营而是葛罗斯罗森的附属集中营纽萨斯之后，我才拿下手套想检查下巴的伤势。这时候，有个东西掉到我的膝盖上。

一个小纸卷，是张纸条。

我突然明白解开我手腕绳索的警卫并不是打不开绳结，而是塞东西进我的手套。

这张纸上有水印记，和我过去几个月来，每天在办公室用来打字的纸一样。

上面写着："接下来呢。"

从此以后，我再也没看到小队领袖。

到了纽萨斯之后，我被派到了葛许维次纺织厂工作，一开始是捻线——深红的颜色会染到手上褪不掉，但因为我曾经在办公室里工作，有食物可吃，所以我比大多数其他女人强壮，于是我很快就被转派去装货，将一箱箱弹药搬运上火车厢。我们和政治犯一起工作，这当中有波兰人也有俄国人，他们负责从火车搬下运进来的补给品。

我只要一靠近轨道边，有个波兰人便会和我调情。我们虽然不能交谈，但他会趁警卫不注意时传纸条给我。他称我"粉红女孩"，因为我的手套是粉红色的，而且他还会低声念些打油诗逗我发笑。其他女人开我玩笑，说他是我的男朋友，越是追不到的女孩越让他感兴趣。事实上，我一点也不打算玩追不到的游戏，我不说话是因为担心遭到处罚，再说，我的下巴还会痛。

我抵达工厂才两个星期，有一天，他无视在旁的警卫，向我靠过来。“能逃就逃，这个集中营马上要撤退了。”

我不知道这是什么意思。他们会把我们这些俘虏带到什么地方然后枪杀吗？或是会被带到另一个集中营，一个像是我才离开的那种死亡集中营？或是说，我会被送回奥斯威辛，回到督导官手中？

我以最快的速度离开这名战俘，免得他害我惹上麻烦。我没有把他告诉我的话让营房的其他女人知道。

三天之后，我们集中营里这九百个女人没有和平常一样去工作单位报到，而是在戒护下集合，然后走出栅门。

我们在天亮之前走了大约十里路。随身带着微不足道的行李——包括毯子、瓶罐等等藏在集中营里的东西——的女人，开始把东西丢在路边。我们只能猜，我们的目的地可能是德国。队伍的最前方有俘虏拉着推车，上面装的是为党卫队准备的食物；而跟在队伍后方的推车上装的则是累倒或死亡的俘虏。我猜，这是因为德军想掩饰他们的行踪。至少这趟行程的前几天是如此，接下来党卫队员也懒了，干脆直接射杀倒下的人，把尸体弃置在原地。我们其他人就这么绕过尸体，像是溪流中被石头隔开的流水。

我们徒步穿过森林，经过田野，路过村镇时，居民出来看我们走过，有些人泪眼婆娑，有些却朝我们吐口水。当联军战机飞越我们头顶时，党卫队军官会躲到我们之间，拿我们当作掩护。饥饿最糟，但我这双脚的状况也好不到哪里去。部分女人运气好，有靴子穿。而我穿的仍然是在奥斯威辛领到的木屐。尽管我穿了好几层袜子，但是双脚仍然起了水泡，而且木屐至少磨破我脚跟处的两层袜子。当雪渗入毛袜时，我的皮肤几乎要冻伤了。然而，还有其他几个女孩的情况比我更糟。其中有个只穿着一层袜子的女孩冻伤得太严重，小拇趾就像垂在屋檐的冰柱一样断落。

这种情况持续了一个星期。我不再告诉自己要多撑一天，而是一个小时就好。这些操练和缺乏食物的日子是有代价的，我可以感觉到自己日渐消瘦，越来越虚弱。我本来不相信自己有可能比原来更饥饿，但那是因为我当时不了解这段撤退的路途有多艰辛。在队伍停下来休息时，党卫队员只准备自己的食粮，我们只能融化积雪当水喝，在融雪里找橡实和青苔果腹。大家都没有交谈，因为我们都累得找不出说话的精力。每次停下来休息之后，至少会有十多个女人没办法再站起来，这时候，党卫队的行刑手——一个鼻子扁平，喉结突出的乌克兰人——会在这些女人的背后送上一枪，解决她们的性命。

大撤退的第十天，在一次停下来休息时，军官们生起了一堆营火。他们把马铃薯丢进火焰中，要我们伸手进去拿。有几个拼了命的女孩袖子着了火，立刻滚倒在雪地上想灭火，惹得军官们哈哈大笑。有些成功抢下马铃薯的女人，最后因为严重的烧伤而送了命。几次之后，马铃薯全烧成了灰，因为没有人会伸手去拿。我觉得看着食物糟蹋浪费，比挨饿更痛苦。

那个晚上，有个手部三度烫伤的女人痛得尖叫。我躺在她旁边，把雪堆在她的双臂上，想安抚她。“这样会好一点的，”我安慰地说，“你别再挥动手臂就好了。”可是她是匈牙利人，听不懂我说的话，但我不晓得还能用什么方法安慰她。她哭喊了几个小时之后，行刑手靠过来了。他踩过我，直接枪杀了她，然后回到德军睡觉的地方。我不停地咳嗽，除了火药残留的烟硝之外，什么都吸不到肺里，只好拿围巾遮住口鼻。我身边其他女人什么反应也没有。

我脱下这个女人的靴子，反正她死了，再也不必穿鞋。

这双靴子虽然太大，但总比木屐好。

第二天早上，在我们离开德军的临时营地之前，我奉命留下来熄灭营火。我用雪熄了火，但发现灰烬中有几个烧焦的马铃薯。我伸手去捡，却一碰到就化成灰，但无论如何，这东西总有点营养价值吧？我加快动作，抓起好几把马铃薯灰塞进口袋里，在接下来的几天当中，我一边走路，边把手伸进外套里捞些马铃薯灰来吃。

走了两个星期之后，我想到了那个要我逃亡的战俘，现在我终于懂了。降服、放弃，都是有渐进等级的。有些女人踢掉木屐，因为脚上的水泡让她们无法继续行走，结果却严重冻伤坏死，最后送了命；而有些女人躺下来之后没有再起来，她们知道自己会在几分钟之后丧命。看来，我们全都会一点一点地死去，到最后一个人也不剩。

说不定，这正是这段行程的目的。

然而，我似乎看到一丝最微小的慈悲以春天之姿现身。天气逐渐暖和，积雪一块块地融化。这是上天的礼物，我知道，大地在不久之后会长出东西，这表示我们会有食物。但这也代表我们不再有不受限制的饮用水，而且路途上会有阻碍前进的泥塘。若是路过村庄，我们会睡在路边，而党卫队员会轮流进民宅或教堂里睡觉。醒过来之后，我们又得穿入树林，因为走在树林当中，战机不容易发现我们的行踪。

一天下午，我被派到队伍的前方拉推车，这时，我看到泥地里插着一个东西。

一个苹果核。

一定是有人把这东西丢在树林里了。可能是农民，也可能是某个吹着口哨跑过树林的小男孩。

我瞥向走在推车旁边的党卫队员。如果我放开手，一秒钟就好，我可以跑过去捡起苹果核放进口袋，而且不会引起他们的注意。我聚精会神地看，再走六步……五步……四步……我们可能从旁边经过，到时候就太迟了。同时，从我们歪斜队伍的动静看来，我不是唯一看到果核的人。

我放开推车把手跑过去捡。

我的动作不够快。还来不及碰到苹果核，一个党卫队员便拉得我站直身子。他将我从队伍的最前方拉到最后面，然后又来了两名军官拉住我的手臂，不让我混进其他的俘虏当中。我知道接下来会发生什么事，因为我亲眼看过，在我们下次停下来休息时，行刑手会带我进树林杀了我。

我的膝盖开始发抖，几乎没办法走路。当前方的推车停到路边，准备煮晚餐时，行刑手拉着我的手臂，带我离开其他女人身边。

我是那天下午唯一要枪决的俘虏。这时候已经是傍晚，换成其他状况，这片暗紫色的天空可能会让我屏住呼吸。行刑手打个手势要我跪在他面前。我照他的指示跪下，但是合掌开始求情。“求求你，如果你饶我一命，我愿意拿东西来换。”

我不知道自己为什么会这么说，我身上什么财物也没有。我把所有从纽萨斯带来的东西都穿戴在身上了。

接着，我想到我还有那本皮革记事本，我把本子塞在连身裙的腰带下。

这个杀手身上没有任何可以让我联想到他可能涉猎文学的特质，更别提他是否识字。但是我举起双手表示投降，然后慢慢地从外套下拿出我写着小说的记事本。“求求你，”我重复地说，“请你收下。”

一开始他皱着眉头，这桩交易显然没让他满意。但是多数俘虏不会有精致的皮革记事本，我看得出他在考虑，想知道里头是不是写了什么重要的信息。

他朝我俯下身。当他碰到记事本时，我用放在地上的另一只手抓起一把泥巴往他眼睛撒。

接着，我以这辈子最快的速度跑进宛如致命伤口般流窜在树木之间的夜色当中。

如果没有这几个有利条件，我不可能逃脱：

一、当时是黄昏，这个时候要追我最难。树木像是拿着枪的士兵，目光锐利的猫头鹰可能被误认为逃犯，大石块像敌人的坦克，而动物的每一个脚步，都会让追兵以为自己踏入了敌方的埋伏。

二、党卫队没带狗——动物无法忍受这段行程，因此，他们不可能凭我的气味来追踪我。

三、地上都是泥巴。

四、其实，这段行程让那些党卫队员和我一样疲惫。

我一直跑到全身虚脱，这个时候，我听到来追我的党卫队员在喊叫。在黑暗中我绊了一下，跌下斜坡，滚到一处沟底。我把泥巴抹在脸上，拿树枝盖在身上，然后尽可能地躺着不动。这些德国士兵一度来到我身边，离我最近的军官一脚踩在我的手背上，但是我忍住没出声，而他也没发现我就躲在他的脚边。

最后，队伍终究得继续往前走。我等了一整天，才相信他们真的离开了，于是我才开始找路好离开森林。我就着月光前进，夜里不敢睡觉，因为我害怕那些彼此呼唤的动物。当我不得不冒着和狼相遇的危险，准备躺下来时，我看到远处有东西。一道长长的影子，一大片屋顶，和一堆干草。

谷仓里有猪和鸡的味道。我溜进去时，群栖在里头的鸟儿像老女人般地叽叽咕咕叫，忙得没时间警告有外人闯入。我在黑暗中摸索前进，一脚踢到铁桶，痛得缩起身子。金属碰撞的声音虽大，但是没有人过来察看，小路另一头的主屋没有亮起灯光，所以我继续翻找。

鸽栏外有个装满谷粒的大木桶。

我用双手从桶子里挖出满满的食物吃，这东西有木屑、糖蜜和燕麦的味道。我试着控制速度，因为我知道吃太快容易反胃。接着我爬过矮栏杆，推开挡路的两头大母猪，将双手埋进饲料槽，里头装的是马铃薯皮、果皮，和面包皮。

这是一场盛宴。

最后，我在两头猪之间躺了下来，它们背上的鬃毛为我带来暖意，偌大的身子成了我的屏障。五年来，我第一次吃饱肚子睡觉，假如我再努力一些，我也许还能继续吃。

我梦到自己终究是死在行刑手的枪下，因为这地方一定是天堂。至少，在我醒来发现脖子上架着一把干草叉之前，我的确这么想。

这女人和我母亲——若她还活着——的年龄相当，她将发辫盘在头上，嘴角四周已经有皱纹。她拿着武器指向我的喉咙，我手忙脚乱地往后退，身边的动物发出呼噜咕噜的声响。

我举高双手，做出投降的姿势高喊："求求你。"我摇摇晃晃想站起来，但因为太衰弱而不得不扶着鸽舍的栏杆才站起身。

她手上的干草叉停在半空，但慢慢地，以不可思议的缓慢速度垂下叉尖，像个障碍般拿着挡在自己的面前。她歪着头看我。

我只能想象她看到了什么：一具皮肤和头发上都沾着干泥巴的骷髅，穿着俘虏的条纹外套，戴着肮脏的粉红色帽子和手套。

“求求你。”我再次喃喃恳求。

她放下干草叉，跑出谷仓之后关上厚重的门。

我脚边的猪嚼起我偷来的靴子鞋带，鸡坐在笼子的隔栏之间，鸽子拍着翅膀咯咯叫。我伸手越过木板栅门，拉开门闩，走到猪舍外。农夫的妻子因为害怕而离开，但这不表示她现在没和她丈夫一起拿着猎枪过来。我匆忙在口袋里塞了些我昨晚吃到的鸽子饲料，因为我不知道下次要等到何时才会再有食物。然而，我还没离开谷仓，厚重的门又拉了开来。

农夫的妻子站在门口，手上拿着一条面包、一罐牛奶和一盘香肠。她朝我走过来，轻声告诉我：“你得吃点东西。”

我犹豫了，不知道这会不会是个陷阱。但是我太饿，不可能放过这样的机会。我抓起盘子上的香肠囫囵吞下，撕下一大块面包塞在嘴里，填鼓了脸颊——因为我下巴的伤势还没有痊愈，咀嚼还是会痛。我拿起罐子，将牛奶一饮而尽，喝得太急，有些还沿着我的脸颊和脖子上流下。我上次喝牛奶是什么时候？接着我用手擦嘴，为自己在女人面前这种犹如动物般吞食感到尴尬。

“你从哪里来的？”她问道。

她说的是德文，这表示我们已经越过边界进入了德国。对于发生在波兰的事，这里的民众是否毫不知情？党卫队是不是也对他们说了谎，就像蒙骗我们一样？在我还不知道该怎么说之前，她摇了摇头。“你最好别告诉我。你留下来吧，这样比较安全。”

我没道理去信任她。的确，我见到的大多数德国人都是粗暴又没有良知的恐怖分子，但是，我也遇见过鲍尔先生、法斯宾德先生，以及一名党卫队的小队领袖。

于是，我点点头。她指了指贮放干草的阁楼。阁楼边架着一道梯子，阳光从屋顶的缝隙撒进来。我拿着她给我的面包开始往上爬，然后躺在干草上，在农夫妻子再次关上门离开之前，便已经入睡。

几个小时之后，我听到下面有脚步声才醒过来。我从梯子边往下探，看到农夫的妻子单手拖着一个金属桶子走进来。她的脖子上围着一条白毛巾，另一手上拿了一摞折好的衣服。她看到我探头，打个手势轻柔地说："来。"

我爬下梯子，别扭地将身子的重心轮流放在左右脚上。女人拍拍一捆干草要我坐下，接着，她跪在我身边，先拿毛巾在桶子里沾水，再往前仔细地擦拭我的眉毛、脸颊和下巴，然后把沾到泥巴的脏毛巾放进桶子里清洗。

我让她清洗我的手臂和双腿。温热的水是莫大的享受。当她要解开我工作服的钮扣时，我抽开了身子，她用双手握着我的肩膀，低声说"嘘"之后将我转过身背对着她。我可以感觉她脱下我身上粗糙的布料，衣服落在我脚边的地上。她用毛巾擦拭我每一节脊椎、我瘦骨嶙峋的髋骨和侧边肋骨。

当她将我转过来面对她时，她的眼眶里已经满是泪水。我交抱双手想遮住赤裸的身躯，羞愧地不想在她眼中看到我自己。

在我穿上干净的衣服——柔软的棉布和毛料，我好像被包裹在云中——之后，她拿来另一桶清水、一块肥皂，动手帮我洗头发，用指头揉去泥巴，剪去梳不开的打结头发。接着她坐在我背后为我梳头发，和我母亲从前一样。

有时候，要再次成为"人"，只需要别人无视于表面所见，而用对待"人"的方式来对待你。

农夫的妻子连续五天为我带食物过来。早餐是新鲜鸡蛋、黑麦土司和鹅莓果酱，午餐的厚片面包上放着芝士，晚餐吃的是鸡腿和根茎类蔬菜。我逐渐恢复警觉，也越来越强壮了。我脚上的水泡已经痊愈，下巴不再疼痛，也可以调整自己的速度，不至于当她把食物放在我的面前时，立刻抓起来塞得满嘴都是。我们没说起我从哪里来，也没谈到我要往哪里去。我试着说服自己，我可以留在这个谷仓里，直到战争结束才离开。

我再次受到德国人的庇护，但就像被踢过太多次的狗一样，看到任何示好的手也会畏缩。然而在善意的诱导之下，我逐渐相信自己有可能付出信任。

我试着表达感激来作为回报。我帮忙打扫鸡笼，这个工作得花好几个小时，因为我得常常坐下来休息。我还会帮忙捡鸡蛋，在农夫妻子每天下午进谷仓之前整齐堆好。此外，我也清掉横梁上的蜘蛛网，把阁楼扫得干干净净，露出一捆捆干草下的木板楼面。

一天晚上，女人没有到谷仓来。

我感觉到肚子饿，但比起从前在集中营或是撤退途中的经验，这实在算不上什么。长久缺乏食物我都熬了过来，一顿没吃不重要。说不定她病了，说不定她有事出门。第二天早上，当谷仓门打开时，我迅速地爬下梯子。我发现我想念她的陪伴，而且这种想念远高于我愿意承认的程度。

农夫的太太背对着光线，过了好一会儿，我才发现她的双眼又红又肿，而且她并非独自一人。有个身穿法蓝绒衬衫、吊带裤，把全身重量依在拐杖上的男人站在她身后，而他的身边还有一名警察。

我脸上本来挂着笑容，这下却光彩尽失，整个人愣愣地站在谷仓里，紧紧抓住梯子，用力到指甲嵌进了木头里。“对不起。”农夫妻子哽咽地说，但是她只说了这几个字，因为她的丈夫对她坚定地挥了挥手。那名警察绑住我的双手，接着推开谷仓门，带我走向车道上一辆没有熄火的卡车旁边。

我母亲曾经说，有时候，如果你把悲剧拿在手上反复观看，你会看到奇迹从中渗出，就像是坚硬石块当中的黄铜。对于我死去的家人而言，这个说法当然正确——只不过他们没有活着目睹我现在的状况，看到世界变成这样。我从另一个遭谋杀的女人身上获益，拿到一双耐用的靴子。如果不是因为我们撤出纽萨斯，我也不可能找到这处谷仓，吃下将近一星期的扎实食物。

就因为农夫发现他妻子藏匿逃犯而报警抓我，所以我才能坐在货车的车斗上被送往另一个集中营，让我保住了精力——倘若我真的徒步走完这段路，我不可能保有任何力气。正因为如此，当我们在一九四五年三月十一日抵达佛罗森堡时，我仍然活着——而且讽刺的是，我和那些从纽萨斯出发的俘虏同时抵达——但超过半数的女人都没有熬过来。

一个星期之后，我们又被送上火车，带到另一个营区。

我们三月的最后一星期抵达伯根贝尔森。车里的俘虏就像杂货店货架上堆放的罐头一样，只要有人稍微换个姿势，就代表有只脚踢到你的脸，或是会有另外某个人咕哝抱怨，而且每个人都对用来充当公共厕所满溢的桶子敬而远之。火车停下来之后，我们彼此搀扶，蹒跚地走下车，仿佛一群醉汉。我努力往前走了几步之后，才忍不住坐了下来。

我最先注意到的是味道。就算再怎么努力，我也形容不出这个味道。相较之下，奥斯威辛燃烧的气味简直无法比拟；这里的腐臭夹杂着疾病、粪便和死亡，直接钻进你的鼻孔和喉咙，让你只能用嘴浅浅地喘气。营里到处可见死人，一摞摞的死人，有的杂乱堆放，有的像是砌起的楼房，或纸牌搭起的金字塔；由相对健康的俘虏负责搬运。

营里的每个人都染上了伤寒。怎么可能不染病呢？应该是五十人住的营舍里挤着好几百人，所谓的厕所不过是营房外的土洞，载运进营里的几千名俘虏没有足够的食物和饮水。

我们没有工作，而是直接腐烂。我们像蜗牛般蜷躺在营房的地上，因为只有用这个姿势躺卧，营房才容得下所有的人。警卫会到营房里将死者拖出去，但有时候也会把活人带走。他们不是刻意犯错，而是不可能每次都分辨得出来谁是活人谁是死人。营房里整晚都听得见呻吟声，随时有人发着高烧呓语。到了早上，我们全被推出去点名，排好几个钟头的队，等着被点到号码。

我和一个叫作桃芭的女人逐渐熟稔起来，她从前和女儿淑拉住在波兰东南部的贺鲁比舒。桃芭有件被她当成宝贝的东西，她对这东西的感情，就像我看待我的皮革记事本一样。那是一条破烂而且长了虫的毯子。她和淑拉在撤退步行的行程中共享这条毯子抵御风雪，这让她们得以在其他人丧生的夜晚保住性命。如今桃芭用这条毯子让淑拉保持体温——她的女儿一抵达营区随即病倒。桃芭用毯子裹着女儿，一边哼摇篮曲，一边抱着她前后晃动，在点名时间，我会和桃芭一起扶起淑拉，把她夹在我们两个人的身子之间。

一天晚上，淑拉在梦里讨食物吃。桃芭抱着女儿。“你要我帮你准备什么东西？”她轻声说，“烤鸡好吗？淋上肉汁，搭配糖煮胡萝卜和马铃薯泥。”泪水让她的双眼闪闪发亮，“还要加奶油，一大块奶油，像山巅的白雪一样。”她将淑拉搂得更紧了些，女孩的头往后仰，宛如细致的花梗。“到早上你肚子又饿的时候，我会帮你准备我最拿手的特制松饼，里面夹着白芝士，然后撒上一点糖，再帮你搭配焖豆和蛋，加上黑面包，还有新鲜蓝莓。这么多东西，淑拉，你不可能吃得完。”

我知道有些强壮一点的女人会溜进厨房翻垃圾桶找东西吃。我不晓得她们为什么没受到惩罚，若不是警卫不想太接近我们以免染病，就是因为大家都已经不在乎。但是第二天早上，在我们确定淑拉还在呼吸之后，我跟着她们到厨房去。“我们该怎么做？”我问道。站在光天化日之下让我好紧张，但话说回来，我们又不是擅离职守没去工作。在这个集中营里，除了等待，我们没别的事做。我们没留在营房里而是来到厨房窗下，又有什么关系？

窗子敞开着，有个健壮的女人把一桶残渣往外倒，当中有马铃薯皮、用来替代咖啡的菊苣滓、香肠皮、柳橙皮，甚至有烤肉的骨头。我们几个女人像动物似的趴下去抢拿。在我犹豫的一瞬间，最有价值的垃圾已经被拿走，但我仍然抢到了一根鸡肋骨和一把马铃薯皮。我把东西放进口袋，急忙回去找桃芭和淑拉。

我把马铃薯皮递给桃芭，她试着哄女儿吸吮，但淑拉已经陷入昏迷。“那你自己吃，”我催促她，“当她好一点的时候，她会需要你的力量。”

桃芭摇摇头。“我希望我能相信这种话。”

我掏出口袋里的鸡肋骨。“小时候，每当我姐姐芭希雅和我想要一个东西的时候——比如新马车，或是去乡下玩——我们会事先说好。”我告诉桃芭，“当妈妈准备安息日晚餐吃的鸡肉时，我们拿到许愿鸡肋骨之后，两姐妹许下相同的愿望。这么一来，我们的愿望不得不成真。”我拿起叉开的鸡肋骨拉住一边，让桃芭拉住另一边，“好了吗？”我问道。

一拉之后，她赢得了幸运肋骨。但反正谁赢都一样。

那天晚上，当犹太警卫进来，准备将死者拖出去时，他们首先就挑了淑拉。

我听着桃芭痛哭，为了失去女儿而哀恸。她把脸埋向毯子，这是她女儿留下来的最后遗物。尽管她盖着脸，但我仍然听到她的哭声转成尖声的哀泣。我遮住双耳，却还是听得到。她的哀泣变成了刀子，一记一记地刺向我的脸孔。我惊异地看着刀子穿透我的皮肤，释放出来的不是血，而是火。

敏卡，敏卡？

桃芭的脸浮到我面前，我好像躺在海底往上看着太阳。敏卡，你发烧了。

我无法克制地发抖，汗水沾湿了衣服。我知道接下来会怎么发展，我过不了几天就会死。

如果我要死，我要自己决定怎么死。就这点而言，我毕竟还是像我姐姐。我不要死在四周都是病人的肮脏营房里。我不愿意让任何警卫来作出属于我的最后决定，不要让他们把我的尸体拖出去，曝晒在正午的阳光下任我腐烂。

于是，我挣扎爬起身，摇摇晃晃地走到外面，让比里头清凉的空气吹抚我的皮肤。我紧紧裹住毯子，晕倒在地上。

我知道，我帮别人省下一个麻烦——不必在早晨把我拉出去。但现在，高烧让我难过得发抖，我抬头看着夜空。

罗兹看不到太多星星，因为城市大，活动也多。但我小时候，父亲教过我如何分辨星座，放假时也会带我们到乡间旅行。我们一家四口住在租来的湖滨小屋里，钓鱼、看书、健行、玩西洋棋。我母亲玩牌总赢，但我父亲总会钓到最大的鱼。

有时候，父亲会带着我睡在门廊上，清新的空气似乎可以畅饮，而不是呼吸。我父亲教会我们辨认头顶正上方的狮子座。这个星座的名字又是来自另一个神话中的怪物：刀剑不入的尼米亚雄狮。大力士赫尔克里士的第一项使命就是要杀了雄狮，但是他很快就发现用箭射不死雄狮，所以他把雄狮逼进洞穴里，先重击它的头，然后再勒死它。赫尔克里士为了证明自己的胜利，甚至还用狮爪剥下了狮子的皮毛。

“懂吗，敏卡？”我父亲说，“任何事都可能发生。即使是最凶猛的野兽，也终究会成为久远的记忆。”他会握起我的手，拉着我的指头指向星座中最亮的星星，“你看，”他说，“这是头，这是尾。这颗是它的心。”

我死了。我正看着天使的翅膀。洁白、飘逸的翅膀往下盖住我视线的一角。

但若是我死了，为什么我会觉得脑袋好比铁砧那么重？为什么我还闻得到这地方的恐怖气味？

我挣扎地坐起身子，发现我原来以为是翅膀的东西其实是一面旗子，一片随风飘动的布。这面旗子绑在警卫亭上，就在我住的营舍前方。

警卫亭里没有人。

再过去的另一座警卫亭也一样。

我没看到任何军人走动，没看到德国人，什么都没有。这地方成了鬼城。

到了这时候，有些俘虏已经猜出这是怎么一回事。“起来！”有个女人喊道，“起来，他们全都走了！”

一群人从我身边经过，冲向围篱。他们把我们丢在这里，准备饿死我们吗？我们当中，有没有人够强壮，可以拆下带刺的铁丝围篱？

远方有几辆卡车，车身上漆着红色十字。在那一刻，我明白我们是否够强壮已经不重要了。现在，会有其他人为我们强壮。

有人在那天为我拍下一张照片。我在美国公共电视网一部记录一九四五年四月十五日的影片里看到这张照片。当天，第一批英军坦克抵达伯根贝尔森。看到自己犹如骷髅的身形和脸孔，连我都觉得惊吓。我甚至买下影片，好在播放时按下暂停键，再次确认。然而，没错，那的确是我，我戴着粉红色的帽子和手套，肩上裹着淑拉的毯子。

之前我不曾告诉任何人，说摄影师镜头里的人是我。直到现在。

英军解放我们的那天，我的体重不到十七公斤。有个穿制服的男人走向我，我倒在他的怀里，无法继续站立。他将我抱到充当医疗站的帐篷里。

“你们都自由了，”他们透过扩音系统，用英文、德文、意第绪语和波兰文广播，“你们自由了，请镇静，食物马上会送过来，救援立刻会到。”

你会问我，经过了这一切，为什么我以前从来没有告诉你。

那是因为我知道这个故事有多具影响力，这个故事可以改变历史的方向，可以拯救性命。但是这也可能像个污水坑，像一片牵绊你的流沙，让你无法放自己自由。

你可能会想，见证了这样的事一定会带来不同，但其实不然。我在报纸上读到，在一些地方，同样的历史一再重演。

真相比虚构的故事更冷酷。有些幸存者只想把经历说出来，他们到学校、博物馆和教堂去演讲。我认为他们是想借由这种方式来正视整件事。我听他们表示过，他们觉得这是自己的责任，说不定更是他们活下去的理由。

我的丈夫——也就是你爷爷——说过：敏卡，你是作家，想想看，这个故事可以揭示多少事。

但正因为我曾经写作，所以我办不到。

作家可用的武器有了缺失。有些无以名状的文字遭到过度滥用。比如说：爱。我能够写一千次“爱”这个字，但对不同的读者来说，这个字可以有一千种不同的意思。

我们没办法用单字来界定一些太过纠结和太沉重的情绪，既然如此，那么用白纸黑字写下这些感情又有什么意义？

“爱”不是唯一失格的词汇。

“恨”也一样。

“战争”。

还有“希望”，喔，没错，“希望”。

你懂了吗，这就是我从来没说出自己这段故事的原因。

如果你亲身经历过，你就会知道没有任何文字足以形容这些事。

而如果你不曾经历，那么你永远也不可能懂。

第三部

不需要等待就可以让世界变得更好，会是件多么美妙的事。

——安妮·法兰克，《安妮日记》

他比我快也比我强壮。当他终于抓到我时，他压住我的嘴巴让我无法尖叫，然后将我拖进废弃的谷仓里，扔向布满灰尘的干草垫。我瞪着他，不知道他究竟是谁，更不懂自己为什么没有早点看出来。“你要连我也杀了吗？”我出言挑衅。

“不，”亚历山大静静地说，“我是尽我所有能力来救你。”

他伸手从破窗外抓了一把雪，先揉在双臂上，然后用破衬衫擦干。

我一眼就看见他肩膀、胸口和背后的新伤。但是他身上至少还有十多处旧伤，从他的手臂内侧，一直到手腕，延伸到手掌处，有一道道平行的细伤疤。“在他攻击你之后，”亚历山大说，“我开始烤面包。”

“我不懂……”

在月光下，他手臂上的伤痕看起来像阶梯。“我不是自愿成为现在这个样子的，”他僵硬地说，“我试图锁住卡希米，把他藏起来。我拿生肉喂他，但是他永远觉得饿。我尽了最大努力，不想让他的天性占上风；同时我也努力自制，而且在大多数时候都办得到。但是有一天，卡希米在我外出帮他找食物时逃跑。我追踪他到树林里。他找上了你父亲。你父亲当时正在砍烤炉用的木柴，手上拿着斧头。就在我跑过去想分散卡希米的注意力时，你父亲趁机想反抗，而且成功砍中卡希米的大腿。我冲过去抢斧头，但是，我不知道是因为血的味道，还是他体内的肾上腺素……”亚历山大转开头，“我不知道事情怎么会发生，我为什么没办法控制自己。卡希米是我的弟弟。这是我唯一的借口。”亚历山大伸手抓头发，把头发拉得全竖了起来，像个鸡冠，“我知道如果这种事再次发生，就算只有一次，也是太多。我必须找到方法来保护其他人，以防万一。于是我去找你，请你让我烤面包。”

我看着他的伤疤，想到了他每天特别为我烤的面包，以及他求我全吃完的语气。我想起这星期我卖的长棍面包，顾客说，尝到面包，仿佛像是经过宗教的洗礼。我又想到老萨，她说唯一让人免于受到巫皮欧攻击的方法是喝下他的血。我想起了粉红色的面团，终于了解亚历山大想说的是什么。

他果真是用自己的血，来拯救大家免受他的攻击。

塞奇

我奶奶两度死里逃生。在我知道她是纳粹大屠杀幸存者的许久之前，她曾经和癌症交过手。

我当时很小，大概才三四岁。我两个姐姐白天要上学，但在我奶奶那段复原时期，母亲每天都会带我到奶奶家，让奶奶不至于在爷爷上班时独自一个人在家。奶奶切除了乳房，在这段修养期间，她总是躺在长沙发上，而我不是看《芝麻街》就是在她面前的咖啡桌上画图，这时候我母亲则是去洗碗或下厨。奶奶每小时都要做复健练习，让手指沿着沙发后面的墙壁往上攀爬，尽量将手臂拉到最高，借这个动作来重建手术毁损的肌肉。

早上，在我们到了之后，母亲会扶奶奶到浴室冲澡。她关上门，帮奶奶拉下家居服的拉链，让奶奶自己在蒸气中淋浴。过了十五分钟之后才轻声敲门进去，在两个人一起出来时，奶奶已经换上家居服，浑身散发出痱子粉的香味，颈边的头发潮湿，但奇怪的是其他部分的头发却仍是干的。

有一天，母亲把奶奶带进浴室洗澡之后，拿着一摞折好的衣服准备上楼。“塞奇，”她说，“在这里等我下来。”我的目光一直没离开电视，《芝麻街》的奥斯卡登场了，而我最怕的就是他。如果我挪开视线，他一定会趁我不注意时从他的垃圾桶里溜出来。

但母亲一上楼，奥斯卡也离开了屏幕，我闲闲地晃到了浴室，看到门没锁——为的是方便我母亲再进去。我将门推开了一道缝，冒出来的水蒸气立刻让我的头发卷了起来。

一开始，我好像在整团云里，什么都看不到。但在视线逐渐清晰之后，我看到奶奶坐在浴室另一侧的小塑料凳上。她已经关了水，但头上红底白点的浴帽看起来仿佛卡通里的蘑菇。她腿上披着一条毛巾，正在用没开刀那侧的手在身上拍痱子粉。

我从来没看过奶奶光着身子。但真要说，其实我也没看过我母亲没穿衣服。于是我愣愣地瞪着看，因为奶奶和我的身子有太多差异。

比如说，她膝盖、手肘和肚子上的皮肤又松又垮，一副里头填不满的样子。她的大腿白皙，看来似乎不曾穿着短裤四处跑，不过，这可能也是事实。

她手臂上的数字让我想到杂货店买食物时店员扫描的条形码。

当然了，我也注意到她身体左侧原来是乳房，但现在只剩下伤痕的位置。

伤疤仍然红肿醒目，扭曲地攀附在犹如峭壁的肋骨上。

这时候，奶奶也看到我了。她用右手拉开浴室门，我差点被痱子粉的味道呛到。“过来一点，小塞奇，”她说，“在你面前，我没什么好隐藏的。”

我往前跨一步，接着停下来，因为奶奶的伤疤甚至比奥斯卡还吓人。

“你看到了，我有点不一样。”奶奶说。

我点点头。在那个年纪，我还没有足够的语汇来解释自己眼前所见，但是我明白她的身体原来应该不是这样。我指着伤口说：“不见了。”

奶奶微微一笑，这个笑容就足以让我忘记伤疤，重新认出我自己的奶奶。“对，”她说，“但是你看看我还保留下多少？”

黛西正在为奶奶准备就寝，我在房间里等待。奶奶喜欢用两个枕头，黛西先轻柔地帮她垫好两个枕头后，再为她盖上被子。我坐在床边，握着奶奶的手。她的手摸起来又凉又干燥。我不知道该说些什么，不知道是否还剩下什么话可说。

我脸上的皮肤刺痛，所有的伤疤之间似乎都彼此认识——尽管奶奶这次揭露的是无形的伤疤。我想感谢她把故事告诉我。我想感谢她活了下来，因为，若是没有她，我不可能坐在这里聆听。但就如同她所说的，有些时候，字句不够宽广，无法容纳你想投注的全部情感。

奶奶抬起放在被子外面的手越过床单边缘，放到下巴旁边。“战争结束时，”她说，“我要学的是适应舒适的生活。好长一段时间，我没办法睡在床垫上，必须拿着毯子睡地板。”她看着我，在那一瞬间，我看到从前那个女孩，“让我回归到正常生活方式的是你爷爷。他说：敏卡，我爱你，但是我不要睡地板。”

我记得爷爷说话很温和，最爱看书。他在古董书店里经常要开收据给顾客，所以指头上总是沾着墨水的痕迹。“你们是在瑞典认识的。”我说。他们一直是这么说的。

她点点头。“我伤寒痊愈后到了瑞典。当时，我们这些幸存者可以免费在欧洲来来去去。我和其他几个女人一起住在斯德哥尔摩的宿舍里，而我每天都会到餐厅吃早餐，没为别的，就因为我可以。他当时还在当兵，正好放假。他说，他这辈子没看过哪个女孩儿吃得下那么多松饼。”她脸上露出一抹笑容，“他每大都到餐厅来，坐在我旁边的吧台座位，一直到我答应和他去吃晚餐才罢休。”

“他为你倾倒。”

奶奶大声笑了出来。“一点也不。我当时瘦得只剩下皮包骨，没长胸部，没有曲线，什么都没有，而且整头头发才一寸长——那是治好头虱感染之后唯一的最佳发型。我看起来一点也不像女孩儿，”她说，“第一次约会时，我问他在我身上看出了什么。他说：我的未来。”

突然间，我想起了小时候和两个姐姐曾经陪着奶奶在家附近散步。我因为正在看书所以不想出门，而且我觉得没有目的的闲逛毫无意义。但是母亲要我们三姐妹出门，于是我们只好无精打采地跟在走路速度奇慢的奶奶身后。看我们冲到马路上，她吓得说：“明知道有好好的人行道可以走，为什么要走在街上？”当时我以为她是过度小心，担心住宅区路上的车了不遵守交通信号灯。但现在我懂了，她只是不能理解我们明明可以走人行道，为什么不愿意使用。

当自由遭到剥夺之后，我猜，你会把自由当作特权，而不当一般权利看待。

“在我们刚到美国时，你爷爷建议我加入一个社团，当中的成员都是些和我有相同经验的人，你知道的，就是那些曾经待在集中营的人。我拉他和我一起去参加过三次聚会。聚会中，大家说的都是发生在集中营里的事，说自己有多么憎恨德国人。我不喜欢这种方式。我到了一个美丽的陌生国家，我想要聊电影、我英俊的丈夫和我的新朋友。所以我离开了那个团体，开始过自己的生活。”

“德国人对你做出那些事，你怎么可能宽恕他们？”听到我自己大声说出的这句话，我又想起了约瑟夫。

“谁说我原谅他们？”奶奶的回答令我惊讶，“我绝对不可能原谅督察官，他杀了我最好的朋友。”

“我可以了解。”

“不，塞奇。我所谓没有办法原谅是字面上的说法，真实状况是我没有那个权利。只有塔雅能决定是否要宽恕他，但是他自己断绝了那个可能性。然而，以同样的逻辑来看，我应该可以宽恕小队领袖。他打断了我的下巴，但他也救了我一命。”她摇摇头，“可是，我没办法原谅他。”

她久久没说话，一开始，我还以为她睡着了。

“当我站在囚房里挨饿的时候，”祖母静静地说，“我真的恨他。我恨他不是因为他骗到了我的信任，也不是因为他殴打我，而是因为他害我失去对敌人的同情，让我不再想到鲍尔先生或法斯宾德先生。相反的，他让我相信每个德国人都相同，让我恨所有的德国人。”她看着我，“也就是说，在那个时候，我没比任何一个德国人好。”

里欧看着我走出卧室。我顺手关上门，奶奶这时已经睡了。“你还好吗？”

我看到他已经清理好厨房，洗了我们刚才喝茶用的杯子，抹掉了桌上的面包屑，也擦过流理台。“她现在睡了。”我说，没有直接回答他的问题。我怎么可能好？在听了今天这个故事之后，有谁会好好的没事？“黛西今晚会留在这里，以防她有什么需要。”

“我知道听到这种事会让你难过——”

“你不知道，”我打断他的话，“这是你的工作，里欧，但没有涉及你的私事。”

“事实上，我把这件事当成自己的私事看待。”他这么说，我立刻感觉到愧疚。他贡献出一辈子的时间，就是为了追出犯下这些罪行的人，而反观我，尽管我在十来岁时得知奶奶是集中营的幸存者，但我却不够关心，没要她把那段遭遇说出来。

“他是雷纳·哈特曼，是吧？”我问道。

里欧关掉厨房的灯，说：“嗯，我们等着看吧。”

“你有什么事瞒着我？”

他淡淡地笑。“我是联邦干员。如果我告诉你，就得杀了你。”

“真的吗？”

“假的。”他为我拉开门，出门之后还试了试，确定门已经关好，“我们现在只知道你奶奶曾经在奥斯威辛，而奥斯威辛有好几百个党卫队军官。她还没指认出你的约瑟夫是其中一个。”

“他不是我的约瑟夫。”我说。

里欧为我打开他租来的车子副驾驶座那侧的车门，接着绕到驾驶座边。“我知道这牵涉到你个人，而且你希望事情越早结束越好。但是，若要让我的部门能好好处理这件事，我们必须按部就班来做。你刚才在你奶奶房里时，我打了电话给我们在华盛顿的历史研究员。珍薇拉已经在整理可供指证的照片了，而且会快递到饭店给我。如果一切顺利，如果你奶奶明天有办法指证，我们就可以拿到证据，着手进行下一个步骤。”他发动车子，驶离车道。

“但是约瑟夫已经向我承认了。”我仍然没放弃争辩。

“没错。但他不想被引渡或起诉，否则他会找我自白。我们不知道他在时间上有什么安排，不知道他是否只是胡扯，也不晓得这是否是他死前的奇特愿望。他寻求你协助自杀的理由可能不下十来个，也许，他觉得必须先表现出该受惩罚的样子，你才会考虑帮忙。我不晓得。”

“但是他说了那么多细节——”

“他九十多岁了，有可能在过去五十年来毫无间断地收看历史频道。第二次世界大战的专家不少。有细节当然好，但这些细节必须能让我们确切指认出某个特定对象。正因为这样，如果他说的故事，能和某个真正在奥斯威辛见过他的证人说法吻合，这个案子就能成立。”

我双手环抱在胸前。“电视剧《法网游龙：特案组》办案的进度要快多了。”

“那是因为女主角玛丽丝卡·哈吉塔的合约要更新。”里欧说，“听我说，我第一次听到幸存者的证词时，也有相同的感觉，而且那不是我的祖母。当时，我想杀掉所有的纳粹，包括已死的纳粹在内。”

我擦拭眼角，在他面前落泪让我觉得尴尬。“有些她告诉我们的事，我连想都没办法想象。”

“我听过几百次，”里欧轻声说，“但是我也没有因此觉得舒服一点。”

“所以呢，我们就这样回家去？”

里欧点点头。“晚上好好睡一觉，等着收我的快递包裹。然后我们再去拜访你祖母，希望她状况不错，可以指认出嫌犯。”

如果她真能指认，那我们帮了谁的忙？绝对不是我奶奶。她花了那么多年的时间来重新塑造自己，她已经不再是受害者。但是，若我们要求她指认，那么我们是不是又将她重新归为受害者？我想到约瑟夫——或雷纳，或是谁知道他从前叫什么名字的男人。每个人都有故事，都会隐藏过去来当作自我保护的方式。只是，有些人做得比别人更好、更周全。

但是，人要怎么在一个人人都另有真实身份的世界上活着？

我们两人之间的静默越来越强烈，充满这辆租赁车的每一个角落。卫星导航突然发声要我们向右转上高速公路，我吓了一跳。里欧调整收音机频道。“也许我们该听点音乐。”

摇滚乐声倾泻而出时，他缩了一下。

“可惜我们没带自己的CD。”我说。

“反正我也不知道该怎么操作那些东西。我车上没安装。”

“没装CD音响？你在开玩笑吗？你开什么车……世上第一辆量产车吗？”

“我开的是斯巴鲁，只不过，我用的恰好是八轨卡带音响系统。”

“那种东西还有人用？”

“别妄下评语。我是那种老派的男人。”

“这么说，你喜欢怀旧老歌，”我着迷地问，“像谢利斯合唱团，穴居人乐队，强与迪恩二人组……”

“呃，”里欧说，“那不叫怀旧音乐。我说的是卡洛威，荷莉戴，佩姬·李……伍迪·赫尔曼……”

“你一定会惊讶的。”我回答。我选了另一个频道，当罗丝玛丽·克鲁尼轻柔地对我们吟唱时，里欧瞪大了双眼。

“不可思议，”他说，“这是波士顿的电台吗？”

“是卫星网络电台SiriusXM。他们的技术很先进。听新闻报导，他们现在还要制作只是说的电影。”

里欧露出不自然的笑容。“我知道什么是卫星电台，我只是从来没想到——”

“没想到卫星电台会值得一听？生活在过去不会有点危险吗？”

“不比活在当下，然后发现世界没有任何改变来得危险。”里欧说。

这句话又让我想起了奶奶。“奶奶说，就是因为这样，所以她才不愿意提起自己的遭遇。她觉得没什么意义。”

“我不完全赞同她的看法，”里欧说，“看到历史重演的确会让自己受挫，但是幸存者之所以把他们的经历放在心里，通常还有别的理由。”

“比如说？”

“比如，保护他们的家人。这是创伤后应激障碍，真的。有些受过那种创伤的人没办法斩断某种情绪，因而会伤害到其他人。一些幸存者表面上似乎没有受到伤害，但是内心有感情空洞。因为这样，所以他们不见得永远可以和孩子或配偶产生联系——要不，就是清楚地决定不要和家人有太紧密的联结，如此一来，他们才不会让他们爱的人失望。他们担心会传递噩梦，或是太依恋某些对象之后又失掉这些人。但这带来的结果，就是他们的孩子以他们为榜样，长大之后以同样的行为模式来对待自己的家人。”

我努力回想，但记不得我父亲曾经有任何疏远的表现。然而他的确让我奶奶藏起自己的秘密。奶奶是不是不想伤害我父亲所以才保持沉默，而他是否因而受了苦？这种情感上的疏离是否隔代遗传给了我？才会让我在人前总是遮着脸，找了个夜班工作，而且是独自工作，还爱上一个绝对不会属于我的男人。因为我不觉得自己能够有幸找到一个永远爱我的人。我躲起来是因为我是个怪人，还是说，是躲躲藏藏才让我成了怪胎？难道我的伤疤是其中的一部分，是来自血脉、引发创伤的因素？

一直到车子突然切换三个车道、里欧把车子开下交流道之后，我才发现自己在啜泣。“对不起。”他说。他将车子停到了路边。我在后视镜里看到他的双眼，“我刚刚那么说真是太蠢了。我要正式声明一下，事情不见得都是那样的。看看你，你不就好得很。”

“你又不认识我。”

“但我很乐意认识你。”

里欧的回答带给他自己的讶异程度不亚于我。“我猜，你对所有哭得歇斯底里的女孩儿都会说这种话。”

“啊，你找出我的行为模式了。”

他递了条手帕给我。这年头还有人带手帕？我想，大概也只有那种车上装了八轨卡带音响系统的人吧。我擦擦眼泪，擤擤鼻涕，然后把手帕折成小方块，塞进口袋里。

“我今年二十五岁，”我说，“刚被解雇，唯一的朋友曾经是纳粹党员。我母亲三年前过世，但那仿佛是昨天的事。我和我两个姐姐没有共同点，而我上一段关系的对像是个已婚男人。我喜欢孤独，宁愿去做牙齿的根管治疗也不要照相，”我哭得太厉害，开始打嗝，“我连宠物都没养。”

里欧歪着头。“连一只金鱼都没有？”

我摇摇头。

“嗯，丢了工作的人不少。”里欧说，“你和纳粹的这段友谊最后可能走向遣送出境或是战犯引渡。我觉得，这会让你和你姐姐们至少有个话题可聊，而且我敢说，无论你母亲现在在哪里，都一定会引以为傲。况且这年代的照片全都经过后期处理，光看照片不足以为凭。至于你是不是喜欢孤独，”他补充，“你和我说话时似乎没什么障碍。”

我想了一会儿。

“你知道你需要的是什么吗？”

“去了解真实状况？”

里欧发动车子。“你需要远景，”他说，“先别回家了，我知道更好的去处。”

我记得我小时候觉得教堂美到让人难以置信，有彩绘玻璃、石砌的祭坛、拱形的天花板和擦拭洁亮的一排排长椅。然而相反的，我在两个姐姐接受成人仪式被拉着一起去的犹太教堂——这教堂离我家要整整一个小时的车程——却十分俭朴，屋顶上有个咖啡色金属大尖顶，大厅里摆了一些抽象的铸铁作品，这些艺术品本来可能要表达树丛燃烧的意象，但看起来比较像带刺的铁丝网，使用的色调有水蓝色、橘色和烧焦的黄褐色，仿佛是把一九七〇年代整个投射到墙面上去。

现在，里欧帮我拉开门，等着我走进去。我得到一个结论：犹太人若非全是不合格的室内设计师，就是所有的犹太教堂都建于一九七二年。通往内殿的门关着，但我听得到音乐从门缝下钻出来。“看来他们已经开始了，”里欧说，“可是没有关系。”

“你约我出来就为了参加星期五晚上的仪式？”

“这算约会吗？”里欧回答。

“有些人会在外出旅行之前先查出附近所有医院的地址，你也是那种人吗？只不过你查的不是医院，而是犹太教堂。”

“不是，我从前来过一次。我办过一个案子，证词来自一个在集中营里负责将尸体从毒气室里搬出来的人。几年之后他过世，我们办公室派了几个人来参加葬礼。我知道我们离这地方不远。”

“我告诉过你——我对宗教没太大兴趣——”

“知道了。”说完话，他拉着我的手推开内门之后将我拉进去。

我们溜进左侧的最后一排长椅。祭司站在讲坛上欢迎会众，告诉他们和大家一起祈祷有多么美好。接着，他用希伯来文念祷词。

我回想着当年我如何游说双亲让我不必再进教堂。我的额头开始冒汗，觉得自己好像看到了从前的影像。里欧握住我的手。“试试看嘛。”他低声说。

他一直没放手。

如果你听不懂讲者使用的语言，那么你有两种选择：一是努力挣扎来对抗孤立感，一是放手让自己去领会。我任由祭司的祷词像蒸气般从我身边流过；看着会众像熟记提示的演员般回应祷文。领唱者往前走了几步开始领唱，忧伤懊悔的旋律让我突然想起来，这些文字是陪着奶奶长大的文字，这些音符也是她从前听的音符。而这些人——这当中有年长夫妇、带着幼儿的家庭，一些家长带来了家中年龄未足以接受成年礼的少年，而且如此以他们为傲，不断地抚摸他们的头发和肩膀；如果事情依雷纳·哈特曼和其他纳粹党员的计划进行，他们不可能会在这里出现。

历史不是时间、日期、地点和战争，而是填补这当中所有空间的人。

大家先为病中与康复中的人祈祷，祭司接着传道，为安息日的面包和酒祷告。

随后的“卡迪什”祷告是献给死者的诵咏，纪念这些你爱过的人。坐在我身边的里欧这时站了起来。

Yisgadal v'yiskadash sh'mayh rabo[①]。

他伸手拉我，要我也站起来。我慌了手脚，以为大家一定会瞪着我看，不解这女孩怎么不懂生来就该会的台词。

“跟着我念就好。”里欧低声说，于是我跟着念，陌生的音节仿佛让我能拿来塞入嘴角的小圆石。

“阿门。”里欧终于说了。

我不相信神。但是坐在这群和我想法迥异的会众当中，我发现我相信的，是人。相信他们彼此扶持的力量，他们在逆境中还能成长的力量。我相信在任何时候，出奇都可以胜过平淡。我相信有个可以期待的目标——就算是为了更美好的明天也好——是这个世界上最有效的药物。

祭司念诵了最后的祷告，准备结束仪式，在他面对会众抬起头时，他的脸孔清明又轻松，像是清晨的湖面。如果要我老实说，我会承认自己也有点相同的感觉。我好像翻开了新的一页，找到了新的出发点。

“*Shabbat shalom*①。”祭司说。

坐在我旁边的女人和我母亲年龄相当，藐视地心引力地高高梳起一头樱桃红的头发，她嘴巴笑得太开，我几乎看得到她的假牙。她对我说：“*Shabbat Shalom*。”然后紧紧握住我的手，仿佛我们已经认识有一辈子之久。前方有个约摸五岁的小男孩在仪式期间一直动个不停，一下坐一下站，还伸出海星般肥嘟嘟的指头。他的父亲笑着问：“你该说什么？”他提示孩子。“*Shabbat*……？”孩子把脸埋进父亲的袖口，突然害羞起来。“下次吧。”男人咧嘴笑着说。

我们身边的人都说着同一句话，像一条串起人群的彩带，把大家紧紧牵引在一起。人群开始散去，到大厅的安息日聚会处享用茶点和交谈，这时，我站了起来，但里欧仍然坐在长椅上。

他环视教堂内部的空间，我无法形容他脸上的表情。可能是渴望，也可能是骄傲。最后，他看着我。“这，”他说，“就是我会做

① 愿他的圣名日益崇高神圣。

这些事的原因。”

里欧在聚会处用塑料杯帮我端来冰茶和一块牛角饼干，我礼貌地拒绝了，因为这饼干显然是店里买来的，而我知道我可以做得更好吃。他说我对糕点显然很自负，我们正在说笑时，一对年长的夫妇走过来。我正要转头，本能想遮住有伤疤的脸颊，但是我突然想起奶奶多年前怎么说明她切除乳房之后的伤疤，以及在今天如何道出她对大屠杀的回忆。“但是你看看我还保留下多少？”

我抬起下巴直接面对这对夫妇，看他们是否会对我凹凸不平的皮肤作出任何评论。

但他们没说。他们问的是我们是否刚搬到这里。

“我们只是路过。”里欧告诉他们。

“如果要定居，这里很恰当，”女人说，“这里有好多新组成的家庭。”

他们显然以为我们是一对。“喔。我们不是——我是说，他不是——”

“她想说的是，我们没有结婚。”里欧帮我把话说完。

“要不了多久了，”男人说，“帮她把话说完就是第一步。”

接下来，我们又听到两次相同的问题，问我们是否刚搬过来。第一次，里欧说我们本来打算去看电影，但正好没想看的片子，所以只好来教堂。第二次，他说他是联邦干员，而我正在协助他办案。和我们聊天的人笑了出来。“这个好笑。”他说。

① 安息日平安。

“你不会相信的，要人们相信事实，真的是件难事。”稍后，当我们走向停车场时，里欧这么告诉我。

但我并不惊讶。看看我在约瑟夫努力告诉我他过去身份时，我抗拒了多久。“我猜，那是因为在大多数时间里，我们都不想向自己承认真相。”

“的确，”里欧深思地说，“如果你相信谎言，你会讶异于自己能说服自己相信到什么程度。”

比如说，你会把一个没有出路的工作当作事业。你会把自己的丑陋当作别人不愿接近你的借口，但事实上，阻止别人靠过来吓到你的，是你自己这个想法。你可以告诉自己，去爱一个永远不可能真正会爱你的人比较安全，因为你不可能失去一个不曾拥有的人。

也许是因为里欧的专业本来就是聆听秘密，也许是因为我今天的情感受到太多伤害，又或许是因为他比任何我见过的人都更愿意倾听——总之，我发现自己开口把从来不敢大声承认的事告诉他。当我们开着车再次北上时，我告诉他，即使在我自己家里，我也总是像个局外人。我说起父母死前还担心我是否养得起自己。我承认当我姐姐来看我时，我对于她们讲到合乘出租车、摩洛哥优油护发产品和奥兹医师的医学节目提到的结肠健康种种话题置之不理。我说，我曾经一整个星期没说半句话，为的只是想证明我办得到，而且我在事后是否还认得出自己的声音。我也告诉他，面包出炉时，当我听到面包接触到冷空气发出的细碎爆裂声的那一瞬间，可以说是我离相信上帝最近的一刻。

我们开车回到威斯布鲁克时，已经将近十一点了，但是我还不累。“要不要喝点咖啡？”我提议，“城里有个好地方营业到午夜才打烊。”

“如果我现在喝咖啡，我会一直亢奋到凌晨。”里欧说。

我低头看放在腿上的双手，觉得自己太过天真。除了我之外，大家大概都能看出社交的暗号，会知道我们之间的同志情谊出自里欧正在调查的案件，不是真正的友谊。

“可是，”他又说，“他们会不会有花草茶？”

威斯布鲁克已经陷入昏睡，虽然是星期五晚上，但咖啡店里也只有零星几个人。柜台有个紫色头发的女孩沉迷在普鲁斯特厚厚的作品当中，对于我们点东西打断她阅读似乎相当不悦。“我本来对美国年轻人没什么好评价，”在里欧坚持帮我付了拿铁咖啡的账之后，他说，“但是发现她看的不是《五十度灰》，我不得不刮目相看。”

“说不定拯救世界的会是这一代。”我说。

“每一代不都觉得自己会拯救世界吗？”

我这一代曾经有过这种想法吗？还是说，我们把全副精力都放在自己身上，从来没想到要在别人的经验中找寻答案？我当然早就晓得大屠杀事件，尽管如此，我在知道奶奶是事件的幸存者之后，还是刻意回避，没有提出任何问题。我是太无动于衷还是太害怕，才会觉得过去的历史事件和我的现在——或未来——没有关联？

约瑟夫那个时代呢？依照他自己的说法，他从小就相信没有犹太人的世界会更美好。那么他是否会视如今这个结果为失败？或觉得这只是躲过一劫？

“我一直在想，哪个才是真正的他，”我喃喃地说，“是那个为几百个孩子写过大学推荐信函，鼓励棒球队一路打进州锦标赛，和小狗一起分享面包的男人，还是我奶奶口中形容的人？”

“不见得只能二选一，”里欧说，“他可能两者皆是。”

“那么，他是不是失去了良知，才会在集中营里做出那些事？还是说，他根本不曾有过良知？”

“这有什么关系呢，塞奇？他显然没有是非观念。如果他有，他会拒绝接受谋杀他人的命令。如果他犯下了谋杀罪，他在事后不可能建立善恶观念，这样太可疑，就像临终前躺在医院才找到上帝一样。所以，就算他在过去七十年之间都像个圣人又怎么样？这无法挽回他手上受害者的生命。他清楚得很，否则不会费尽心机要求你的宽恕。他觉得身上依然背负着污点。”里欧向前靠过来，“知道吗，在犹太文化当中，有两种错误无法得到宽恕。一个是谋杀，因为你必须向受害者寻求原谅，而受害者已经入土，所以你得不到。第二种不可宽恕的错误，是破坏他人的名誉。正如同死者无法原谅谋杀犯一样，好名声也不可能恢复。在大屠杀期间犹太人惨遭杀害，而且名誉也遭到了摧毁。所以，无论约瑟夫如何为自己的作为悔过，就这两项错误而言，都已经无法挽回。”

“那他何必尝试？”我问道，“何必花七十年的时间做好事，回馈小区？”

“很简单，”里欧说，“罪恶感。”

“但如果你觉得愧疚，这表示你还有良知，”我指出这一点，“而你刚刚说约瑟夫不可能有良知。”

这番口齿之争让里欧的双眼亮了起来。“你太聪明，我说不过你，不过这是因为现在已经过了我睡觉时间的关系。”

他继续说，但是我不想听他讲话。我什么都不想听，因为咖啡厅的门突然打开，亚当走了进来——而且是揽着他的妻子走进来。

夏依歪着头靠向亚当，听了他刚刚说的话，正在大笑。

有天早晨，当我们还交缠地躺在我床上时，亚当和我比赛说冷笑话。

什么东西是绿色的，而且有轮子？草——轮子是我骗你的。

什么东西是红色的，而且闻起来有蓝油漆的味道？红油漆。

一只鸭子走进酒吧，酒保问：来点什么？鸭子答不出来，因为它是只鸭子。

你有没有看过盲歌手史蒂夫·旺达的新房子？呃，真的很不错。

然后……一只海豹走进俱乐部。

要怎么逗小丑哭？杀他的家人。

你要怎么称呼来到你家门口那个没手没脚的男人？看他原来叫什么就喊他什么。

我们笑得太厉害，笑到我掉下眼泪，而且想止都止不住，但我觉得那和笑话无关。

他是不是刚对夏侬说了什么冷笑话？会不会是我告诉他的笑话？

这是我第三次亲眼看到夏侬本人，而且是第一次近距离、没隔着玻璃看到她。她是那种不需费力打扮就很出色的女人，像是拉尔夫·劳伦的模特儿，不需要化太多妆，金发深浅分布有致，就算不把衬衫下摆塞进裙子裤子里也觉得时髦而不邋遢。

我没真的仔细思考，直接拉着椅子靠向里欧身边。

“塞奇？”亚当说。我不知道他是怎么办到的，竟然能喊出我的名字却不脸红。我真想知道他的心跳是否和我的一样快，想知道他的妻子是否会注意到。

“喔，”我假装惊讶地回应，“嗨。”

“夏侬，这是塞奇·辛格。她家族是我们的委托人。塞奇，这是我太太。”听到他这样介绍我，我觉得一阵反胃。但话说回来，我还能期待他怎么说？

亚当的眼睛瞟向里欧，等着我介绍。我伸手勾住里欧的臂膀。他真是值得嘉奖，没把我当疯子看。“这是里欧·史坦。”

里欧伸手和亚当相握，接着又和夏侬握手。“很高兴见到你们。”

“我们刚去看了汤姆·克鲁斯的新片，”亚当说，“你们看了吗？”

“还没有。”里欧回答。我忍下笑容，里欧可能以为汤姆·克鲁斯的新片是一九八三年的《乖仔也疯狂》。

“这片子是折中选择，”夏侬说，“亚当想看有枪和外星人的片子，而我想看的是汤姆·克鲁斯。但是你们想想，若是能找保姆到家里照顾小孩让我出门，要我坐着看油漆变干都可以。”她保持着笑容，眼神丝毫没有闪烁，直视我的样子，似乎想向我们两个人证明，她对我脸上的伤疤一点也不在意。

“我没有小孩。”我说。而且从来也没有真正拥有你的丈夫。

里欧伸手环住我的肩膀，还压了一下。“还没有孩子。”

我惊讶地张大了嘴。我转头看他，瞥见他嘴角的笑意。“你刚刚说你怎么认识塞奇的？”他问亚当。

“业务上的往来。”我们异口同声地说。

“你们要和我们一起喝点饮料吗？”里欧问道。

“不，”我立刻回答，“我是说，我们不是要走了吗？”

里欧听到我的提示站了起来，露出一个笑容。“你们知道塞奇的，她不喜欢等，听得懂我的意思吧。”他揽住我的腰，道别之后，带着我走出咖啡店。

我们一转过转角，我立刻开火。“你刚刚究竟在搞什么鬼？”

“从你的反应来看，我猜这就是你那个未曾拥有的男朋友，和他的妻子。”

“你让场面看起来像是我性爱成瘾……好像我们……你和我……”

“你和我上床？你不就想要他这么想？”

我用双手盖住脸。“我不知道我要他怎么想。”

“他是警察吗？感觉好像不太对……”

“他是殡仪馆经理，”我说，“我是在我母亲葬礼上认识他的。”

里欧挑起眉毛，几乎抬到发际线边。“哇，我的直觉还真差得离谱。”当他把所有的线索兜在一起时，我看到他脸上交织着几个表情：这个男人碰过死尸，这个男人碰过我。

“不过是工作罢了，”我强调，“又不是要你到卧室里去重演盟军的胜利。”

“你怎么知道？我很会模仿艾森豪威尔。”里欧停下脚步，“不管怎么样，我都很遗憾。我想，发现和你在一起的男人已婚，你一定很惊讶。”

“我早就知道了。”我承认。

里欧摇摇头，似乎不太知道该怎么说他应说的话。我看得出他极力忍耐。“这不干我的事。”他终于说了，然后快步走向车边。

他没错，真的不干他的事。他不知道对我这个模样的人来说，爱情会是什么样子。我有三个选择：一、哀伤加寂寞；二、当一个遭到背叛的女人；三、当个第三者。

“嘿，”我边喊边追上去，“你无权批判我，你对我一无所知。”

“事实上，我对你有不少的了解，”里欧反驳，“我知道你有勇气，你本来可以安安静静过一辈子什么都不说，但是你宁可打电话到我办公室惹来一身麻烦。我知道你爱你祖母，知道你心胸宽大，正在考虑是否要宽恕一个不可原谅的人。在很多方面，塞奇，你都是个不简单的女孩，当我发现你没我想象中那么聪明、那么阳光的时候，请容我感觉到稍许失望。”

“那么你呢？难道你这辈子从来没有犯过错？”我为自己争辩。

“我犯过不少错。但是我不会回头去犯同样的错误。”

我不懂这是为什么，但看着里欧的幻想破灭，比撞见亚当和夏依更让我难过。“我们不算一对，”我解释道，“这很复杂。”

“你还爱他吗？”里欧问。

我张开嘴，但什么话也说不出来。

我喜欢有人爱的感觉。

我不喜欢自己会永远屈居第二，而且心知肚明。

我喜欢，至少有时候，我不是一个人独自在家。

我不喜欢短暂、一时的陪伴。

我喜欢自己不必对他负责。

我不喜欢他不必对我负责。

我喜欢和他在一起的感觉。

我不喜欢没有他相伴的感觉。

看我没有回答，里欧转身走开。“看来，这其实一点也不复杂。”他说。

那天晚上我睡得好熟，像是好几个月没睡过觉的人。我没听到闹钟响，一直到电话铃声响起才吵醒我，我想，打电话的应该是里欧。在昨晚的争执过后，他仍然保持礼貌，但是我们轻松建立起来的同志情谊已经不再。他送我回家时只谈公事，以及当他收到快递送过来的照片之后的下一步进度。

这样可能比较好：把他当作同事，而不是朋友。我只是不懂，自己怎么会怀念起没有得到过的东西。

我觉得自己好像梦见向他道歉，但我不确定为了什么。“我想谈谈昨晚的事。”我对着话筒说。

“我也是。”亚当在电话的另一头说。

“喔，是你。”

“你好像不怎么期待，我整个早上拼命想找出五分钟时间打电话给你。那家伙是谁？”

“你在开玩笑，对吧？你应该不是为了我和别人在一起而来抱怨……”

“听着，我知道你很生气，我也知道你想分开一阵子。可是我想念你，塞奇。你是我想在一起的人，”亚当又作出承诺，“只是，事情没你想象得单纯。”

我立刻回想起昨晚和里欧的对话。

“其实一点也不复杂。”我说。

“如果你和卢——”

“里欧。”

“随便……如果你和他出门只是为了引起我的注意，那么你成功了。我什么时候能再和你见面？”

“我连你和你太太有场夜间约会都不知道，怎么可能会想去吸引你的注意？”我简直不敢相信，亚当认为这些全是为了他。但是话又说回来，事情一向都是为了他。

电话发出“哔”的声响，我有另一通来电。我认出里欧的手机号码。“我得挂电话了。”我告诉亚当。

“可是——”

我挂掉电话时才突然发现，一向是我打电话给亚当，而不是他打过来。难道是因为我身边有别人，才让我突然又有了吸引力?

如果是这样，那么这要如何解释我对他的吸引力?

“早安。”里欧说。

他的声音有点刺耳，听来，他可能需要喝杯咖啡。“你睡得好吗?”我问道。

“睡得和住在一间满是来观赏足球赛少女的旅馆一样好。我有两个黑眼圈。但是事情的光明面是我现在知道小贾斯汀新曲的每一句歌词了。”

“我只能靠想象了，说不定这个技能在你的工作上会派上用场。”

“如果由我来唱那种东西还不能让前战犯自首，那么我实在想不出更有效的方式了。”

听来……嗯，听来，他又恢复了昨晚遇见亚当之前的样子了。我不懂这为什么会让我感觉到一种无法解释的快乐，但我也并不真的想追究。

“根据万怡商务酒店柜台职员——我觉得雇用他可能违背童工条例——的说法，快递公司的货车会在接近十一点钟的时候出现。”里欧说。

“在那之前我该做什么事?”

“我不知道，”里欧回答，“冲个澡，涂涂指甲油，读《人物》杂志，租点浪漫爱情文艺片来看。我正打算这么做。”

“原来我缴的税金让你的薪水这么好用……”

“好，好，那我改读明星八卦杂志好了。”

我笑了。“我是说真的。”

“打电话给你奶奶，确认她的状况良好，我们是不是能再去拜访。还有——假如你真的想做点事，你可以去找约瑟夫·韦伯。”

我几乎喘不过气。“我一个人去？”

“你通常不都是一个人去看他的吗？”

“对，可是——”

“案子要成立，得花一点时间，塞奇。这表示在这段过程中，我们必须让约瑟夫相信你会考虑他对你的请求。如果我今天不在这里，你会去看他吗？”

“可能会，”我承认，“但那是从前……”我没把话说完。

“在你知道他是纳粹之前吗？还是说，在你明白纳粹的真正意义之前？”他的声音严肃多了，不再继续开玩笑，“这正是你应该继续假装的原因。因为你现在知道风险是什么。”

“我该和他说什么？”我问道。

“什么都不说，”里欧建议，“让他说给你听，看看他是否会说出符合你奶奶叙述的话，或是任何其他我们可以向你奶奶求证的线索。”

我挂掉电话，走进浴室里冲澡，当热水打在我的背上时，我才发现我没有交通工具。车祸之后，我的车还在车厂待修，而走路到约瑟夫家又太远。我擦干身子吹干头发，换上短裤和背心。虽然我敢掏出一百块美金来打赌，当里欧出现时，身上一定又会穿上正式西装。但是，就像他说的，外表是这场游戏的一部分，那么我到约瑟夫家时，就得穿得和过去一样。

我到车库搬出我念大学时骑的脚踏车。车胎没气了，但是我又找出一个手压式气筒，将车轮适度充饱。接着我到厨房调面糊，烤肉桂松饼。我用锡箔纸包起热得冒烟的松饼，轻轻放进背包，然后骑着脚踏车到约瑟夫家。

我骑着车在这片新英格兰的小丘上上下下，心跳越来越快，脑子里想着奶奶昨天告诉我的事。我也记得约瑟夫童年的故事。他们两个人的回忆像是相对行驶的列车，终究会相撞。我无力阻止，但又没办法转身离开。

当我骑到约瑟夫家时，我已经气喘吁吁，而且满身大汗。他看到我，皱着眉头问："你还好吗？"

这个问题不好回答。"我骑脚踏车过来的，我的车子在修车厂。"

"嗯，"他说，"真高兴看见你。"

我希望我也能这么说。但现在，当我注视约瑟夫时，他脸部的线条会融合成督导官下巴的弧度，这个人偷窃、欺骗、谋杀样样皆来。讽刺的是，我发现他已经达成了自己的希望：我相信他的故事。我如此之相信，几乎让我一站到这里就觉得反胃。

爱娃跳出大门在我脚边打转。"我帮你带了些糕点过来。"我说完话，伸手从背包里拿出那包刚烤的松饼。

"我认为，和你当朋友对我的腰围是件坏事。"约瑟夫说。

他邀我进屋去。我走到惯常的位置，隔着棋盘和他相对而坐。他拿出茶壶，为我们端来咖啡。"老实说，我不确定你会不会再来，"他说，"我上次告诉你的……不容易承受。"

你无法想象。我心里想。

"有很多人听到奥斯威辛，会立刻把你当怪物看待。"

他的话让我想到奶奶的巫皮欧。"我以为你就希望我这么想。"

约瑟夫为之瑟缩。“我想要你恨我，恨到足以杀死我。但是我没料到这会让我自己有什么感觉。”

“你称呼奥斯威辛是‘世界的屁眼’。”

约瑟夫轻喘了一口气。“轮到我下了，对吧？”他往前靠，用雕成飞马的骑士碰开我的兵。他的动作缓慢谨慎，和所有老人一样，而且无害。我想起奶奶说他的手会抖，于是我仔细看着他从镶线棋盘上拿起我的兵，但他的动作通常都太不平稳，所以我无法判断他是否有什么特殊的持续性损伤。

他等我把注意力放回棋盘之后，才开口说话。“虽然奥斯威辛现在恶名昭彰，但我当时觉得那是个好差事。我很安全，不会被俄军射杀。而且集中营里有个像村庄一样的中心供我们吃喝，甚至还有音乐会可以欣赏。在那里，我们可以完全放松，几乎忘了外头还在打仗。”

“‘我们’指的是谁？”

“我和我弟弟，他在第四小队工作，也就是行政部门。他是会计人员，负责那些加加减减的事情，把表格送给指挥官。我的位阶比他高多了。”约瑟夫把餐巾上的面包屑拨到盘子里，“他要向我报告。”

我摸摸雕刻成龙的主教棋子，约瑟夫轻轻地发出一个喉音。“不对吗？”我问道。

他摇摇头。于是我把手放到半人马棋子上，这是我最后一个车了。“所以，你是行政部门的主管？”

“不是，我在第三小队。我是女子集中营的党卫队督导官。”

“你是死亡工厂的头头。”我冷冷地说。

“不是主事的人，”约瑟夫说，“但是在整个指挥系统里已经是高阶人员。但是，当我一九四三年刚到集中营时，并不知道里头发生了什么事。”

“你会期待我相信这种话？”

“我只能把我知道的告诉你。我负责的不是毒气室，而是监管筛选过后留下活口的俘虏。”

“你是不是也参与了筛选的过程？”

“没有。火车抵达时我会在场，但是筛选的工作由医师负责。大多数时间我只是巡视，我是督导官，必须在场。”

“督导人员。”我说出这几个苦涩的字眼；管理失控状况的经理人。

“正是如此。”

“我以为你在前线受了伤。”

“没错，但是没严重到无法胜任这个工作。”

“所以，你负责管理女性俘虏。”

“那是我下属党卫队女警卫官的工作。她监督点名，一天两次。”

我没有移动车，而是伸手探向白色的皇后，这颗棋子雕成精致的美人鱼。我对西洋棋有足够的了解，知道自己这步棋极具挑战性，在所有可以牺牲的棋子当中，我应当把重要的皇后留到最后才出手。

我将这只美人鱼挪到空下来的棋格中，清楚知道棋子正好在约瑟夫的飞马棋子的行进路线上。

他抬头看着我。“你不会想下这步棋的。”

我迎视他的目光。“我想，我会从错误中学习。”

果不其然，约瑟夫拿下我的皇后。

“你在奥斯威辛究竟做了什么事？”我问道。

“我已经告诉你了。”

“不尽然，”我说，“你说的是你没做过的事。”

爱娃来到约瑟夫的脚边躺下。“你不必听我说出来。”

我就这么瞪着他看。

“我处罚那些没执行自己工作的人。”

“因为她们全都在挨饿，饿得快死。”

“制度不是我设计的。”约瑟夫说。

“你也没有试图阻止。”我说道。

“你要我说什么？说我很抱歉？”

“如果你不道歉，我要怎么宽恕你？”我突然发现自己拉高了嗓门大声说话，“我办不到，约瑟夫，去找别人吧。”

约瑟夫握起拳头敲向棋盘，上头的棋子全跳了起来。“我杀了那些人。没错。这是你想听的吗？我用自己的双手犯下谋杀案。我说出来了，这就是你想听的话。我是个谋杀犯，因此我该死。”

我深吸了一口气。里欧一定会生我的气，但是在所有人当中，他应该最能体会我现在的感觉：听着约瑟夫谈起军官的餐饮和大提琴音乐会的欢愉，而在同一个时候，我奶奶却是要舔舐泼在地上的汤。“你不配去死。”我坚定地说，“无论如何，不能依照你自己开的条件，因为你没把这个奢望留给任何人。我希望你慢慢地死，痛苦地死。不，事实上，我希望你活一辈子，让你过去的所作所为慢慢、慢慢地侵蚀你。”

我挪动主教，如今，约瑟夫的马已经保护不到我的目标。“将军。”说完话，我起身就离开。

我到外头跨上脚踏车，转头看到他站在敞开的门边。“塞奇，拜托，不要——”

“这种话你听过多少次，约瑟夫？”我问道，“而你真正听进了几次？”

看见站在咖啡机前的洛可，我才明白自己有多想念在“每日食粮”工作的日子。“双眼蒙骗了我吗？”他说，“瞧猫咪带来了什么。失联许久的面包师傅。”他绕过柜台来拥抱我，什么都没问，便动手煮加豆浆的肉桂拿铁。

店里比我记忆中更忙碌，但是话说回来，在这个时间，我通常都在回家睡觉的路上。我看到穿着慢跑服装的母亲，用力敲打笔记本电脑的年轻人，还有几个红帽组织的女人一起分享一个巧克力可颂。这让我不由得瞥向柜台后面的壁柜，看到篮子里装着烘烤合宜的长棍面包、蝴蝶形软面包和粗麦土司。这股新兴的热潮是否来自接替我的那名面包师傅？

洛可显然读出了我的心思，他扬扬下巴，示意要我看挂在我背后墙上的塑料广告牌：耶稣面包之家。“人潮来来去去，只为了来朝圣，不表示饥饿，”他说，“如今我只祈求你回头，而玛丽也必然欢天喜地。”

我大声笑了出来。“我也想你，洛可。我们受神眷顾的老板在哪里？”

“圣坛的某处，花草肥料让她哭泣，因为并非出自天意。”

我把杯里的拿铁倒进外带杯，穿过厨房这条通往圣坛的捷径。厨房里一尘不染，装着各种预发酵母的容器整齐地依日期排列，不同的谷类和面粉也都贴上卷标，依字母顺序摆放。我用来揉面团的木制桌台擦得很干净，台面上的大型搅拌器像只沉睡的龙。无论克拉克在这里做了哪些事，都表现得很好。

这让我觉得自己更像个失败者。

我沿着圣梯往上走，看到玛丽跪在一片附子草当中。她戴着包覆整条手臂的橡胶长手套，正在除野草。“真高兴看到你过来，我一直在想你。你头上的伤怎么样？”她审视我用刘海盖住的车祸瘀伤。

“我很好，”我告诉她，“洛可说，耶稣面包继续带进了不少生意。”

“我相信他一定是用抑扬顿挫的诗句告诉你的……”

“而且在烘焙方面，看来克拉克也应付得很好。”

“的确是。”玛丽的回答直截了当，“但就像我在那天夜里说的，他不是你。”她站起来给我一个大大的拥抱，“你确定你没事？”

“身体上没事，但是精神上呢，我不晓得，”我承认，“我奶奶有点状况。”

“喔，塞奇，我好难过……我能帮什么忙？”

虽然把一个前修女和大屠杀幸存者以及前纳粹党员牵扯在一起听来像个笑话，但事实上，我今天就是为了这个才到面包店来。“老实说，我就是为了这个才过来的。”

“我一定全力配合，”玛丽答应我，“我今天就开始为你奶奶诵玫瑰经。”

“好，我是说，假如你想那么做也可以。但是，我是想借用厨房，大概一个小时的时间。”

玛丽把双手放在我肩膀上。“塞奇，”她说，“那是你的厨房。”

十分钟之后，我加热了炉子，在腰上系上一条围裙，面粉沾得满手，连手肘都有。的确，我可以在家烘焙，但是我需要的材料都在这里，光是老面发酵的面团就得准备个好几天。

处理这么少量的面团感觉很奇怪。听到外头传来午餐人潮的噪音更奇怪。我在厨房的柜子和壁柜之间走来走去，切碎苦甜巧克力，和磨成粉状的肉桂搅拌在一起之后再加上一点香草。接着，我用拇指在面团上按出一个凹洞，然后拉起两端交缠出皇冠的造型。我放着等面团发酵，这段时间没躲在后头的房间，而是走到咖啡厅和洛可说话，帮忙结账，和顾客闲聊炎热的天气和红袜队的表现，谈到威斯布鲁克的夏天有多么美丽，而这段期间，我一次都没试着用刘海遮住脸上的伤疤。我惊讶地发现这群人竟能够轻松说起自己的生活，他们似乎不知道自己坐在一触即发的火药桶上，不晓得你拉开窗帘以为寻常的一天就要开始，却可能发现后头藏着触目惊心的事件。

“第二次，”温存之后，我躺在亚历山大身边，他说，“是个妓女，她在巷子里，正要穿上裤袜。这次容易多了，至少我是这么告诉自己的，否则我必须承认之前做了错事。第三次是我的第一个男性受害者，他是银行职员，在结束一天的工作之后，正要锁门。有个受害者是十多岁的女孩，她不巧在错误的时间，在错误的地点出现。接着是一个站在旅馆阳台上哭泣的社交名流。到了后来，我不再去注意他们的身份。重点是当我有需要时，他们正好在我面前出现。”亚历山大闭上眼睛，“结果就是，无论这些事有多么该受到指责，只要你越去做，你就越能在自己心里找出借口。”

我在他的怀里转过身。“我怎么知道你会不会在哪天杀了我？”

他看着我，犹豫了一下。“你没办法知道。”

我们没继续说下去。我们不知道有人正在外面听他说话，听我们用身躯交织出来的乐曲。于是，当达米安离开他躲着偷听的位置到洞穴去抓狂乱又惊吓的卡希米时，我翻身，宛如凤凰般覆盖在亚历山大身上。我可以感觉到他在我体内的律动，我没有想到死亡，只想到了复活。

里欧

就在我把珍薇拉快递过来的照片摊开放在旅馆床上时，手机响了。“里欧，”我母亲说，“我昨天梦到你。”

“真的吗？”我边说边眯起眼睛看雷纳·哈特曼的照片。珍薇拉用的是哈特曼在党卫队档案里的照片，照片正好靠在枕头上——这枕头真的很不舒服，害我扭到了脖子。我抽出档案的首页，上面有他的个人资料和这张穿制服的原版照，我拿起这张照片和我准备给敏卡看的那张比对。

雷纳·哈特曼

33142维沃兹堡布衡区

威斯法伦街1818号

出生日期：1920-04-18

血型：AB型

原版照片中，他的双眼不是太清楚，粗大的颗粒中有个奇怪的阴影。但和我最初想的一样，供辨认用的复本质量不差，所以是原版照片欠佳。

“我带着你儿子在海滩上玩，他一直对我说：‘奶奶，你得把脚埋进去，否则什么东西都长不出来。’我心想，他想玩游戏，那我就陪他玩。于是我让他把沙子堆到我的脚踝，然后拿着一桶水冲下去。接下来，你猜怎么样？”

“怎么样。”

“我踢掉沙子之后，看到脚底长出好多细小的根。”

以照片这种质量，我真不知道敏卡能不能辨识出嫌犯。

“真有趣。”我心不在焉地说。

“里欧，你没在听我说话。”

“我有。你梦到我，可是我不在梦里。”

“你儿子在我梦里。”

“我没有儿子——”

“这用得着你来提醒我吗？”我母亲叹了一口气，“你觉得这是什么意思？”

“意思是，我还没结婚？”

“不，我是说这个梦。从我脚底长出来的根。”

“我不知道，妈，是不是说你会掉叶子？”

“任何事对你来说都是玩笑。”我母亲生气了。我有种感觉，如果我不花几分钟安抚她，我马上会接到我姐姐的电话，告诉我说我们的母亲生气了。我推开照片。

“说不定那是因为我赖以维生的工作不容易了解，所以到了晚上，我需要有个情绪的出口。”我告诉她，发现自己说的不假。

“你知道我以你为荣，里欧，以你的工作为荣。”

“谢谢。”

“而且你知道我担心你。”

“相信我，你表现得很清楚。”

“就因为这样，我认为你应该花点时间在自己身上，这很重要。”

我不喜欢她引导话题的方式。

“我在工作。”

“你在新罕布什尔。”

我瞪着电话。“我向上帝发誓，我一定要雇用你。我觉得你比我办公室的任何人更懂得追踪——”

“你打电话要你姐姐推荐旅馆，她告诉我你去出差。”

“真是一点秘密也没有。”

“总之，说不定在这天结束时，你回旅馆后会想享受个按摩——”

“她是谁？”我厌烦地问。

“瑞秋·齐威格，丽丽·齐威格的女儿。她在纳舒厄修读按摩学位——”

“你知道吗，这里的手机讯号真的很糟，”我伸长手臂，把手机拿得远远的，“我收不到讯号了。”

“我不但能找到你，还知道你满口胡说八道，里欧。”

“我爱你，妈。”我笑了。

“我先爱你的。”她说。

我一边收拾照片放回调案里，心里一边想，不知我母亲会怎么看待塞奇·辛格。她会喜欢塞奇能好好喂饱我——在我母亲眼里，我一直过瘦。看到塞奇的伤疤，她会认为塞奇是个懂得在困境中寻找出路的生还者；她也会喜欢塞奇仍然为母亲哀伤，与奶奶亲近。对我母亲而言，家庭是所有生命的基础结构。但反过来说，她一直希望我能和犹太人结婚，而塞奇——她宣称自己没有任何信仰——并不符合我母亲这个期待。但就另一方面来说，塞奇有个奶奶是大屠杀的幸存者，这帮她多加了几分——

我打断自己的思绪，不懂自己怎么会想娶一个昨天才认识的女人，何况她是个证人，而且根据我昨晚所见，她显然爱着另一人。

亚当。

这家伙身高足足有一百九十五公分，肩膀宽到可以拿来当感恩节大餐的桌子用。凭他一头金沙色的头发和羞涩谦逊的笑容，我母亲会说他是个好男孩。昨天看到他，再看到塞奇宛如身遭电击的反应之后，我满脸青春痘中学年代的创伤回忆再次一一浮现：我在学校文学刊物上写了一首十四行诗献给拉拉队长，但她对我表示我不是她欣赏的类型；初中班级舞会的舞伴在我为她端饮料时和足球队明星球员共舞，最后还跟着他回家……这些事一件也没漏。

我对亚当没什么意见，塞奇若想搞砸自己的生活也是她自己的决定。同时，我也知道铸下这种大错，两方面都有责任。可是……亚当有个妻子。看到塞奇见到那个女人的表情，我只想揽住她，告诉她这男人配不上她，别人会更好。

比如说，我。

好，好，我是有那么一点迷恋上她。或者是她的烘焙手艺。要不然就是她低沉沙哑又性感到无法形容的声音——这点连她自己都不知道。

这种感觉让我自己也吓了一跳。我这辈子一直在追捕一些不想被认出来的人，但却无法顺利找到让我想相伴的对象。

我把档案塞进公文包里，摇摇头甩开这些念头。说不定我母亲没错，我的确需要按摩，或是任何可以让我区分公私生活的娱乐。

然而，当我来到塞奇家，发现她正在等我的那一刻，所有的完美计划全被我抛在了脑后。她穿了一条牛仔裤剪成的短裤，和漫画里的女郎一样，修长的双腿晒出健康的肤色而且肌肉匀称，让我移不开视线。“怎么了？”她瞥向自己的小腿，“我刮腿毛划伤了皮肤吗？”

“没有，你太完美了。我是说，你看起来很完美。我是说……”我摇摇头，“你今天早上和你奶奶说过话了吗？”

“有。”塞奇带我走进她家，“她有点害怕，但仍然想见我们。”

昨晚我们离开之前，敏卡同意看这些照片。“我会尽量让她放松。”我向塞奇保证。

塞奇的家就像你最喜欢的T恤一样。因为这件T恤太舒适，所以你会翻箱倒柜就是要找出来穿。沙发上堆满了靠枕，乳白色的灯光柔和又不刺眼，而且厨房里总是烤着糕点。在这样的地方，你会住下好几个月，醒来时发现时间已经过了好几年，因为你不会离开。

这地方和我在华盛顿的公寓截然不同，我家用的全是黑色皮革、金属材料和冷冷的直角。

“我喜欢你这个地方。”我脱口说出自己的感觉。

塞奇用古怪的眼神看着我。“你昨天才来过。”

“我知道。只是……这里真的很舒适。”

塞奇左右看看。“我母亲很懂得吸引客人进来。”她张开嘴巴想说话，但突然又闭上。

“你本来想说你不擅长。”我猜。

她耸耸肩。“我擅长把人推开。”

“并非每一个人。”我说。我们都知道我指的是昨晚的事。

塞奇犹豫了，似乎想告诉我什么事，但接着却转身走进厨房。“所以你用了什么颜色？”

“颜色？”

“你的指甲油。”她端起一杯茶递给我。我喝了一口，发现她加了牛奶但没放糖，和我昨晚在咖啡店里的喝法一样。她记住了这件事，这让我觉得自己好像要飞起来。

“我本来想选樱桃红，但那一看就知道是联邦调查局的调调，”我回答，“对我们这些司法部的人来说有点太招摇。”

“聪明的决定。”

“你呢？”我问道，“《人物》杂志有没有让你长什么智慧？”

“我听了你的话，”回答我的问题时，她的心情突然降到了谷底，“去看了约瑟夫。”

“然后呢？”

“我办不到。我没办法假装不知道这些我已经听到的故事，然后还和他聊天。”塞奇摇摇头，“我觉得他可能会生我的气。”

这时候我手机响了，来电显示是我老板的号码。“我得接个电话。”我向她道歉，然后走到起居室去接电话。

他对我另一个案子的起诉备忘录有点疑问，我和他逐条讨论我作的改变，以及我修改的理由。当我挂掉电话走进厨房时，发现塞奇一边喝咖啡，一边翻阅雷纳·哈特曼的党卫队档案。

“你在做什么？”我问道，“那是机密文件。”

她抬起头，仿佛一只突然看到车灯而饱受惊吓的小鹿。“我只是想看我能不能指认他。”

我一把抢回调案。我不能让她看雷纳的档案，因为她是平民。但是我拿出写了姓名、地址、出生日期、血型和照片的第一页。“来。”我让她迅速地看了照片旁分的发型和模糊的浅色眼眸一眼。

“他看起来和现在的约瑟夫完全不像，”塞奇喃喃地说，“我不知道我能不能指认出他。”

“呃，”我回答，“希望你奶奶有不同的看法。”

有一次，我办公室里有个叫作辛姆朗的历史研究员带了张安吉丽娜·朱莉的照片给我看。这张存在iPhone里的照片背景是某场派对，场地装饰着许多气球，桌上放着生日蛋糕，噘着嘴的朱莉站在最前面。“哇，”我说，“你在哪里拍到的？”

“她是我表亲。”

“安吉丽娜·朱莉是你的表亲？”我问道。

“不是，”辛姆朗说，“但是她长得和朱莉几乎一模一样，你不觉得吗？”

结果就是，证人辨识照片往往是白忙一场，而且通常是刑事执法单位所能取得的证据当中最弱的一环。正因为如此，DNA测试才会一再推翻强暴受害人对加害者的指证。脸孔的差异真的很有限，而且我们很容易误判。这对辛姆朗的表妹来讲当然是件好事，但是，如果你在司法部工作而且想采得证人的证词，就没那么妙了。

敏卡的拐杖就挂在餐桌边上，餐桌上另外还有用玻璃杯装的茶和一个空盘子。我坐在敏卡身边，负责照顾她的黛西双手交抱，站在厨房门口。

“你看！”塞奇将一个完美的小面包放在磁盘上。

小面包的上端拉出一个扭结，还洒着糖霜。不必等到敏卡剥开面包，我也知道内馅儿有肉桂和巧克力，这就是她父亲曾经为她烤的小面包。

“我在想，也许你会想念这种面包。”塞奇说。

敏卡倒抽了一口气。她用双手把玩这小面包。“这是你做的吗？可是你怎么……”

“我猜的。”塞奇老实承认。

她哪来的时间烤面包？可能是早上去看过约瑟夫之后吧？我盯着塞奇，看她凝视她奶奶撕开面包，咬下第一口。“和从前我爸爸做的一模一样，”敏卡叹了一口气，“和我记忆中一样……”

“我要仰赖的就是你的记忆，”我找到了完美的切入点，“我知道这不容易，对于你的付出，我真的很感激。你准备好了吗？”

我等着敏卡直视我的双眼。她点点头。

我将排在一大张纸上的八小张纳粹战犯照片放在她面前。珍薇拉的表现甚至比平常更优异，既快又精准。雷纳·哈特曼的照片——和稍早时塞奇在党卫队档案里看到的同一张——排在左下角，上面一排有另外四张照片，旁边也有三张。照片上的人大致相像，都穿着相同的纳粹制服。这么一来，我等于要敏卡在相似的照片辨认指证。如果雷纳是照片中唯一穿军服的人，这样的指认可能会有人质疑其中是否存有偏见。

塞奇坐在她奶奶的旁边，也跟着低下头看照片。这八个人头发分在同一侧，和雷纳一样将金发往后梳，脸孔都看着同一个方向。他们就像是一九四〇年代的年轻电影明星，胡子刮得干干净净，露出坚毅的下巴线条，全都像是死亡纪录片的主角。“照片中的人不见得都曾经出现在集中营里，敏卡，但是我想请你看看这几张脸，看是不是可以认出哪一个……”

敏卡用颤抖的手拿起纸来。“我们不知道他们的名字。”

“那没关系。”

她用指头划过这八张脸孔，仿佛指头是枪，瞄准这些人的前额。

不知是否出自想象，但我觉得她在雷纳·哈特曼的照片上犹豫了一下。

“太难了，”敏卡摇摇头，推开印着照片的纸，“我不想再去回忆了。”

“我懂，可是——”

“你不懂，”她打断我的话，“你不只是要我指认照片而已，你这是要我在水坝上挖出一个洞来，只因为你口渴，但至于我最后是否会被整个过程淹没，你一点也不在乎。”

“拜托你。”我恳求她。敏卡用双手遮住脸。

塞奇脸上的表情比敏卡更苦恼。但是，爱就是这样，不是吗？与其自己痛苦，无法替另一个人承担痛苦让你更难过。“够了，”塞奇宣布，“里欧，很抱歉，但是我不能让她经历这种事。”

“给她机会让她来为自己作决定吧。”我说。

敏卡早已转开了头，沉溺在回忆当中。黛西宛如复仇天使般扑过来，环抱住她脆弱的被保护人。“你想休息一下吗，敏卡小姐？依我看，你真的该进去躺一下。”

黛西扶起塞奇的奶奶时，愤怒的目光朝我飞射而来。她将拐杖递给敏卡，带她朝走廊过去。

塞奇近乎崩溃地看着她祖母离开。“我一开始就不该带你过来。”她喃喃地说。

“我从前看过这样的状况，塞奇。看到从前加害者的面孔的确会带来冲击。其他幸存者也有相同的反应，但大家到头来都能振作起来辨识脸孔。我知道她在过去半个世纪以来一直把这些感情埋在心里，我懂，而且我知道撕开伤口的绷带有多么痛苦——”

“这不是绷带，”塞奇争辩着，“这是在没有麻醉的情况下开刀。至于你口中那些有相同经历的幸存者，我对他们根本不在乎。我只在乎我奶奶。”她突然站起来朝走廊走过去，把我一个人和照片留在厨房里。

我看着这几张照片，看着雷纳·哈特曼的脸孔。我在这张脸上看不出任何线索，看不出外表下是否藏着邪恶一面。相反的，我们不得不去探索，是哪些毒瘤般的基层组织和教育，会让一个在节制中长大的男孩去参与一场种族灭绝的行动。

敏卡把塞奇烤的小面包撕成两半，放在盘子上。看起来像颗破碎的心。我叹了一口气，伸手去拿公文包，准备把照片放进去。但在最后一刻，我却决定不那么做。我端起放面包的盘子，走向敏卡的卧室，我听到门后传来轻柔的说话声。我先深吸了一口气才敲门。

敏卡坐在塞满枕头的椅子上，双脚放在搁脚凳上。“别再心烦了，塞奇，”当黛西帮我拉开门时，敏卡正气恼地对塞奇说，“我很好。”

我喜欢她这种精力充沛的样子；喜欢她这种前一刻坚强如钉，下一秒又如麂皮般柔韧的个性。我相信这种性格不但让她度过历史上最艰辛的年代，也成了让她继续前进的力量。

而敏卡也把同样的精神传递给她的孙女——尽管说，塞奇自己没有发现。

这对祖孙看着我端着面包、拿着照片走进去。“你一定是在和我开玩笑。”塞奇低声嘀咕。

“敏卡，”我把盘子递给她，“你可能想吃点面包，塞奇费了一番心意帮你烤的，她觉得这可以为你带来一点平静。我今天想做的事也是这样。那段经历对你并不公平。但是和一个曾经让你痛苦的人住在同一个国家，分享你的家园，对你同样不公平。请你帮帮我，敏卡。”

塞奇站了起来。“里欧，”她没留下商议的空间，“请你现在就离开。”

“等等，等一下。”敏卡靠了过来，伸手要拿照片。

她把放面包的盘子放在腿上，双手拿着印着八张照片的纸。她抚摸这八张脸孔，仿佛在读点字打出来的人名。慢慢地，敏卡的指头滑向雷纳·哈特曼，在他脸上敲了两下。“是他。”

“谁？”

她抬头看着我。“我告诉过你了。我们不知道党卫队军官的名字。”

“但是你认得这张脸？”

“走到哪里都认识，”敏卡说，“我绝对不会忘记这个杀害我最好朋友的男人。”

午餐时，我们和敏卡一起吃鲔鱼三明治。我说起我祖父如何教我打桥牌，也说到我的技术有多差。“用‘惨败’来形容还嫌客气，”我告诉敏卡，“当我们离开牌桌时，我问我祖父，那盘牌局该怎么打才对。他说‘用假名出赛。’”

敏卡笑了。“找一天你再过来，里欧，来当我的搭档。我会把你该知道的都教给你。”

“就这么说定了。”我答应她，然后我拿餐巾擦擦嘴，说，“还有，我要谢谢你……嗯，你做的一切。但塞奇和我可能该离开了。”

她给了我一个标准的祖母式拥抱道别。敏卡将塞奇拥得比平常更紧，我看过其他幸存者也是这么做的。这就像是，当他们看到生命中出现美好的事物，就无法放开手。

我握住她的手，这双手冰冷脆弱，像是落叶。“你今天做的事……我不知该怎么感谢，但是——”

“但是我还没做够，”敏卡说，“你会要我出庭再做一次。”

“假如你承受得住，对，没错，”我承认，“在以往的案例中，幸存者的证词都非常重要。而且你不只能提出证词，你曾经亲眼目睹他犯下谋杀的罪行。”

“我会看到他吗？”

我犹豫了。“如果你不愿意，我们可以录下你的证词。”

敏卡看着我。“会有谁在场？”

“有我、我办公室的历史研究员、摄影师、被告的律师。如果你想要塞奇在场也可以。”

她点点头。“这我办得到。但如果我必须和他见面……我不觉得……”她没把话说完。

我点点头，佩服于她的决定。一时冲动下，我亲吻她的脸颊告别：“敏卡，你的决定令人激赏。”

一上车，塞奇就开火了。“然后呢？接下来要怎么样？你得到你需要的答案了，对吧？”

“比我们需要的更多。你奶奶像一座金矿。辨认出当事人，指出督导官是一回事，但是她做得更好，她还告诉我们一些信息，而这些事，除了哈特曼的党卫队档案有纪录，另外是我们办公室知情之外，没有别人知道。”

塞奇摇摇头。“我不明白。”

“这听来可笑，但在集中营里处死俘虏也分正确与错误的程序。没有依规则处决犯人的军人会遭提报违纪。枪杀无力站起来的俘虏是一回事，但无故杀害俘虏无异是杀害工人，而纳粹需要的正是这些工人。当然了，高层的负责人没那么在乎俘虏，只会轻惩违纪的军人，但我们偶尔会在党卫队员的档案数据里看到违纪的纪录。”我看着塞奇，“在雷纳·哈特曼的档案里有一笔纪录，提到他向审议委员会报告未经许可射杀女性俘虏的事件。”

“是塔雅？”塞奇问。

我点点头。“有了你奶奶几乎无懈可击的证词，这个她指认出来的人，和那个告诉你他叫作雷纳·哈特曼的男人，应该是同一人。”

“你为什么没告诉我档案里有这笔记录？”

“因为你没有官方权限，”我说，“而且我不能冒险，让你影响你奶奶的说法。”

她往后靠向椅背。“这么说，他告诉我的都是实话。约瑟夫、雷纳，谁知道他叫什么名字。”

“看起来是这样没错。”我看到一波波情绪像风暴般扫过她的脸庞，她正在比对约瑟夫·韦伯和他从前的角色。然而在比对确认之后，事情便不同了。而就塞奇的情况来说，她正在挣扎，斟酌是否必须背叛一个曾经被她视为朋友的人。“你的决定是正确的，”我说，“你来找我是对的。他要求你为他做的事不是公平正义。这样做才是。”

她仍然低着头。“你会立刻逮捕他吗？”

“不会。我要回家。”

听着我的回答，塞奇立刻抬起了头。“现在就走？”

我点点头。“在进入下个阶段之前，我有很多事要做。”

我不想走。其实，我想邀塞奇共进晚餐。我想看着她从无到有地烘焙出糕点。简单来说，我就是想看着她。

“这么说，你要去机场？”她问道。

这是否表示她听到我要离开，也有那么一点点失望?

但那应该是我想太多。她有个男朋友，没错，他刚好有个妻子，但至少塞奇目前并不急着找男伴。

“对，”我说，“我会打电话给我秘书。晚餐时间应该会有班机可以让我回华盛顿特区。”

叫我留下来，我默默地想。

塞奇直视着我。“嗯，如果你一定得走，你可能要发动汽车。”

我尴尬地涨红了脸。我俩之间这段意味深长的停顿并非充满了没说出口的话，只是车子还没发动罢了。

这时她的手机突然响了。她皱着眉头，在座位上挪动身子，从短裤口袋里掏出电话。

“是……我是塞奇·辛格。”她睁大了双眼。“他还好吗？发生什么事？我——好，我懂。谢谢。”挂断电话之后，她瞪着手机看，仿佛那是颗手榴弹。“是医院打来的，”塞奇说，“约瑟夫住院了。”

我们躲在巴鲁克·贝勒家的小柴房后面，从这个位置，我们可以看到全局。卡希米被链在临时搭建的台子上；达米安眼神狂乱地怒斥少年，口水喷在卡希米的脸上。达米安陶醉在权力当中，对着在炽热的艳阳天下缩成一团的村民发表演说。他们的警卫队长找到的不是一个掠食者，而是两个。这应该表示大家现在都安全了吧？他们可以回到过去的生活，对吗？

难道唯一知道事情并非如此的人只有我？

不，亚历山大也知道。正因为如此他才会试图弥补他弟弟的罪孽。

“朋友们，”达米安敞开双臂说，“我们打败了野兽！”群众的欢呼声淹没了他的话语。“我们会埋葬巫皮欧，用的是他第一次下葬时就该用的方式：面朝下趴在十字架上，用橡木桩刺穿他的心脏。”

我身边的亚历山大开始焦躁了。我轻轻地伸手拉住他的手臂，将他往后拉。“不要，”我低声说，“你看不出来吗？这是为你设下的陷阱。”

“我弟弟没办法自己脱身。他当然有错，但是我不能光是坐在这里——”

达米安向他背后的一名士兵招招手。“首先，我们要确定他死了，不可能再醒来。而这只有一种方式。”

年轻士兵往前站，拿着一把可怕的镰刀，弯曲的刀刃像珠宝般闪闪发光。他拿着镰刀高举过头，这时卡希米在刺眼的阳光下眯起双眼抬头看，想知道他的上方会有什么动静。

“三，”达米安倒数，“二，”他转过头，直视着我们藏身的树丛，我这才发现他一直知道我们躲在哪里，“一。”

镰刀划过空气，金属尖啸，一刀就让卡希米身首异处。

血水漫过台面，沿着边缘像沟渠般往下窜到地上，朝人群流过去。

“不！”亚历山大高喊。他挣脱我的手冲向舞台，这时士兵也跑过来要逮捕他。然而他已经不再是个人了，他又咬又抓，以整支军队的力量推倒七个人，群众四散开来，到处寻找掩蔽。当整个场地只剩下无人保护的达米安时，亚历山大往前走，对着他咆哮。

达米安举起剑但立刻又抛下，转身拔腿就跑。

达米安还没逃离村里的广场，亚历山大就抓住了他。他扑倒警卫队长，扭过他的身子让他仰躺，让达米安这辈子最后看到的影像是一片清澈的蓝天。接着，亚历山大动手一扯，干净利落地掏出达米安的心脏。

塞奇

医院的味道像死亡，有点太干净、太冰冷。走进医院的那一刻，我的生命立刻跳回到三年前，我在这里看着我母亲一点一点地死去。

里欧和我站在离约瑟夫的病房不远的走廊上。医师告诉我，约瑟夫被送进医院洗胃。他显然是吃了药物之后出现不良反应，一名送餐服务的义工发现他昏迷不醒地倒在地上。这让我不得不猜想，不知道爱娃现在由谁负责照顾，今晚不知是否有人会看着小狗。

虽然里欧不能进入病房，但是我可以。约瑟夫将我列入他的近亲好友名单中，对一个你请托来杀害自己的人来说，这个关系还真是饶有趣味。

“我不喜欢医院。”我说。

“没有人喜欢。”

“我不知道该怎么办。”我喃喃地说。

“你必须和他谈谈。”里欧回应我。

“你要我去说服他好好修养恢复健康，好让你把他遣送出境，然后老死在某个国家的监狱里？”

里欧想了想。“对。在他被定罪之后是这样，没错。”

或许就是因为他直言不讳，才让我在震惊之下又回到了现在。我点点头，先深吸了一口气才走进约瑟夫的病房。

无论我奶奶说了什么话，无论里欧是否拿出了照片供指证，我看到的约瑟夫仍旧是个老人，过去的恶人如今只剩下躯壳。眼前这个男人露在浅蓝色病袍外的四肢消瘦，银发松乱，我实在难以想象在过去会有人看到他便会吓得全身瘫软。

约瑟夫抬起的左手放在头边，他睡着了。他手臂内侧那处曾经让我看过一次的伤疤十分明显，深色的疤痕表面平滑，约摸铜板大小，边缘不太平整。我回头看到里欧站在走廊上看。他举起手，让我知道他仍然会看着我。

我拿手机拍下约瑟夫的疤痕，准备稍后让里欧看。

一名护士走进病房，我急忙把手机塞进短裤的后口袋里。“你是他提过的女孩吧？”护士说，“肉桂，对吧？”

“塞奇（鼠尾草），”我爽快地回答，不晓得她是否看到我在拍照，“同样是香料，口味不同。”

护士用古怪的神情看着我。“嗯，你的朋友韦伯先生很幸运，出事时有人及时发现。”

应该要由我来发现他病倒才对。

这个想法犹如刀刃般刺进我的脑海。我是他唯一的好朋友，在他需要时，我应该在他的身边。然而，我却是那个和他起争执，冲出他家门的人。

问题在于我是约瑟夫·韦伯的朋友，但雷纳·哈特曼是我的敌人。如今他们是同一个人，那么我该怎么办？

“他怎么了？”我问道。

“服用安达通[①]时吃了低钠盐，这会让他体内的钾突然升高，可能会导致心跳停止。”

我坐在床边，握住约瑟夫的手。他的手腕上系着医院的腕带。约瑟夫·韦伯，出生日期：一九一八年四月二十日，血型B+。

要是他们知道他真的是谁就好了。

约瑟夫的指头在我手中动了动，我放开手，仿佛他着了火。“你来了。”他的声音沙哑。

“我当然会来。”

“爱娃呢？”

“我会带它回我家，它不会有事的。”

“韦伯先生？”护士打断我们的对话，“你感觉怎么样？有没有什么地方痛？”

他摇摇头。

“我们可以独处一下吗？一分钟就好。”我问道。

她点点头，说：“我五分钟后会过来帮你量体温和血压。”

我们两个等到护士离开之后才继续交谈。“你这应该不是不小心吧？”我低声问他。

“我又不笨。药师把药物的交替作用告诉过我，我只是不想理会而已。”

“为什么？”

“如果你不肯帮我自杀，那我只好自己来。但是我早该知道这行不通的。”他伸手比划病房，“我早就告诉过你了，这是我的惩罚。无论怎么做，我都会活下来。”

“我从来没说我不帮你。”我回答。

“但是你气我把实话告诉你。”

“没错，”我承认，“我的确生气，这种事没那么容易接受。”

① 一种利尿剂。

“你气冲冲地冲出我家。”

“这些事，你在心里放了将近七十年，约瑟夫。你不能只给我五分钟的时间。”我压低声音说，“你所做过的事——你说你做过的事——让我反胃。但是如果我现在……你懂，照你的要求去动手，那会是出自愤怒、出自仇恨；这会把我拉低到和你一样的水平。”

“我知道你一定会难过，”约瑟夫承认，“可是你不是我的第一选择。”

这话让我吓了一跳。难道威斯布鲁克还有别人知道约瑟夫的过去，而且没举发他？

“你母亲，”约瑟夫说，“我最初想找她帮忙。”

我惊讶地张开嘴。“你认识我母亲？”

“我在几年前认识她，当时我还在高中教书。教世界宗教的老师邀她到学校里就她的信仰演讲。午餐时，我在教师休息室里和她短暂地见过面。她当时说，她并非标准的犹太模范，但总比什么都不信的好。”

这的确很像我母亲的口气。我依稀记得她去我姐姐班上演讲的事，也记得派波觉得母亲到学校会让她很尴尬。但我敢说，现在的派波宁可用一切来换回我母亲的亲近。想到这里，我喉头一紧。

“当时我们聊了几句，她当然会注意到我的口音，于是表示她的婆婆从前是来自波兰的幸存者。”

我发现他说起我奶奶时，用的是过去式。我没有纠正他。我不想让他知道任何有关奶奶的事。

“你是怎么告诉她的？”

“我说，在二次大战期间，我被送出国念书。几年来我一直想和她相遇。我觉得我们的相遇是命中注定，她不但是犹太人，而且和幸存者有姻亲关系。若要找出能宽恕我的人，她是最理想的人选。”

我知道，里欧对这个说法的反应会是不能以一个犹太人取代另一个犹太人。“你本来打算请她杀了你？”

“帮我死，”约瑟夫纠正了我，“但后来我才发现她过世了。接着，我遇见了你。最初我不知道你是她的女儿，但是在事情明朗之后，我知道我们的相遇其来有自。我知道我必须向你开口，请你做当初我没要求你母亲做的事。”他的蓝眼湿润，眼眶含着泪，“我没办法死，死不掉。我知道你觉得这样想太荒谬，但这的确是事实。”

我发现自己想起了奶奶的故事，想到巫皮欧恳求得到解脱，不愿一辈子活在悲惨的际遇中。“你又不是吸血鬼，约瑟夫——”

“这不表示我没受到诅咒。看看我，我早该死了，死了好几次。我被锁了将近七十年，而这七十年来，我一直在找钥匙。也许钥匙就在你手上。”

里欧会说约瑟夫一直在跟踪我和我的家人。

里欧会说，即使到了现在，约瑟夫仍然把犹太人视为结束的方法，但不是当人看，而是当作一件物品。

但如果你能寻求宽恕，难道这不表示你不可能是个怪物？就定义而言，这种孤注一掷的绝望不是让你又成为“人”了吗？

我真想知道我母亲对约瑟夫·韦伯有什么看法。

我握住约瑟夫的手。这只手曾经枪杀我奶奶最好的朋友，还有老天爷才知道的多少其他人。

“我会帮你的忙。”我说。虽说在这一刻，我还不确定自己是为了里欧说谎，还是为我自己说出实话。

里欧和我开车到约瑟夫家，但是他不愿陪我进去。“没有搜查令？打死我也不进去。”

我就不同了，因为我来这里是为了接狗，而不是要搜索罪证。约瑟夫把备用钥匙放在门廊上石雕青蛙底座的拉槽里。我一拉开门，爱娃便跑出来迎接我，一边发狂地吠叫。

“没事了，”我对这只小腊肠狗说，“他马上就没事了。”

至少今天是这样。

如果他被引渡，小狗该由谁来照顾?

厨房里一团糟。地上有个破盘子，里头的食物已经不见了（我猜，应该成了爱娃的额外点心），旁边的椅子同样翻倒在地，而桌上放着低钠盐，约瑟夫一定是吃了这东西。

我扶起椅子，捡起摔破的瓷盘，把地板抹干净，然后再把低钠盐丢进垃圾桶，再洗好水槽里的盘子，也整理了流理台。我打开约瑟夫的食物储藏柜想找爱娃的狗食，看到柜子里有几盒桂格即食燕麦片、米、芥末，还有意大利面，另外就是吃剩的三包多力多滋。虽然我不知道自己期待前纳粹党员应该吃什么东西，但这柜子看起来简直太……太平凡。

接着我必须找狗窝，不知不觉地，我走到约瑟夫卧室的门口。他的床上整整齐齐地铺着白色的毯子，花床单上印着小小的紫罗兰。房间里依旧摆着两个衣橱，其中一个上头放着珠宝盒和女人用的梳子。一边的床头桌上有闹钟、电话和小狗的玩具；另一个床头桌上放着一本爱丽斯·霍夫曼的小说，内页夹着一片书签，旁边还有一小罐玫瑰护手霜。

这个景象让人心碎，我看到约瑟夫无法放下代表妻子生命的小东西。但是这个爱妻、爱狗又会吃垃圾食品的人，也曾毫不眨眼地杀害许多人。

我拿起玩具时，爱娃还在我脚边钻来钻去，然后跟着我走向里欧的车边。我将小狗抱在腿上，爱娃好玩地啃着我短裤边缘的布须。里欧要载我们回家。

“他说他认识我母亲。”我告诉里欧。

里欧看着我，说：“什么？”

我把约瑟夫刚刚讲的事告诉里欧。“如果他知道我奶奶还活着，他会怎么做？”

里欧沉默了一会儿之后才说：“你怎么知道他不晓得？”

“你在说什么？”

“他可能在玩弄你。他向你撒过谎，该死，他骗了全世界，而且一骗就是超过半个世纪之久。说不定他猜出了敏卡是谁，让你去摸清敏卡是否还记得他做的事。”

“你真的认为这么多年来，他一直想借由冒用他人身份的方式来漂白自己的名声？”

“不，”里欧说，“但是这么多年来，他可能仍然想让任何可以指认他是纳粹的人闭嘴。”

“你这个想法有点超乎实际，不是吗？”

“德国人的最终解决方案还不是一样，他们就做得相当彻底。”里欧指出事实。

“如果约瑟夫没要我杀他，我可能会相信你。”

“因为他知道你办不到，于是，他开始蓄意操控你。他可以像欺骗你奶奶那样欺骗你，”里欧说，“她是个现成的人选，而且从来没见过全新的约瑟夫·韦伯。她当然也知道什么是野兽。所以了，如果他能透过你找到敏卡，他可以杀了她，或是他也可以要你去说服敏卡，让她相信他已经彻底改变，而且值得原谅。无论他怎么做，都会是赢家。”

我瞪着他看。其实我有点受伤，没想到他会给我这样的评价。“你真以为我会那么做？”

他把车子开向我家的车道，但车道上已经停了另一辆车。亚当从驾驶座走出来，手上拿着一束百合花。“人会为了各式各样的理由寻求原谅，”里欧冷冷地说，“就算别人不懂，你也应该清楚。我认为约瑟夫·韦伯摸清了你的个性。”

他用双手握住方向盘，双眼直视前方。爱娃朝窗外尴尬举手打招呼的陌生人吠叫。“我会保持联络。”里欧说。

这是这两天以来，他首次不愿直视我的双眼。

“你自己小心。”里欧又说了。我知道，他这句道别的话与约瑟夫无关。

那束百合花本来可以是个美好的礼物，只不过我知道亚当买花可以拿到很好的折扣——这是他在安排我母亲葬礼时告诉我的。事实上，就我所知，这束花很可能是早上某场葬礼布置后剩下的。

“我不太想说话。”说完话，我推开了他，但他握住我的手臂将我拉向他，然后亲吻我。我不知道里欧是否已经开远，不知道他是否还能看得到我们。

我真不明白自己为什么会在乎。

“她在这里，”亚当在我唇边喃喃地说，“我就知道我疯狂爱恋的女孩就在某处。”

“事实上，她在城区的另一头，正在烤鸡为你做晚餐。我明白这有多难追踪。”

“我活该，”亚当边说边跟着我走进屋里，“但我就是因为这样才过来的，塞奇。你一定得听我解释。”

他带着我走进起居室。我发现我们从来不曾在这里久留，当他来我家时，我们多半是直接进卧室去。

他要我坐在沙发上，然后握着我的手。“我爱你，塞奇·辛格。我爱你睡觉时把一只脚伸出毯外，爱你边看电影边大口吃爆米花的样子。我爱你的笑容和你前额的美人尖。这是老调了，我知道，但是看到你昨天和那个家伙在一起，我才知道我失去了多少。我不想让别人趁我正要下决心时，把你从我身边抢走。事情就是这么简单，我爱你，我想永远和你在一起。”

亚当单膝跪下，仍然握着我的手。“塞奇……嫁给我好吗？”

我震惊地瞪着他看。接着，我突然笑了出来，我相信他期待的一定不是我这种反应。“你是不是忘了什么事？”

“戒指——我知道，可是——”

“不是戒指，而是你已经有个妻子了。”

亚当说：“呃，当然没忘，”他又坐到沙发上了，“我来找你也为了这件事。我正要办离婚手续。”

我往后躺向靠枕，经过这么多事，我累坏了。

要拆散一个家庭有太多方法，只要少许自私，一丝贪婪和一点点的霉运就能办得到。但若能紧密交织，家庭可以是最坚固的联系。

我失去了双亲，也推开了我的姐姐；奶奶的父母被人硬生生地从她身边拉开。我们花了几十年的时间来修补这些洞。而看看亚当，他不顾一切地抛开他所爱的人，只为重新开始。我为自己、为我这个让他走到这步田地的角色感到羞愧。我只希望现在还不迟，他还能了解我只是开始要看清自己：有了家庭，表示你绝对不会孤独。

“亚当，”我轻柔地说，“回家去。”

这次，是真的了。

我曾经对里欧表示我们结束了，但这次我是认真的。而且我知道这其中的差别，因为我不能呼吸又哭个不停。这就像是在为我一度深爱的人哀悼，我猜，这丝毫不假。

亚当不想离开。“你不是真心的，”他告诉我，“你没有想清楚。”但我的确很清醒，这可能是我这三年来脑筋最清楚的一刻。我看到玛丽——和里欧——眼中的我，我觉得好难堪。“我爱你，爱到想和你结婚，”他说，“你还能要什么呢？”

我可以用太多方式来回答这个问题。

我想要和一个英俊的男人手勾手走在路上，但我不要其他女人纳闷，不懂他为什么会和一个外表如我的女人在一起。

我想要快乐，但如果这会带给另一个人痛苦，那么我宁可不要。

我想感觉自己美丽，而不只是幸运。

后来亚当之所以愿意离开，是因为我哭着说服他，说他只会让我更难过，如果他真的在乎我，他就必须离开。“你不会想这么做的。”他仍然坚持。

在约瑟夫和我下棋的时候，他也说过同样的话。但有时候，为了赢，你必须有所牺牲。

我哭得双眼模糊红肿又鼻塞，蜷起身子躺在沙发上，把爱娃搂在胸前。我口袋里的手机振动了起来，我看到来电显示亚当的号码，于是我直接关机。接着，我家里的电话也响了起来，我没等亚当在录音机里留言，便先拉掉了录音机，还拔掉电话线。现在，我需要的是自己的陪伴。

我吞下半颗安眠药——这是当初我母亲葬礼过后我没吃完的药——半睡半醒地躺在沙发上。我梦到自己在集中营里，穿着奶奶的条纹连身裙，约瑟夫则穿着军官制服来找我。他虽然已经是个老人，但手劲仍然和钳子一样有力。他没笑，说着德文，我听不懂他问我什么问题。他将我拉到院子，我绊了一跤，膝盖磨在石头上。接着是亚当，他站在一具棺材旁边。他抱起我，放进棺材里。时候到了，他说。在他伸手要盖上棺材时，我才发现他的意图，于是我开始反抗。我虽然抓得他流血，但他比我强壮。他盖上棺材，不顾我拼命喘着想呼吸。

求求你，我喊了出来，一边拍打棺材的丝缎内里。有人听得到我的声音吗？

但是没有人出现，于是我继续拍打、重击。

你在家吗？我听到有人说话，心想可能是里欧，但是我不敢叫，因为喊叫会消耗太多氧气。我挣扎着想吸气，肺里充满了奶奶痱子粉的味道。

当我醒来时，发现亚当正摇晃着我，日光已经透过窗口照了进来。原来我睡了好几个小时。“塞奇，你还好吗？”

我仍然觉得虚弱，想睡，而且口干舌燥。“亚当，”我口齿不清地说，“我说过的，要你离开。”

“你一直没接电话，我好担心你。”

我从沙发缝隙里掏出手机开机。我有十多通未接来电，其中有一通来自里欧，三通是奶奶打来的，另外有四五通来自亚当。而最奇怪的是我两个姐姐分别也打了五六通电话给我。

“派波打电话给我，要我安排，”他说，“天哪，塞奇，我知道你和她有多亲近。我要你知道，我随时都在你身边。”

我开始摇头，尽管我仍然还觉得一片模糊，但是拼图碎片纷纷就位。我深吸了一口气，只吸入痱子粉的味道。

根据黛西告诉我两个姐姐的说法，奶奶在下午两点左右感觉很疲倦，于是躺下来睡午觉。黛西看她没有起来吃晚餐，担心她晚上会睡不着，所以走进卧室打开灯光。她徒劳无功地想叫醒奶奶。“事情发生在她睡梦当中，”黛西边哭边告诉我们，“我知道她没有受苦。”

而我呢，我不能确定。

万一里欧和我加诸在她身上的压力终于爆发呢？会不会是我们带给她的回忆，对她造成太大的冲击？

如果她在死前想到了他呢？

我没办法不去想：这是我的错。这让我心情乱成一团。

但是我不能把这些话告诉派波或莎凡，因为尽管她们否认，但我觉得她们早已觉得我该为母亲的死负责。我不能让她们把奶奶的过世也怪在我头上。于是我尽可能避开她们，独自哀伤，而她们也没有打扰我。我觉得她们有点害怕我在奶奶死后犹如行尸走肉的情况。我没介意她们进到我家重新安排家具，为犹太式的悼念仪式作准备；当她们把从我的冰箱里找到的过期优格丢掉，或是抱怨我家里没有无咖啡因的咖啡时，我也没有说话。我不再进食，就算玛丽带着一篮现烤的糕点来致哀时，我也没有吃。她告诉我，自从得知我奶奶过世之后，她为奶奶在每场弥撒点了一盏蜡烛。我没把里欧或雷纳·哈特曼的事告诉我两个姐姐，也没有打电话给住院的约瑟夫。我只说，我最近常去陪奶奶，因此我希望在葬礼前，能在殡仪馆单独看看她。

奶奶度过了不平凡的一生。她亲眼看着自己的国家崩解，然而，在她受到连带伤害时，她仍然相信人心。她在一无所有时仍然能付出，在自己几乎站不住时坚持奋斗，就算在昨日的基岩找不到立足点，她依旧紧紧抓着明日。她像变色龙，是个爱幻想的小说家、有自尊心的俘虏、军人的妻子，更像护着家人的母鸡。为了生存，她可以化身为任何角色，但是她绝不容许他人来界定她。

尽管她选择不张扬自己的过去而是埋藏那段故事，但对任何人来说，她的生命充实丰富而且重要。这是她自己的事，与旁人无关，而到现在，她的过去仍然不需他人来干涉。

我会为她守住。在我惹出这么多事情之后——去找里欧，还让他来拜访奶奶——再怎么说，我都该这么做。

我一直没吃，加上热气和哀伤，我开始觉得头昏眼花。走下派波租来的车子之后，我木然地走向殡仪馆，亚当穿着深色西装在大厅里等我们。他先向派波致意，接着立刻说："我很遗憾。"

对他来说，这句话还有意义吗？如果你不断重复同样的话，这些话是不是会淡漠到失去了原有的色彩？

"谢谢你。"派波说，握住他伸过来的手。

接着他转向我。"我知道你想单独和至爱的人相处一会儿，是吗？"

亚当，是我。我心想。随后我才想起来，是我将他从我的身边推开。

他带我进门走到殡仪馆后方的隔间，派波则是坐下来开始发简讯，可能是发给花店、外烩公司，或是她的丈夫和孩子，他们随时会抵达本地机场。我们走进隔间关上门之后，亚当才紧紧拥住我。起初，我全身僵硬，接着才放弃心里的抵抗。这比争吵容易。

“你看起来糟透了，”他叹口气，呼出来的气吹着我的头发，“这两天你有没有睡觉？”

“我不相信她走了，”我的泪水立刻涌上来，“我现在真的是孤单一个人了。”

“你还可以有我……”

真的吗？现在？我咬着嘴唇，跨出一步离开他的怀抱。

“你确定你要这么做？”

我点点头。

亚当带我来到放奶奶棺木的等候室，在送进礼堂举行仪式之前，棺木会暂时放在这里。小小的空间和冰箱里的味道一样，冰冷，还有点防腐的味道。我头晕目眩，不得不扶着墙壁免得跌倒。“我能单独陪奶奶几分钟吗？”

亚当点点头，拉开棺木正面的上盖，让我瞻仰奶奶的遗容。接着他走了出去，随手带上门。

她穿着滚着黑边的红色毛裙，高领衬衫拢在她的颈边。奶奶眼睫毛的影子落在略显红润的脸颊上，银发梳理得很整齐，和我印象中她每星期上两次发廊梳出来的发型一样。看着她，我想起了睡美人、白雪公主，想到那些从梦魇中醒过来，展开新人生的女人。

如果奶奶醒过来，那么，这不会是第一次。

我母亲过世时，我不想碰触她。我知道我姐姐会弯腰亲吻她的脸颊，最后一次拥抱她。而我呢，接触到逝者的身体会让我害怕。这和我每次拥抱母亲寻求慰藉的感觉不会一样，因为她没办法回抱我。如果她不能拥住我，那么我不得不停止假装，停止相信她可能会再那么做。

而这次，我别无选择。

我拉起奶奶放在棺木里的左手。她的手很冷，但奇怪的是摸起来很结实，像是我小时候在广告里看到的那些所谓拟真却缺乏真实感的玩偶。我解开扣子，让衬衫的袖子往后滑，露出她的前臂。

葬礼时，棺木是盖起来的，没有人会看到她在奥斯威辛时烙上的印记。就算有人以我现在这个姿势往棺木里看，她的丝衬衫也会遮住这个证据。但是奶奶如此费心，不想让旁人以幸存者的身份来断下评语，我觉得无论接下来会发生什么事，我都有责任为她保留下去。

我从皮包里拿出一小管遮瑕膏，仔细涂在奶奶的皮肤上，等遮瑕膏干透之后再检查我是否已经将数字完全盖掉。接着我才扣上她的袖口，捧起她的双手，在她掌心印下亲吻，让她像带着弹珠一样，把我的亲吻带走。“奶奶，”我说，“我长大以后要像你一样勇敢。”

我盖上棺木，用手指抹去滴下的眼泪，不想把眼线弄糊。几次深呼吸之后，我蹒跚地走进通往殡仪馆大厅的走廊。

亚当没在等候室外头等我。这没关系，因为我知道怎么走。我踩着穿不惯的黑色包鞋，摇摇晃晃地沿着走道往前走。

来到前厅之后，我看到亚当和派波低着头低声和另一个人说话，他们两个正好遮住这个人的身子。我猜，来的应该是莎凡，她应当会比其他来致意的人早到。他们听到我的脚步声，亚当转过头来，突然间，我看到和他们谈话的人根本不是莎凡。

整个前厅像是旋转木马般地动了起来。“里欧？”我低声喊出来，我以为这是想象，但是他在我倒地之前抱住了我。

在一段很长的时间里，我只顾哭泣。

亚历山大每天中午被带到村里的广场，为他弟弟的所作所为受惩罚。这样的惩罚会害死一个普通人，但对亚历山大来说，这是地狱的另一个轮回。

我不再烘焙了。没有面包吃，让这村子的人更加辛苦。餐桌上，你没有东西可以和家人分享，讲话时没有东西可供消化，你也没有东西送给心爱的人。无论村民吃下什么食物，他们仍会觉得内心空虚。

一天，我离开小屋，徒步走到离我们最近的大城市。这地方是亚历山大和他弟弟上次停留的地方，市区里的建筑物很高，想看到屋顶都难。这当中有栋特别的建筑，里面放满了书，和布袋里的谷粒一样多。我把自己的需要告诉接待桌前的女人，她带我沿着铸铁旋转梯下楼，这地方的墙面排了许多厚厚的皮革装订书籍。

我发现，要杀死巫皮欧有许多方法。

你可以把尸体埋入深土之下，在洞里填入肥沃的土壤。

你可以拿钉子刺穿他的头颅。

你可以磨碎羊膜——就像卡希米出生时裹着的羊膜，然后喂给巫皮欧吃。

或者你也可以找出最初的那具尸体，挖出里头的心脏。他受害者的血会跟着流出来。

这当中有些方法是无稽之谈，但我知道最后一个是真的，因为，如果亚历山大切开自己的心脏，我相信我一定是那个流血致死的人。

里欧

她好像浣熊。

一只精疲力尽、晕眩茫然的漂亮浣熊。

她双眼下有明显的黑眼圈——我猜有部分来自她晕开的妆，另外一部分则是睡眠不足——脸颊上还有明显的红晕。殡仪馆负责人（恰好是几个晚上前我遇见的那个已婚男友，难道这地方还不够小吗）拿了一块湿布让我贴在她额头上，水沾湿了她的刘海，往下滴到她黑色连衣裙的领子上。“嘿，”塞奇睁开眼睛时，我说，“听说你常做这种事。”

这样说吧，在殡仪馆经理的办公室里，我必须尽全力自制才不至于反胃。这地方让我头皮发麻，我承认，对一个整天搜寻集中营受害者照片的人来说，我的反应的确让人惊讶。

“你还好吗？”塞奇问道。

“这问题应该由我来问你才对。”

她坐了起来。“亚当呢？”

哇，就这么几个字，我们两人之间就突然冒出一堵无形的墙。我蹲着往后退，让我自己和她躺的沙发之间空出一段距离。“是的，”我正经地说，“我去帮你叫他来。”

“我不是要你去找他，”塞奇的声音和嫩枝一样单薄，“你怎么会知道……”

她没把话说完，其实她也不必。“我回华盛顿之后打了电话给你，但是你没接。我开始担心，我知道一个九十五岁的老人不会造成威胁，但是我曾经看过那种年纪的老家伙掏枪威胁联邦干员。总之，最后总算有人接电话，是你姐姐莎凡，她把敏卡的事告诉我。”我看着她，“我很遗憾，塞奇。你奶奶是个很特殊的女人。”

“你来这里做什么，里欧？”

“这应该很明显吧——”

“我知道你是来参加葬礼的，”她打断我的话，“但是，为什么要来？”

我脑袋里冒出好几个理由：因为来这里才是正确的做法；因为办公室有先例，我们会参加曾经作证的幸存者葬礼；因为敏卡是我手上案子的证人。但是我来这里纯粹因为我想来，为了塞奇的缘故。“我认识你奶奶的程度当然没办法与你相比，但是，从她在你没注意时看着你的方式，我知道对她而言，家庭永远是优先。很多犹太人都是这样。这就好像全体犹太人在无意识之间，全都有同样的想法，只因为他们的家庭曾经遭人夺走。”我看着塞奇，“我想，也许今天我可以当你的家人。”

一开始，塞奇动也没动，随后我才发现她泪流如注。我朝她伸出手，穿过那道看不见的墙，握住她的手。“好，没关系，可是我想知道这是高兴的哭，比如你乐于在感恩节晚餐时多放一份餐具；还是说这是不高兴的哭，就像你刚发现长久失联的亲戚只会巴结讨好？”

她笑了出来。“我真不知道你是怎么做到的。”

“做到什么？”

“让我又开始呼吸，”塞奇说，“真的谢谢你。”

无论我觉得我们两个人之间有什么障碍，现在也完全消失无踪。我在她身边坐下，塞奇把头靠在我的肩膀上，这个动作很自然，仿佛她这辈子一直都这么做。“如果是我们害了她怎么办？”

“你是指我们让她把过去的事说出来？”

她点点头。“我没办法不去想，假如我从来没提起这些事，假如你没拿照片给她看……”

“你不可能知道的，别折磨自己了。”

“我只是觉得反差好大，你懂吗？”她说话的声音好微弱，“她安然渡过大屠杀，却死在睡梦当中。这是什么道理？”

我想了想。“道理在于她能在和孙女以及一个衣冠楚楚又迷人的律师一起用过午餐之后，死在睡梦当中。”我仍然握着塞奇的手，交缠的手指间没有缝隙，搭配得刚刚好，“说不定她不是痛苦地死去，说不定她放手了，塞奇，因为她终于感觉到一切都不会有问题了。”

就各方面来说，这场葬礼办得都很好，但是我没有太注意。我在小礼堂里忙着四处看，想看雷纳·哈特曼会不会现身，因为我仍然有那么一点相信他可能会来。当我明白他应当不会出席之后，我把注意力放到亚当身上，他和所有葬礼主持人一样，尽量低调地站在礼堂后方，而且还要在塞奇握着我的手臂，或是把头埋向我西装袖口时发挥最大克制，努力不朝我们看过来。

我不打算说谎，这让我觉得真该死的得意。

当我在高中被甩时——对方想在星期五晚上和更受欢迎、体格更魁梧的男孩约会——我母亲对我说：里欧，别担心，书呆子会接管地球。我开始相信这句话很可能成真。

我母亲还会告诉我，追求出席祖母葬礼的哀伤女人，无疑是踏上一条通往地狱的不归路。

除了对着手帕轻柔啜泣的黛西之外，我不认识任何来致哀的人。仪式结束之前，亚当宣布守丧仪式的时间和地点，他同时也宣布了两个由派波提出来的慈善机构，让大家以纪念敏卡的名义捐款。

到了墓地，塞奇坐在她两个姐姐当中，我站在她后面。她们和塞奇很像，但是打扮过度，三姐妹看起来像是两朵天堂鸟夹着一朵樱草。轮到塞奇将泥土撒向墓穴时，我看到她双手发抖。她撒了三把土，而其他来致哀的人——依我看，多半是塞奇父母的朋友，另外就是一些老人——也撒了土。我撒下泥土之后，立刻追上前走在塞奇身边，她什么话也没说，再次握住了我的手。

塞奇的姐姐用塞奇家充当葬礼后亲友聚会的场地，这地方和我几天前看到的完全不同。为了容纳人群，家具重新摆放过，镜子全盖了起来，能放东西的地方全摆了食物。塞奇看着走进她家门的一群人，倒喘了一口气。“大家一定会想和我说话。我办不到。”

“你可以的。我哪里都不去，会陪在你身边。”我答应她。

我们一走进门，宾客便上前向她致哀。“你奶奶是我的桥牌搭子。”一名宛如惊弓之鸟的女人说。一个挂着金色怀表，蓄着八字胡的胖男人——他让我联想到“地产大亨”里头的“机会”卡——紧紧抱住塞奇轻轻地前后摇晃。“可怜的小东西。”他说。

我注意到一个抱着小孩、头发渐秃的男人。“我不知道塞奇有男朋友了。”他笨拙地伸手想和我相握，却卡在他儿子圆滚滚的膝盖下，“欢迎加入我们的阵容，我是安迪，派波的另一半。”

“我是里欧，”我和他握手，说，“但是塞奇和我……”

我突然发现我不知道塞奇是怎么告诉她家人的。如果她认为恰当她会说出约瑟夫·韦伯的事。但是如果她没说，我也不该擅自提起。

“我们一起工作。”我把刚才的话接着说完。

他怀疑地看着我的西装。“你看起来不像烘焙师傅。”

“我不是。我们是透过……嗯，敏卡才认识的。”

“她真是不简单，”安迪说，“去年光明节，派波和我请她去一间美甲沙龙修指甲。她很喜欢，还问我们她生日时能不能帮她找个‘恋童癖’，其实她想要的是足部护理[①]。”他笑着说。

但塞奇刚好听到。“你觉得她的母语不是英文就很好笑吗，安迪？你会说多少句波兰语、德语和意第绪语？”

他吓坏了。“我不觉得好笑，我是觉得可爱。”

我伸手环住塞奇的肩膀，将她带往相反的方向。“我们去看看你姐姐需不需要有人到厨房帮忙，好吗？”

我带她离开派波丈夫的身边，塞奇皱起了眉头。“他真是混蛋。”

“可能吧，”我说，“但如果他想面带微笑地怀念你奶奶，那也不是坏事。”

派波站在厨房里，正要把方糖放进玻璃碗里。“我知道不买奶精是因为脂肪含量过高，但是你家真的没有牛奶吗，塞奇？”她说，“拜托一下好吗，每个人家里都有牛奶。”

“我有乳糖不耐症。”塞奇喃喃地说。我注意到，当她和两个姐姐说话时，她会驼着背，仿佛成了另一个更小、更苍白的塞奇。她好像想变得比平常更不显眼。

“把这个拿出去，”莎凡说，“咖啡都冷了。”

“嗨，”我连忙出声，“我是里欧，我能不能帮忙？”

莎凡看看我，然后看着塞奇问道：“这是谁？”

“里欧，”我重复一次，“我们是同事。”

“你懂烘焙？”她的语气中充满怀疑。

我转头对塞奇说：“好，你看呢，烘焙师傅难道都穿小丑衣服之类的东西？还是说，我打扮得像个会计师？”

“你穿得像律师，”她回答，“自己去想吧。”

“是律师最好，”莎凡端着盘子从我们身边走过，“因为这个国家里连一家像样的熟食铺都没有，这简直是犯罪。我要怎么用大卖场买来的烟熏牛肉喂饱六十个人？”

“你以前也住这里，你知道吗？”塞奇对着她的背影说。

等到她两个姐姐都离开之后，厨房里只剩下我们两个人，这时，我听到哭声。但哭的不是塞奇，而她也听到了。她循声走到储藏室，拉开门才发现小腊肠狗爱娃被关在了里面。“我敢打赌，这对你来说一定是场噩梦。”她喃喃地说话，抱起小狗，但眼光落在聚在一起庆祝她奶奶这一生的宾客身上。这些人分享回忆，想以敏卡当作焦点。

塞奇单手抱着小腊肠狗，于是我握住她另一只手臂，拉着她从后门走出去，下了阶梯，穿过后院的草坪，来到我停放租赁车的位置。

“里欧！”她大喊，“你在做什么？”

我当她没说话，而是问她：“你上次吃东西是什么时候的事？”

这里不过是万怡商务酒店而已，但是我仍然点了一瓶劣质红酒和一瓶甚至更糟的白葡萄酒，加上法式洋葱汤、鸡肉凯撒色拉、辣鸡翅、莫扎里拉芝士条、芝士比萨、白酱意大利宽面，另外还有三球巧

① 英语中“恋童癖”（pedopihile）和“足部护理（pedicure）”单词相似，发音相似，所以敏卡会搞错。

克力冰激凌和一块超大的柠檬蛋白派。这些食物足够我、塞奇、爱娃和所有在住四楼的客人吃——假如我真想邀请他们一起享用。

我看着塞奇一样样吃下面前丰盛的食物，色彩慢慢地重回她的脸上；若我对自己绑架一名应当坐在自家参加她奶奶的悼念仪式的哀伤女郎，还偷偷把狗带进禁止携带宠物的旅馆这个举动还有任何疑虑，到了这时也逐渐散退。

为商务旅客打造的客房里有个摆着沙发和电视的小客厅，我们把电视转到经典老电影频道，音量调得很小。屏幕上，詹姆斯·斯图尔特和凯瑟琳·赫本正在吵嘴。塞奇问："为什么这些老电影里的人说话时，老是像下巴被绑了起来张不开？"

我笑了。"大家多少都知道加里·格兰特有颞下颌关节紊乱。"

"一九四〇年代的人说话方式和住在拖车的穷苦人家完全不一样。"她若有所思地说。这时电视上的詹姆斯·斯图尔特正要靠向凯瑟琳·赫本，塞奇帮他念出台词。"说你愿意和我见面，梅宝，我知道我们身份地位不同……但我总可以改成在星期二晚上打保龄球。"

我咧嘴一笑，替凯瑟琳·赫本说出她在剧中的回答。"很抱歉，雷夫，我绝对不可能爱一个以为把碗盘放进洗碗机，就代表可以把妻子灌醉的男人。"

"可是，甜心，"塞奇接着说，"我该拿这几张全美房车赛的门票怎么办？"

凯瑟琳·赫本甩甩头发。"我才懒得管。"我说。

塞奇笑了。"好莱坞没挖掘你真是可惜。"

她将手机关机，当她姐姐发现她离开家，一定会不停地打电话找她。屏幕上突然出现色彩炫丽的广告。在看了刚刚的黑白影片之后，这实在很震撼。"现在应该结束了吧。"塞奇说。

我看看手表。“电影剩下半个小时左右。”

“我说的是雷纳·哈特曼。”

我拿起遥控器，把电视音量切换到静音。“我们不可能要你奶奶上法庭宣誓作证了，连摄影作证都不可能。”

“我可以在法庭上把她说的——”

“那会变成传闻证词。”我解释。

“这好像不公平。”塞奇屈起双脚，盘坐在沙发上。她仍然穿着黑色连衣裙，但脱掉了鞋子，“她死了，而他还活着，这让我觉得一切都白忙了。应该是她活下来把自己的故事说出来才对，知道吗？”

“她说出来了，”我纠正说，“她把故事告诉了你，交给你保存。现在她走了，也许轮到你说出来了。”

我看得出塞奇对于奶奶过世的看法和我不同。她皱着眉头，从沙发上起身。我觉得她的皮包像个过大的黑洞，我无法想象里头有什么东西。她翻了半天，掏出一本皮革记事本。这看起来是十九世纪英国诗人济慈可能会放在包里的东西——如果当时流行这种东西的话。

“记得她说的那个故事，那个救了她一命的故事吗？她在战后重新写了一次，在上星期第一次拿给我看。”她又坐了下来，“我觉得她会想要你听听看，”她说，“我也想要你听。”

上次有人大声读故事给你听是多久以前？可能是你小时候吧。如果回想一下，你便会记起这带给你多大的安全感；躺在被子下或蜷在某个人的臂膀当中，让编织的故事像网子般罩住你。塞奇娓娓读出烘焙师和女儿的故事，陶醉在权力当中的警卫队长爱上了女孩，而村里发生一连串的谋杀案。

塞奇读故事时，我一直看着她。她读出对话，化身成故事中的角色。敏卡的故事让我联想到格林、丹麦女作家伊萨克·迪内森、安徒生，想到那些尚未被迪斯尼公主们和会跳舞的动物给软化，而且既黑暗血腥又充满危险的童话故事。在从前的童话故事当中，爱情有其代价，要付出才能得到快乐的结局。这个故事中有值得借鉴的教训，而且打动了我。然而，看到塞奇读到安妮雅和亚历山大这对不可能的情侣第一次见面的段落时，她颈动脉的跳动越来越快，这让我没有办法专心。

塞奇读着：“当你看着岩石下散落的打火石碎片，或是在路边看到断落的木材，你不会想到这两件单独存在的东西会带来什么魔法。但如果你把这两件东西在正确的时机凑在一起，你可以燃起足以烧毁整个世界的大火。”

我们成了故事当中的巫皮欧，彻夜没睡。当塞奇读到亚历山大落进士兵的陷阱时，太阳已经爬上了地平线。亚历山大被关了起来，将会被折磨致死。除非他能说服安妮雅出自怜悯先杀了他。

塞奇忽然盖上记事本。“你不能在这个节骨眼上喊停！”我表示抗议。

“我不得不停下来。她只写到这里。”

她的头发乱了，黑眼圈的颜色深到好像挨了拳头。“敏卡知道发生了什么事，”我决然地说，“尽管她选择不告诉大家。”

“我本来想问她为什么没写完……但是我没问。而现在我则是没办法问了。”塞奇看着我，心情透过眼神表露无遗，“你觉得故事怎么结束的？”

我帮塞奇把头发塞到耳后。“像这样。”说完话，我亲吻她脸颊上凸起的伤疤。

她倒吸了一口气，但是没抽身离开。我亲吻她的眼角，移植的皮肤在这个位置往下斜。我亲吻她脸颊上让我想起流星的银色雀斑。

接着，我亲吻她的嘴。

一开始，我用仿佛握着易碎物品的方式握着她的手臂，我必须控制全身每一寸肌肉，才不至于将她抱得更紧。我从来没有对任何女人有这样的感觉，我觉得我必须吞噬她。我告诉自己：想想棒球好了，但是我对棒球一无所知。于是我在脑海里默默聆听高等法院的审判，免得因为太急而将她吓跑。

但是塞奇，感谢老天爷，塞奇用双手抱住我的脖子，紧紧向我贴过来。她的指头梳过我的头发，她的气息溢满了我。她尝起来有柠檬和肉桂的味道，闻起来就像椰子油乳液和慵懒的太阳。她像载了电的缆线，每个碰触都让我燃烧。

她的髋部磨蹭着我的髋骨，我臣服了。我让她双腿缠在我身上，任她掀起的裙子挂在腰间，然后抱着她走进卧室，将她放在新换过的被单上。她将我拉到她身上盖住她，我最后一线清醒的想法是：这故事不可能有更好的结局。

窗帘遮住了阳光，在房里阴暗又安稳的光线中，我们仿佛落入了光阴的泡泡当中。有时候，我在拥着塞奇时醒过来，有时是她醒来抱住我。有时候我能听得到她的心跳，有时候，她的声音和纠缠的床单一样紧紧地包覆着我。

“是我的错。”她突然说了。

事情发生在我毕业后，我母亲和我一起带着行李开车回家。车里放了太多行李，她看不到后窗，于是我要她让我开车。

那天的天气很好，但这更糟，我不能说是雨雪或其他状况惹的祸。我们当时在高速公路上，我想超越一辆卡车，但没看到另一个车道有车，于是车子偏离了方向。事情就这样发生了。

一阵冷战蹿过她的脊椎。

她不是当场过世的，而是动了手术之后受到感染，器官功能逐渐停止。派波和莎凡说那是意外。但是我知道，她们其实怪我。我母亲也是。

我紧紧抱着她。“我相信她不会的。”

“在她住院时，”塞奇说，“在慢慢死去的时候，她告诉我‘我原谅你。’除非你知道这个人做错事，否则你不必原谅他。”

“有时候，坏事是挡不住的。”我说。我用拇指轻抚她的脸颊，滑过凹凸不平的伤疤。

她抓住我的手，放到嘴边亲吻。有时候，好事也一样。

我可以找出上千个借口。

是红酒惹的事。

是白葡萄酒。

是一整天下来的压力。

是工作压力。

是黑色连衣裙太凸显她的曲线。

是因为我们都寂寞，饥渴，而且太过哀伤。

对于我的不检点，弗洛伊德一定会有不少话要说。我老板也一样。我的作为简直是恬不知耻——这个女孩对我们手头上的人权案件有莫大的帮助，而且她在几个小时前才刚参加过葬礼，而我竟然占了她便宜。

更糟的是，就算重新来过，我仍然会做同样的事。

小狗爱娃用恶毒的眼光看着我。它怎么可能不这么做？它亲眼目睹了整个卑鄙、炽热、令人惊叹的过程。

塞奇还在卧室里睡觉。而我无法信任自己，不相信我能留在她身边而不逾矩，于是我穿着四角内裤和T恤，唤醒体内所有的犹太罪恶感，坐在外头的沙发上研究雷纳·哈特曼的档案。我没办法让昨晚占塞奇便宜的事件消失，但是我绝对会尽全力让这个案子成功送审。

“嗨。”

我转过头，看到她穿着我的白衬衫，衣服几乎盖住了她的身子，几乎。

我左右为难地站起来，不知该抓住她将她拉回床上，还是该做正确的事。“对不起，”这句话脱口而出，“我不该那么做。”

她瞪大了眼睛，说：“可是我一点儿也不觉得哪里不对。”

“你现在没有办法正确思考。就算你自己不清楚，我也该知道。”

“玛吉说，当一个人陷入死亡带来的困境中时，想抓住生命是件正常的事。她的说法很贴切。”

“玛吉是谁？”

“哀伤辅导小组的指导员。”

“喔，”我叹口气，“好极了。”

“听着。我要你知道，不管你在这几天当中对我有什么认识，我通常不是……不是这样的。我不会……你懂吧。”

“对。因为你爱上了那个已婚的殡仪馆负责人。”我说。我扯着头发，头发随着我的动作竖了起来。我昨晚还忘了这个人。

“那件事结束了，”她说，“彻底结束了。”

我立刻抬起头。“你确定？”

“百分之百确定。也就是说，”她朝我走来一步，“这会不会让我们没那么不对？”

“不会，”我站起来踱步，“因为你仍然和我正在处理的案子有关。”

“我以为这件案子也结束了，因为我们没办法指认约瑟夫就是雷纳·哈特曼。”

不是这样的。

我脑海里出现警讯，像是挥舞的红旗。

少了敏卡的证词之后，我无法在塔雅的谋杀案与雷纳·哈特曼之间建立联结。但是目睹这件违法事件的，不只是俘虏。

雷纳也在场。

如果有人能让他亲口说出党卫队档案里的这个纪录，同样可以得分。

“可能还有另一种方式，”我说，“但是这会把你牵扯进去，塞奇。”

她在沙发上坐下，心不在焉地抚摸小狗的耳朵。“什么意思？”

“我们可以让你戴上窃听器，然后录下对话。要他承认，他曾经未经许可枪杀犹太俘虏，并因此受到惩戒。”

她低头看着自己的双腿。“我真希望你早就要求我这么做，这样一来，我奶奶也不必被牵扯进来。”

我不想解释这只是个尝试，这绝对不会是我的第一选择。这不只是因为幸存者的证词有力而已，还因为我们不想让平民充当临时探员。

尤其是一个我可能会爱上的女孩。

“你需要什么协助我都会全力帮忙，里欧。”塞奇说。她站起来，开始解开她身上衬衫的扣子，我的衬衫。

“你在做什么？”

“拜托。你有哈佛学位，难道还看不出来？”

“不行。”我往后退了一步，“绝对不可以。你现在是关键证人。”

她双手缠着我的脖子。“我会把第一手信息告诉你，但是你也要和我分享你的第一手信息。”

这女孩会置我于死地。我施展出超人类的毅力推开她。“塞奇，我不能。”

她挫败地后退一步。“昨天晚上，有那么短暂的一瞬间，我觉得很快乐。真心的快乐。我不记得上次有这种感觉是多久以前的事了。”

“对不起。我爱你，但是这会造成严重的利益冲突。”

她突然抬起头。“你爱我？”

“什么？”我的脸突然涨红，“我从来没说过这种话。”

“你刚刚说了。我亲耳听到的。”

“我说的是我也很想。”

“不是，”塞奇说，脸上浮起一抹笑容，“你不是那么说的。”

我真的那么说？我太累，搞不清楚自己说了什么话。这可能表示我没办法掩饰我对塞奇·辛格真正的感觉，炽热到足以吓坏我自己的感觉。

她举起双手平贴在我的胸前。“如果我说，除非你回到床上，否则我不愿意戴窃听器呢？”

“这是勒索。”

塞奇笑了。她耸耸肩。

说得容易做得难。每个人都懂得要做正确的事，回避错误，但是当你面临这种状况时，你会明白事情并不是只有黑白两面，还有深浅不同的灰色地带。

我犹豫了，但只犹豫了一秒钟。接着我抱住塞奇的腰将她举起来。“我理当竭尽全力报效我的国家。”我说。

要潜进监狱不容易。

首先，我烤了一些可颂，用略带苦味的杏仁内馅掩饰混在里头的老鼠药味。然后，我再把这些可颂放在警卫岗哨的外面，这个警卫负责监视亚历山大，一直到明天早上为止。

然后，接替达米安的新任警卫队长——他是达米安从前的副手——会将亚历山大折磨致死。

我模仿受困动物的声音，成功引诱警卫开门察看。他看到外头没有异状之后，耸耸肩，把那篮点心拿了进去。半个小时之后，他口吐白沫倒了下来，痛苦地挣扎。

当你看着岩石下散落的打火石碎片，或是在路边看到断落的木材，你不会想到这两件单独存在的东西会带来什么魔法。但如果你把这两件东西在正确的时机凑在一起，你可以燃起足以烧毁整个世界的大火。

没错，现在我必须杀人。这当然表示我们彼此相属。若我们只剩下这一点时间，我绝不犹豫，一定会和亚历山大一起烂在这个牢房里。

我从牢房的窗口看到亚历山大后背抵住潮湿的墙面坐着，双眼紧闭。日复一日地折磨了一个月之后，他消瘦得犹如骷髅。看来，逮捕亚历山大的人在他的身体放弃之前已经玩腻了这场游戏，现在他们不只是要玩弄他，还要谋杀他。

听到我走近，他站了起来。我看得出这个动作得耗费他多少力气。“你来了。”我们的手指隔着小窗的铁栏杆交握在一起。

“我收到了你的纸条。”

“我两个星期前送出去的，”他说，“在那之前，我花了另外两个星期的时间，才成功地哄诱小鸟来到我的窗口。”

“我好难过。”我说。

亚历山大的双手被打得满是伤痕，甚至骨折，然而他仍然紧紧地握着我的手。“拜托，”他低声说，“今晚，为我做一件事。”

“你只管开口。”我答应他。

“杀了我。”

我倒喘一口气。“亚历山大……”我说。

塞奇

如果你在几个月前告诉我，说我会接下秘密任务去当联邦调查局的外勤探员，我一定会当着你的面大笑。

然而话说回来，若你说我会爱上亚当之外的男人，我可能也会说：你疯了。不必我提醒，每次我们点咖啡的时候，里欧一定会帮我点豆浆拿铁；他离开浴室之前会先帮我打开水龙头，好让我一进去就有热水冲。他一定会帮我开门；在我安全带没系上之前绝对不会开车。有时候，他脸上会露出不可置信的幸福表情。我不确定他在我身上看到了谁，但我想要当那个女孩。

至于我的疤痕呢？我每次照镜子时仍然看得见，但是在看到疤痕之前，我会先注意到我的微笑。

要在和约瑟夫谈话时录音这件事，让我很紧张。经过三天的等待，事情终究还是要做。首先是必须等我两个姐姐结束悼念仪式，接着是里欧必须取得司法部犯罪调查办公室的同意，才能使用电子监听装置，再者，我们也得等约瑟夫出院。

我会去医院接他回家，然后希望我能让他承认谋杀了塔雅。

里欧在我家安排这些细节。我们在旅馆过了第一夜之后，便一起搬回到我家。我们没说出来，但两个人都同意他退掉万怡酒店的房间，来和我一起住。尽管我有要面对我姐姐的评语和问题的心理准备，却意外地发现我们担心过度。里欧花了十分钟便迷住了派波和莎凡。他说，他曾经被一个专门写惊悚小说的名作家跟踪，后者拿走他几页笔记，然后完全忽视事实，创作出一本名列《纽约时报》排行榜的畅销巨著。“我就知道！”莎凡告诉里欧，“我参加的读书会选了这本书。我们都觉得俄国间谍不可能拿着假证件进到司法部里。”

“事实上，最夸张的不是这个。而是那个满衣柜都是阿玛尼西装的主角。不可能的，靠公务员的薪水办不到。”里欧说。

当然了，如果不对我姐姐们说出约瑟夫的事，我没办法真的去解释里欧——以及爱娃——为什么会在我家。结果我惊讶地发现，这个故事让我瞬间爆红。

昨天晚上，莎凡和派波在今早搭机回各自的家之前和我们进行了最后一次聚餐。莎凡说：“我不相信你在追捕纳粹，我的小妹。”

“我不是真的要追捕他们，”我纠正她，“应该说是事情掉到了我头上。”

在里欧的建议之下，我打了两次电话给约瑟夫，把实情告诉他，说明我为什么没出现。我说，我有一名近亲突然过世，家里有事情得处理。我还告诉他爱娃想念他，问他医师如何说明他的状况，而且我会去办理出院手续。

“不论如何，”派波附和道，“爸妈会很高兴。想想看，你当年为了不去希伯来学校还大惊小怪闹了半天。”

“这和宗教无关，”我想要解释，“这有关正义。”

“这两者不必互相排斥。”里欧亲切地说。靠这么一句话，他成功地把对话从对我的批评转移到前一次选举的分析上。

知道有人在支持我，是一种奇特的享受。相较于我必须为亚当作的辩护，里欧毫不费力地为我说话。他总是能事先知道哪些话题会让我难过，然后像超级英雄一样，为脱轨的火车扳直铁轨，成功挽救灾难。

这天早上，在派波和莎凡离开时，我拿了一盒现烤的巧克力可颂给她们当伴手礼。她们和里欧拥抱道再会之后，我陪她们走到停在我家车道上的租赁车旁。派波紧紧地拥抱我。“别让他跑了，塞奇。我要听你把后续的发展告诉我。你会打电话给我吧？”

在我记忆当中，这是我姐姐首度要我主动联系，而不是出言批评我。“当然。”我答应她。

我回到厨房，看到里欧正好挂断电话。“我们可以在去医院的路上去取厢型车。然后你去接约瑟夫的时候——塞奇，怎么了？”

“首先，”我说，“我不习惯和我两个姐姐和睦相处。”

“你把她们说得和神话里的妖怪一样，”里欧笑着说，“她们和一般的母亲没有两样。”

“你说得简单，她们被你迷住了。”

“听说我对辛格家的女人特别有吸引力。”

“那好，”我回答，“也许你可以施展魔力来催眠我，免得我把今天的事情搞砸。”

他绕过桌台，走过来按摩我的肩膀。“你不会搞砸的，你想再练习一次？”

我点点头。

为了这次的录音，我们已经排演过五六次了，其中有几次还配合使用录音器材，以确认任务可以顺利进行。里欧扮演约瑟夫，有时候乐意配合，有时候表现出敌对态度，有些时候则是完全封闭，拒绝说话。在这种状况下，我会告诉他，我已经开始想打退堂鼓了。如果我真得硬着头皮杀了他，我要看的是过去他做过的具体事证，而不是种族灭绝；我必须看到受害者的脸孔，或是听到受害者的名字。到目前为止，无论在哪种假设情境当中，我都能让他认罪。

然而，里欧不是约瑟夫。

我深吸一口气。“我问他感觉如何……”

“对，或是任何听来自然的问话。你绝对不要让他觉得你很紧张。”

“好极了。”

里欧在我旁边的凳子上坐下来。“你要的是让他敞开心胸来谈，但是不要去引导他。”

“那么，我该怎么说到我奶奶？”

他犹豫了。“一般来说，我会要你别提起敏卡。但是你告诉过他，说家里有人过世。所以你只好随机应变。如果你提起她，也别泄漏你奶奶就是事件的幸存者。我不确定他会有什么反应。”

我把脸埋向掌心。“你难道不能直接审问他？”

“当然可以，”里欧说，“但是如果到医院接他的是我不是你，我想，他一定会知道有事发生。”

计划中，里欧会把厢型车停在约瑟夫家的对面。这么一来，小手提箱大小的接收器才会在我身上窃听器的发射距离之内。在里欧躲在车里监听的时候，我会在约瑟夫家里。

为了安全起见，我们也约定了密语。“如果我说：我今天应该去找玛丽……”

“那我会冲进屋里掏出手枪，但我若开枪一定会伤到你。所以，我决定施展我在七年级时拿到蓝带的柔道，把约瑟夫当作廉价外套，把他从你身上拉开，然后掐住他的脖子把他扣在墙上。我会告诉他，别做任何会让我们两个都后悔的举动，这听起来很像电影台词——也真的是，但我在执法的紧急关头说过这句话，发现还真的有用。接着我放开约瑟夫，他倒在我脚边，坦白说出自己在奥斯威辛犯下的罪行，同时也承认铸下设计可口可乐新配方和拍摄《欲望都市》第二季等等大错。随后他在签名处画押，我们打电话给本地执法单位来逮捕他，最后，你和我开着车，迎向落日。”

我摇摇头，不禁笑了。里欧真的携带配枪，但是他向我保证，在他五年级参加过夏令营之后，所有的武器都仅供展示，他连像澳洲那么大的目标都打不中。他这话很难判断虚实，但我猜他应该在说谎。我无法想象司法部会在没确定他可以有效使用武器的情况下让他佩枪。

里欧看看手表。“我们该走了，你准备好可以戴上装备了吗？”

夏天戴窃听器是件辛苦的事。我平常背心加短裤的装扮太合身，藏不住应该要黏在衬衫下的麦克风。于是，我只好改穿宽松的背心裙。

里欧把发送器交给我，这东西的大小和iPod mini差不了多少，上面有个小钩子，可以让我扣在裙腰或皮带上，问题是我的背心裙既没有裙腰也没有腰带。“我该把这东西挂在哪里？”

他拉开我背心裙的领口，把发送器放进我的胸罩。“怎么样？”

“舒服得要命，”我说，“不行。”

“你说话的样子好像十三岁小孩。”他拿着麦克风和电线绕过我的手臂，缠在我腰上。我拉下背心裙的上半身，方便他绕线。“你在做什么？”里欧往后退。

“让你好做事。”

他咽咽口水。“也许该让你自己来。”

“你为什么突然变得这么害羞？好像是谷仓里的马全跑光了之后，才赶紧锁门。”

“我不是害羞，”里欧咬着牙说，“我很努力要让我们准时到医院，你这么做帮不上忙。你能不能——你知道，自己把这东西贴好，然后穿好你的衣服？”

固定好麦克风和发送器之后，我们再次确认频道和里欧要放在厢型车里的接收器相同，然后里欧才坐进副驾驶座，把接收器放在腿上。我们先到约瑟夫家放下爱娃，测试发送器的距离。我在屋里帮爱娃的水盆加满水，把它的玩具放在起居室的地板上，告诉它约瑟夫马上会回来。当我回到车里时，里欧说：“设备都正常。”

我跟着GPS的引导，开车来到一处停车场，里欧要在这里和司法部的人员碰面。他一路很安静，默默在脑子里核对所有流程。停车场里只有一辆厢型车，我忍不住纳闷起来，不知把车开过来的另一名调查员要怎么回家。蓝色的厢型车身上漆着“老唐地毯”几个字。有个男人从驾驶座上走出来，亮出识别证。“你是里欧·史坦？”

“对。”里欧打开车窗对他说，“等一下。”

他按下电动窗按钮，再次关上窗户，私下和我说话。“别忘了室内不能有其他干扰。”里欧说。

“我知道。”

“如果他喜欢收听有线电视网或公共电台的节目，记得要先关掉。手机也要关机。还有，不要磨咖啡豆，不要用任何可能影响讯号传送的设备。”

我点点头。

“要记得，‘为什么’这三个字不算诱导性提问。”

“里欧，”我说，“我记不住这么多东西。我不是专业人员……”

里欧想了想。“你只要稍加鼓励就好了。你知道如果联邦调查局第一任局长胡佛还活着的话，他会怎么做吗？”

我摇摇头。

“站在棺材上又抓又叫。”

这个答案太无厘头，八竿子打不着关系，我还来不及掩嘴便大声笑了出来。“我不相信，我都快紧张死了，你竟然还能说笑话。”

“这不是你现在最需要的吗？”里欧说。他往前靠过来，在我嘴上印了一个吻，“你的本能反应就是大笑。随着你的本能行事，塞奇。”

在医师叮嘱出院后的各项须知时，我心里想，不知道约瑟夫是否和我有相同的想法：一个死人——按照约瑟夫的希望——不需要担心盐的摄取量，也不需要担心休息时间或出院单上的任何注意事项。医院的少女义工过来帮忙，准备将坐着轮椅的约瑟夫推到大厅，好让我去开车绕过来接他。她认出了他，说：“你是韦伯先生，对吗？我哥哥是你德文课的学生。”

“*Wie heißt er*？”

女孩害羞地笑：“我修了法文。”

“我刚刚问的是：他叫什么名字。”

“杰克森，”她说，“杰克森·欧洛克。”

“喔，对，”约瑟夫说，“他是个很优秀的学生。”

到了大厅之后，我从义工手中接过轮椅，将约瑟夫推到外面的阴影下。“你真的记得她哥哥吗？”

“完全没印象，”他承认，“但不必让她知道。”

当我去停车场开里欧的车时，我仍然想着这段对话。我把车开到廊柱下，好让约瑟夫少走一点路。约瑟夫之所以能成为人人难忘的老师和杰出市民，关键就在于他能和大家打成一片。而且能躲藏在众目睽睽之下。

现在想想，这的确是个成功的计划。

若是你能直视一个人的双眼和他握手，把名字告诉他，那么他没道理怀疑你说谎。

“这是新车。”约瑟夫说。我扶着他坐进副驾驶座。

“是租来的。我的车被我撞坏了，在厂里维修。”

“出了车祸吗？你还好吗？”他问道。

“我没事。我撞到一头鹿。”

“又是车子，又是亲戚过世……上星期发生这么多我不知道的事。”他把双手平放在腿上，“我很遗憾。”

“谢谢。”我生硬地回答。

其实我真正想说的是：

过世的是我奶奶。

你认识她。

而你可能不记得了。

你这个混蛋。

然而我却直视前方的路面，握着方向盘的双手收紧了又放。

“我想，我们必须谈一谈。”约瑟夫说。

我斜斜地瞥了他一眼。“好。”

“谈你要在什么时候、怎么动手。”

尽管车里冷气已经开到最大，但我的后背仍然开始冒汗。我现在没办法谈这些。带着接收器的里欧不在附近，没办法录下对话。

结果我说了他叫我别说的话。

我转头看着约瑟夫。“你说你认识我母亲。”

“对，我早该说出来，不该瞒着你。”

“我觉得，撒这个无伤大雅的小谎言不是你最严重的问题，约瑟夫。”我在黄灯前减速，“你知道我奶奶是集中营的幸存者。”

“对。”他说。

“你找过她吗？”

他看向窗外。“我不知道她们的名字。”

我坐着等漫长的红灯变绿，在后面的车按喇叭之前，我一直在想，他没有真正回答我的问题。

我把车停到约瑟夫家时，看到老唐地毯的厢型车已经停在约定好的位置，就在对街。我看不到里欧，他应该在后车厢里，备妥接收器在等待。

我扶着约瑟夫爬上门廊阶梯，在他撑不住自己重量时，伸出手臂让他依靠。我相信里欧一定看在眼里。无论他之前说了什么超级英雄的故事，我知道，若有必要，他会来解救我，也知道他不认为一个没办法好好走路的老人就绝对没有杀伤力。他告诉过我，有个八十五岁的嫌犯冲出屋外开始扫射，但还好老人患了白内障，而且不懂得瞄准。我们在办公室里有句话，里欧曾说，如果你曾经杀害六百万人，那六百万零一人算得了什么。

钥匙才刚转开门锁，爱娃就跑出来迎接主人。我抱起毛茸茸的小狗，把它放到约瑟夫的臂弯里，让它舔舐主人的脸。他咧开大大的笑容。“喔，*mein Schatz*[①]，我好想你。”约瑟夫说。看着这一人一狗的团聚，我发现这个关系对他来说真是再完美不过了。爱娃不求回报地爱着他，完全不知道他从前何等可怕，而且聆听过他的含泪忏悔之后，仍然不会背叛他的信任。

“进来，”约瑟夫说，“我来煮茶。”

我跟着他走进厨房。他看到桌台上放着新鲜水果，打开冰箱又看到牛奶、果汁、鸡蛋和面包。“你不必这么做的。”约瑟夫说。

“我知道。是我自己想这样做。”

“不，”他纠正自己的说法，“我的意思是，你可以不必做这些事。”

这是说，假如我愿意尽快杀掉他。

我心想：不管会不会成功都得豁出去了。

“约瑟夫。”我拉出一把椅子要他坐下，“我们必须谈一谈。”

“你不是反悔了吧？希望不是。”

我坐在他对面。“我怎么可能不重新考虑？”

我听到外头有人发动割草机。厨房的窗子没关。

该死。

我假装打了个喷嚏，然后站起来走到窗边，把窗户关上。“希望你不会介意，我对花粉过敏。”

约瑟夫皱起眉头，但是他太有礼貌，没有抱怨。“我担心事成之后会发生其他的事情。”我承认。

“九十五岁的老人过世，没有人会起疑的。”约瑟夫轻笑着说，“而且我在世上已经没有家人，不会有人过问的。”

“我说的不是法律，而是道德问题。”我突然发现自己坐立难安地扭动着身子，于是立刻强迫自己坐好，里欧一定听到了衣服窸窣作响的声音，“我觉得这样问你有点傻，但是在我认识的人当中，你是唯一可能了解的人，因为你有相同的经验。”我看着他，说，“当你

① 小宝贝。

杀人时……事后你要怎么调整心态？”

“我开口要你帮我自杀，”约瑟夫澄清道，“这不一样。”

“不一样吗？”

他重重地叹气。“也许没有不同，”他承认，“你每天都会想到这件事。但是，我希望你能把这件事当作慈悲之举。”

“这是你的想法吗？”我用最自然的方式问道，接着屏息等他回答。

“有时候的确是，”约瑟夫说，“他们当中有些人太虚弱，和我现在一样，都想得到解脱。”

“也许那是你为了晚上能睡得着，而拿来安慰自己的话。”我往前靠，把手肘撑在餐桌上，“如果你真的要为从前的事寻求我的宽恕，那你必须把经过全说出来。”

他摇摇头，泪水涌上了眼眶。“我已经说了。你知道我的过去，知道我是哪种人。”

“你做过最糟的是什么事，约瑟夫？”

说出这个问题时，我自己也吓了一跳，这无疑是赌博。我不能为了党卫队档案里提到了塔雅的谋杀事件，就把这件事当作雷纳·哈特曼对俘虏做过最惨无人道的事；这个事件只是能让他被逮的其中一桩恶行。

“曾经有两个女孩，”他说，“其中有一个在……在我弟弟的办公室里为他工作。他办公室里有个保险柜，里面放的是从俘虏行李中找到的钱。”

他揉揉太阳穴。“我们都会做那种事，你知道，会拿东西，拿珠宝、钱，甚至是钻石。有些军官在集中营工作期间因此而发了财。我固定收听新闻，知道美国人参战之后，帝国不可能继续撑多久。于是我提前计划。我尽可能拿钱，在钱币贬值之前先买金子。”

约瑟夫耸耸肩，看着我。“要查出保险箱的密码不难，毕竟我是党卫队督导官，除了指挥官之外，我官阶最高，当我开口要东西，问题不在于我能不能得到，而在于多快能到手。于是有一天，确认我弟弟不会在办公室之后，我去拿保险箱里的钱。”

“那个女孩——也就是我弟弟的秘书——看到了我。她趁我弟弟不在，把她在外面工作的一个朋友带到办公室里面来取暖，我猜应该是这样，”他说，“我不能让那女孩把她看到的事情告诉我弟弟，所以开枪杀了她。”

我发现自己一直屏着气。“你枪杀了那个秘书？”

“我本来想杀她。但是我的右手受过伤，对，就是在前线的时候。我没办法像从前那样稳稳握住手枪。而且那两个女孩在动，她们吓坏了，紧紧握着彼此的手。结果子弹射中了另一个女孩。”

“你杀了她。”

“对。”他点点头，“我本来也会杀了那个秘书，但我弟弟在我动手之前回到办公室来。当他看到我在他办公室里一手拿枪一手拿钱的时候，我还有什么选择？我告诉他，我当场逮到这两个女孩偷他的钱，偷帝国的钱。”

约瑟夫抬起一只手捂住眼睛。他的喉头跳动，话差点儿说不清楚。“我自己的弟弟不相信我，我自己的弟弟举报了我。”

“举报你？”

“他向集中营的纪律委员会举报我。他举报的不是偷窃，而是违规枪杀俘虏。”他说，“这算不了什么大错，委员会只开会要我遵守命令。但是你懂，对吧？我的亲弟弟因为我做的那件事而背叛了我。”

我不确定在约瑟夫扭曲的心态中，这件事之所以是他做过最糟的事，是因为他谋杀了塔雅，还是因为这件事摧毁了他们兄弟之间的关系。我不敢问。我更不敢听答案。

“你弟弟后来怎么了？”

“事情过后，我再也没和他说话。我听说他很久以前就过世了。”约瑟夫静静地落泪，放在桌上的双手发抖。“拜托，”他恳求我，“你可以宽恕我吗？”

“宽恕能改变什么？宽恕带不回死在你手上的女孩，不可能修补你和你弟弟之间的裂缝。”

“是不行。但是这表示至少会有一个人知道我希望这件事从来不曾发生。”

“我会考虑。”我回答。

我回到租来的车里，把冷气开到最大。把车子开过约瑟夫住的这个街区之后，我向右转进一条死巷，停到了路边。里欧开着厢型车朝我这个方向来。他转弯的速度太快，车子轧过了路缘。他跳出来把我拉出车外，将我转了个圈。“你成功了，”他大声欢呼，每说出一个字就亲吻我一下，“天哪，塞奇。我不可能表现得比你更好。”

“你们要招募员工吗？”我问道。两个小时以来，我首度放松下来。

“要看你找什么职位。”里欧皱着眉头，“哇，我这样说就不对了……来。”他拉开厢型车后门，播放刚刚的录音，我听到了自己和约瑟夫的声音。

你杀了她。

对，我本来也会杀了那个秘书。

“这么说，我们办到了。”我说。我的声音好空洞，不像里欧那样兴高采烈。“他会遭到遣送吗？”

“只差一步了。我已经打过电话给我的历史研究员珍薇拉，她今天晚上会过来。现在我们手上有约瑟夫的录音自白，我们看看他会不会主动配合，对我们全盘供出。我们不会事先通知，而是直接去找他，这通常是为了看嫌犯有没有可以证明他不在现场的证人，但显然我们手上的案子不同。未经知会的拜访可以让我们取得更多信息，如果可能，也可以让案子成立。然后珍薇拉和我会回到华盛顿……”

“回到华盛顿？”我重复他的话。

“我必须提交备忘录，才能取得副助理司法部长的同意来进行法律程序，之后再发出新闻稿。接着，我向你保证，约瑟夫·韦伯会死，”他说，“悲惨地死在监狱里。”

这位历史研究员珍薇拉搭机抵达的不是曼彻斯特机场，而是波士顿机场，因为这是最早抵达的班机。这表示里欧来回一趟的车程要五小时，但他表示没关系，因为他可以利用这个时间，把她在这个案子里错过的进展告诉她。

我站在他背后，看他对着镜子打领带。“然后，”里欧说，“我会送她去万怡酒店。据我所知，那里的床铺很舒服。”

“你也要留在那里吗？”

他停下动作。“你想要我住那里吗？”

镜子里，我们两个看起来像一幅当代版的《美国哥特式》画作。“我以为你可能不想让你的历史研究员同事知道我的存在。”

他张开双臂抱住我。“我想让她知道你的一切。从你是个完美的双面间谍到你怎么在浴室里大唱约翰·麦伦坎普的摇滚乐曲却没一句歌词唱对，全都要告诉她。”

“我没唱错——”

“相信我，歌词绝对不可能是‘拉掉那几本芭比娃娃故事书’。再说，住到特区去以后，珍薇拉下班后一定也有机会认识你……”

我花了好一会儿工夫才听懂他在说什么。“我不住在华盛顿特区。”

“严格说起来，”里欧害羞地说，“我们华盛顿特区也有面包店。”

“只是……感觉好像不太对，里欧。”

“你犹豫了吗？”他呆住了，“我可是很坚持的，而且百分之一百四十确定。我知道我才刚找到你，塞奇。我不想放你走。知道自己想要什么然后顺着发展并不是坏事。几年之后的某一天，我们可以读雷纳·哈特曼这案子的新闻稿给我们的孩子们听，告诉他们，妈咪和爹地是因为一个战犯才谈起恋爱的。”他看着我的脸，缩了一下，“你还是觉得太夸张？”

“我说的不是搬家的问题。虽然我们还得讨论……”

“这样吧。如果这里有司法部，那我会搬——”

“是约瑟夫，”我打断他的话，“我总觉得不太……不太对。”

里欧握起我的手，拉着我离开浴室，来到床边坐下。“这对你比对我要难，因为在你知道他是雷纳·哈特曼之前，你一直把他当另一个人看。但这就是你想要的结局，不是吗？”

我闭上眼睛。“我再也不记得了。”

“那么我来帮你理清。如果雷纳·哈特曼遭到遣送出境甚至引渡，一定会上新闻，大新闻。每个人都会知道，不只在美国，而是国际要闻。我会希望下一个打算做这种恶行的人——比如说奉命然后犯下侵犯人权罪的士兵——在动手之前，会想起这篇纳粹党员在九十五岁高龄遭到逮捕的新闻。说不定在那一刻他会明白，如果他执行命令，那么美国政府或另一个国家一定会追捕他，而他的余生必须如此度过，无论跑多远都没有用。而且说不定他会想，我这辈子都得不停回头看，和雷纳·哈特曼一样。于是，他会拒绝执行命令。”

“如果约瑟夫表示他希望自己没做过那些事，这是不是也能算数？”

他看着我。“该算的是，”他说，“他曾经做过什么事。”

我到圣坛时，玛丽正在小静室里。我看起来一团糟，空气太潮湿，似乎可以钻进我的皮肤凝结在下面。我觉得咖啡因好像取代了我的血红素，所以我才会紧张到这种程度。

在里欧晚上回来之前，我有太多事要做。

“谢天谢地，还好你在这里。”我一爬到圣梯顶端就这么说。

“出自一个无神论者，这话的意义特别重大。”玛丽说。阴暗的光线中，我只能看到她的轮廓，这足以让任何画家为之陶醉神迷，她的指头看起来像是紫色、粉红和宝蓝色，和她正在除的一片鼠尾草颜色相同。“我打了电话问你的近况还有你奶奶的事，但是你连留言都不回了。”

“好，好，我知道。只是我最近真的很忙……”

“忙着和那家伙在一起。”

“你怎么知道？”我问道。

“宝贝，任何参加了葬礼和之后那场哀悼仪式的人，只要有两三个脑细胞还能运作，都猜得出来。关于这个人，我只有一个问题要问。”她抬起头看着我，“他结婚了吗？”

“没有。”

“那么我已经喜欢上他了。”她脱掉园艺手套，放在她用来装杂草好当堆肥的桶子边上，“那么你是来找我救火吗？”

“我有个神职人员才能回答的问题，”我解释，“而你是这一带最接近神职人员的人选。”

“我真不知道我该高兴，还是该找个新的发型设计师。”

“是有关告解……”

“告解是圣事，”玛丽回答，“而且就算我可以赦免你，你也不是天主教徒。你走进忏悔室，并不代表前账可以一笔勾销。”

“不是我。是有人要我宽恕他。但是他犯的罪真的太可怕了。”

“无法饶恕的罪过。”

我点点头。“我要问的不是忏悔有什么程序，我想知道的是神职人员是怎么办到的，怎么可能在听到一些无法忍受的事之后放手。”

玛丽过来和我一起坐在柚木长凳上。这时的太阳已经逐渐西沉，圣坛坡上的草木都闪耀着金色的光芒，看到万千美景齐现一地，我郁闷的心情也稍微放松了些。如果世上有罪恶，也会在这样的时刻抵消。“你知道吗，塞奇，耶稣没有要我们宽恕所有的人。他是说过要把另一侧脸颊转过来没错，但条件是挨打的人必须是你。尽管天主经祷文中清楚表示，宽恕我们的罪过，如同我们宽恕别人加诸我们身上的罪过一样，但这讲的是我们，不是别人。主耶稣要我们做的是放下他人加诸在你个人身上的恶，而不是在别人身上犯的错。但有些教徒作了错误的假设，以为当个好教徒，就表示你得宽恕所有的罪恶和所有犯罪的人。”

“如果说，犯下的这件罪过发生在一个勉强称得上与你有关的人身上呢？或是说，发生在某个和你亲近的人身上？”

玛丽交抱着双臂。“我知道我说过我是怎么离开修道院的，但是我说过我是怎么进去的吗？”她说，“我母亲独立抚养三个孩子——因为我父亲丢下我们离开家。我是长女，那年十三岁。当时我心里充满了愤怒，有时候半夜醒来时嘴巴还会尝到像金属似的血水味道。我们连生活用品都买不起，没有电视，连电灯都关掉。信用卡公司收回了我们的家具，我两个弟弟裤子的长度只到脚踝，因为我们买不起新制服。而我父亲却和女朋友到法国去度假。于是有一天，我去找我们教区的神父，问他我该怎么做才能让自己不那么愤怒。我本来以为他会说些像是去找个工作，或是写下你心情之类的话，但他竟然要我宽恕我父亲。我瞪着他看，以为他疯了。‘我办不到，’我告诉他，‘这会让他的所作所为变得没那么可恶。’”

玛丽说话时，我盯着她侧面的轮廓看。“神父说，‘他做错了事，不值得你爱。但是他应该得到你的宽恕，否则他会像你心头的野草一直长，蔓生到让你窒息。当你把这么多的恨藏在心里时，唯一会受苦的人只有你。’我才十三岁，知道的世事不多，但是我知道宗教中蕴含着丰厚的智慧，我想要成为其中的一部分。”

她看着我。“我不知道这个人对你做了什么事，也不确定你想要什么。但是‘宽恕’不是一件你为别人做的事，是为了你自己。这就像是在说，你没那么重要，没办法束缚着我；像是你没办法把我困在过去当中，我理当有我的未来。”

我想到奶奶，这么多年来，她的沉默也让她达到了相同的目标。

无论是好是坏，约瑟夫·韦伯在我的生命、在我家族的历史中都占了一席之地。唯一能将他从这当中删除的办法难道只有照他的要求，原谅他的作为？

“我刚刚说的话有没有帮助？”玛丽问道。

“有，出乎我的意料之外得多。”

她拍拍我的肩膀。“和我一起下山去，我知道有个喝咖啡的好去处。”

“我想在这里再留一会儿，看看日落。”

她看向天际。“也难怪你会这么想。”

我看着她一路沿着圣梯往下走，消失了踪影。天色已经昏暗了，我手掌的轮廓也开始模糊，整个世界似乎正在崩散。

玛丽的园艺手套垂在水桶边，看起来像是枯萎的百合。我拿起手套，弯腰越过莫奈花园的栏杆，剪下几枝附子草，蓝黑色的花瓣依着手套的白色掌心，像是污痕——另一种无法释怀的悲痛懊悔，无论你如何尝试都一样。

背叛一个人有太多方式。

你可以在他背后耳语议论。

你可以蓄意欺骗他。

你可以借着他对你的信任，把他交到敌人手里。

你可以打破承诺。

问题是，如果你做了以上任何一件事，你是不是也背叛了自己？

当约瑟夫拉开门的时候，我看得出他知道我来找他的原因。“现在吗？”他问道，而我点点头。他顿了一下，双手垂在身边，不知道该怎么做。

“起居室。”我建议他。

我们相对而坐，中间隔着摆着新局的棋盘。爱娃来到他脚边躺下，像个甜甜圈。

“你会照顾它吗？”他问道。

“会的。”

他点点头，双手交叠地放在腿上。“你知不知道……怎么做？”

我点头，伸手要拿背包里的东西。我刚刚在黑暗中背着背包骑着脚踏车过来。

“我有话要先对你说，”约瑟夫坦承，“我对你说谎了。”

我的手仍然放在背包拉链上。

“我今天稍早说的……关于我做过最糟的事……”约瑟夫说。

我等着他继续讲下去。

“其实事情发生之后，我和我弟弟还是说了话。调查过后，我们一直没有接触，但是有天早上他来找我，说我们得逃走。我猜，他应该是得到了我没听说的消息，于是我跟着他走。是盟军。盟军正在解放集中营，比较幸运的德军都想办法跑了，免得死在盟军枪下，或是死在存活的俘虏手中。”

约瑟夫低下头。“我们走了好几天，穿过边界进入德国。进了城市就躲在下水道里，在乡下则躲进牲口住的谷仓。为了活下去，我们只好吃垃圾。当时还是有人同情我们，于是我们想办法弄到了假证件。我主张尽快离开这个国家，但是他想回家，看看家乡还剩下什么。”

他的下唇开始打战。“我们摘酸樱桃吃，也会去农场偷麦谷，农夫不会注意到麦谷少了一小把的分量。而我弟弟……呛到了。他抓着喉咙倒地，脸色发青，”约瑟夫说，“我光是看着他，什么也没做。”

我看着他抬起手擦掉眼泪。“我知道少了他，这趟路会比较好走；我知道他是负担而不是好事。说不定，我这辈子一直都晓得，”约瑟夫说，“我做过许多无法让自己骄傲的事，但是那是在战争期间，所有的规则都不算数。我可以忽略规则或把事件合理化，因为这么一来，我自己才不至于发疯。但是这件事完全不同。我做过最糟的事，塞奇，是杀死我的亲兄弟。”

“你没有杀死他，”我说，“你只是选择不救他。”

“这不一样吗？”

我怎么能说这不一样？我明明不那么想。

“之前我告诉过你，我该死。你现在可以了解了。我是恶人，是野兽，杀了自己的兄弟。而这还不是最糟的，”他一直等到我直视他的双眼之后，才说，“最糟的是，”他冷冷地说，“我希望自己更早下手。”

听了他说的话之后，我知道无论玛丽怎么说，不管里欧有什么看法，或是约瑟夫有什么希望，到最后，这个救赎已经超越了我的能力。我想到我母亲，她躺在医院病床上原谅了我。我想到车子失控打转的那一刻，我知道车子即将撞毁，但我无力阻止。

如果你是那个没办法遗忘的人，那么由哪个人来宽恕你，已经不再是重点。

在里欧临走之前说的笑话当中，我发现，我才会是那个永远回头看的人。但是话说回来，这个男人——不但是谋杀数百万人的帮凶，还枪杀了我奶奶最好的朋友，并且以恐怖的手段高压管理集中营；这个亲眼看着自己的兄弟呛死的人并不懂得自责。

说来讽刺，像我这样一辈子积极抗拒任何宗教信仰的人，竟然会转而接受圣经正义：以眼还眼，以命抵命。我拉开背包，拿出一个完美的面包。这个面包和我烤给奶奶的一样，上头有个皇冠造型，同样也洒了糖霜。但这次，面包的内馅不再是肉桂和巧克力。

约瑟夫接下我手中的面包。“谢谢你。”他说。他的眼眶泛泪，满怀希望地等待。

“吃下去。”我告诉他。

他撕开面包时，我还能看到切碎的附子草。我先把附子草切碎，才用搅拌机拌进面团里。

约瑟夫撕下四分之一个面包放在嘴里，咀嚼之后吞了下去，再重复同样的动作，吃完一整个面包。

我注意到他的呼吸变得费力又沉重，他开始用力想吸进空气。接着他往前倒，撞飞了棋盘上的几个棋子，我伸手扶着他，让他倒在地上。爱娃开始吠叫，咬他的裤管。我嘘开小狗，看着约瑟夫的手臂逐渐僵硬，身子痛苦地扭动。

若说我怜悯他，我便比他这种恶魔高尚；若说我这是报复，那么我也没比他好。既然我两种感觉都有，那么到了最后，我只能希望两者可以互相抵消。

“约瑟夫，”我靠过去大声说话，确认他听得到我的声音，“我绝对不会宽恕你。”

约瑟夫拼了全力作最后的挣扎，终于抓住我的衬衫。他紧紧握着我的衣服将我往前拉，我闻到了他气息中死亡的味道。“会怎么……结束？”他喘着气问。

没多久，他两眼后翻，停止了挣扎。我跨过他的身子，拿起我的背包。“就这样。”我回答。

回家后我吃了一颗安眠药，当里欧溜上床躺在我身边时，我早已入睡。事实上，我隔天早上醒来时仍然昏昏沉沉——这也好。

历史研究员珍薇拉和我想象的完全不同。她很年轻，才刚毕业，一只手臂上刺上了美国宪法的整篇前言。“也该是时候了，”当里欧正式介绍她和我认识的时候，她说，“我实在不会扮演爱神的角色。”

我们开着租来的车子到约瑟夫家，珍薇拉坐在后座。我看起来一定像行尸走肉，因为里欧特别拉起我的手按了按。“你不一定要去。”

我昨天对里欧说过我也想去，因为我觉得约瑟夫如果看到我，应该会比较愿意合作。“我可能不必去，但是我想去。”

我本来担心里欧可能会觉得我举止怪异，但事实证明我不必多想。他的情绪太高昂，我甚至不确定他是否听到了我的回答。在我们把车停在约瑟夫家门口的车道之后，他转头对珍薇拉说：“好戏上场。”

他解释过，带珍薇拉一同前来的用意在于，若约瑟夫开始惊慌说谎，想替自己脱罪，这位历史研究员可以为调查员——也就是里欧——分辨其中的差误，让调查员逐一指出谎言。

我们下车走向前门，里欧敲了敲门。

今天早上我们起床穿衣时，里欧告诉过我，他一开门，我会先问他是不是韦伯先生。

如果他说是，我会说：但那不是你的真名，对不对？

然而，没有人来应门。

珍薇拉和里欧互看了一眼。里欧看着我，问道：“他还开车吗？”

“没有，”我说，“他不开车了。”

“你觉得他有可能到哪里去？”

“他什么也没告诉我。”我回答，而且这是实话。

“你觉得他会不会跑了？”珍薇拉说，“这也不是第一次……”

里欧摇摇头。“我觉得他不可能猜到她戴了窃听器——”

“有把备用钥匙，”我打断他的话，“在那个青蛙的底座里面。”

我麻木地走向门廊，青蛙就放在角落里的盆栽上。这让我想起了附子草。我拿着冰冷的钥匙打开门，里欧先走进去。“韦伯先生？”他边喊边穿过玄关走进起居室。

我闭上眼睛。

“韦伯——啊，该死。珍薇拉，赶快打119。”他丢下公文包。

约瑟夫躺在我原来放下他的位置，就在咖啡桌前面，西洋棋子散落在他身边。他的皮肤微微泛蓝，双眼仍然张开。我跪下来，握住他的手。“约瑟夫，”我喊着，仿佛他还能听到我的声音，“约瑟夫，你醒醒！”

里欧把指头贴向约瑟夫的颈侧，想测他的脉搏。之后，他隔着约瑟夫的身子看着我。“我很遗憾，塞奇。”

“又走了一个是吧，老板？”珍薇拉回过头来问。

“免不了的。到了这时候，我们只是和时间在竞赛。”

我发现自己仍然握着约瑟夫的手。他手腕上的医院识别腕带还没有拿下来。

约瑟夫·韦伯，出生日期：一九一八年四月二十日，血型B+。

我顿时无法呼吸。我放开约瑟大的手，跑回玄关——刚才里欧看到约瑟夫倒在起居室里，把公文包丢在这里。我一把抓起公文包，这时当地警局的紧急医护人员正好到达，他们和珍薇拉和里欧快速地交谈，我拿着公文包离开玄关，走进约瑟夫的卧室。

我坐在床上，打开里欧的公文包，拿出几天前他不愿意让我看的党卫队档案。

首页上有雷纳·哈特曼的照片。

他在维沃兹堡的地址。

他的生日——约瑟夫曾经告诉过我，雷纳和希特勒的生日是同一天。

还有一个不同的血型。

雷纳·哈特曼的血型是AB型。这个党卫队理所当然掌握的信息不但会记录在档案中，同时也会以刺青来标示，而约瑟夫说过，在战后，他用瑞士刀挖掉了他的刺青。但是在上个星期，约瑟夫因昏倒而入院，院方抽血验出他的 B+血型。

这表示约瑟夫·韦伯根本不是雷纳·哈特曼。

我想起奶奶形容的督导官：他握着手枪的右手会颤抖。接着我开始回忆约瑟夫坐在每日食粮面包店里的样子，他用左手握叉子。难道我傻到没去注意到这些差别？还是说，我根本不想去看？

我仍然听得到他们在走廊上说话。我轻轻地拉开约瑟夫的床头桌，里头有一包面纸、一瓶阿司匹林和那本他到每日食粮面包店里会随身携带的小本子，也就是他在第一天晚上忘了拿的日志。

在我翻开日志之前，我已经知道自己会看到什么。

一叠边缘剪裁成老式花边的小卡片正面朝下放好，四个边角用胶带贴在页面上固定。卡片背面的空白处填满了手写小字，我认得这个仔细书写、高低点落差特别大的字体。我不懂德文，但是不必懂，我也知道自己找到了什么东西。

我小心翼翼地掀开贴在泛黄页面上的卡片，照片的正面是个婴儿，下边以原珠笔写着孩子的名字：安妮雅。

每张卡片都是照片，上面都写着名字：赫歇、吉达、汉姆。

故事早早便打住了，没有奶奶给我看的手稿来得长。奶奶给我看的手稿是在她搬到美国生活后，知道自己安全无虑之后才重新写下来的。

约瑟夫从来就不是雷纳·哈特曼，他是法兰兹。所以他才没办法告诉我党卫队督导官整天在做什么事，因为他从来不曾当过督导官。他告诉我的每一个故事，都来自他哥哥的生活。唯一例外的是他昨天说的话：他亲眼看着雷纳死去。

最糟的是，我希望自己更早下手。

我觉得房间似乎旋转了起来，我弯下腰，把前额靠在膝盖上。我杀了一个无辜的人。

不，他不无辜。法兰兹·哈特曼也曾经是党卫队军官。可能也曾经在奥斯威辛杀害过俘虏，就算没自己动手，他仍然是整个杀人机制的一个环节，所有国际战争法庭都会判他有罪。我知道他曾经残暴地殴打过我奶奶和其他人，而他自己也承认在他哥哥死亡时刻意不伸出援手。但这能成为我为自己开脱的理由吗？还是说，我和他一样，也想为毫不公正的作为辩解？

法兰兹为什么要费这番心血，假装自己是那个比他残暴的兄长？是因为他觉得自己和哥哥一样，都得为发生在德国的事情负责？因为他觉得哥哥的死得怪在他头上？还是说，他认为我如果知道他的真实身份，就不会帮助他自杀？

如果我知道，我还会帮忙吗？

对不起，我低声说。也许这就是法兰兹一直想要的宽恕。但这说不定是我为了杀错了人而需要的宽恕。

日志从我的腿上掉到了地板上，我伸手捡起来，发现我奶奶写的故事虽然突然中断，但是在日志靠封底的部分，与贴在前面的照片隔了三页，我看到几段工整的字迹，写的是英文。

在法兰兹写下的第一个结局当中，安妮雅帮助亚历山大自杀。

第二个结局是亚历山大活了下来，受着永无止境的折磨。

这当中有段插曲是亚历山大失血过多，靠安妮雅输给他的血才活了过来。另外一段则是尽管输血让亚历山大恢复了健康，但是他摆脱不了流在血液当中的邪恶因子，到最后还杀了她。这样的情境总共有十来段，每段都不同，法兰兹似乎无法决定怎么写才会带来最好的结局。

会怎么结束？法兰兹这么问过。现在我才发现他昨天两次欺骗我：他知道我奶奶是谁。说不定他一度希望我能带他去找奶奶，但目的不是像里欧猜想的杀了她，而是想寻求了结。巫皮欧和女孩的故事可以拯救他；他显然是透过奶奶的故事来看自己的人生，这正是他多年前救她性命的原因，也是如今他必须知道的关键：究竟是得到救赎还是受到诅咒。

但他终究成了被戏弄的对象，原因是，我奶奶一直没有把故事写完。这不是因为她不知道结局，而是因为她确实知道——和里欧说的一样，但是她不忍心写出来。奶奶故意留下空白，像一幅后现代风格的画作。如果你写出结局，那么你的故事会像一件静滞的艺术品，范围有限。但如果你不去结束它，那么故事可以存在于每个人的想象当中，会永远活下去，绵绵无期。

我把日志放进我的皮包里，和奶奶重写的故事放在一起。

我听到走廊传来脚步声，里欧突然站到了卧室门口。“你在这里，”他说，“你还好吗？”

我想要点头，但不太成功。

“警方想找你说话。”

我突然觉得口干舌燥。

“我告诉他们你是约瑟夫最亲近的朋友，”里欧环顾卧室，继续说话，“你在这里头做什么？”

我该怎么告诉他？对这个可能是我这辈子能遇见的最好的男人怎么说？对一个生活夹在对与错、正义与欺瞒之间的狭窄空间当中的男人？

“我——我在看他的床头桌，”我结结巴巴地说，“我想他可能有联络簿，我们可以帮他联络。”

“有没有找到？”里欧问。

虚构的情节可以透过许多面貌来呈现，比如秘密、谎言或是故事。这些我们都会。有时因为我们希望能娱乐他人，有时是为了分散注意力。

而有些时候，我们则是别无选择。

我直视里欧的双眼，摇了摇头。

作者按

有兴趣更深入探讨的读者，可能会对下列我在写作《说故事的人》时参考的数据源感兴趣：

The Chronicle of the Lódź Ghetto, 1941-1944. Edited by Lucjan Dobroszycki. New Haven: Yale Universitu Press, 1984.

Gilbert, Martin. *The Holocaust: A History of the Jews of Europe During the Second World War.* New York:Holt, Rinehart&Winston, 1986.

Graebe, Hermann. "Evidence Testimony at Nuremberg War Crimes Trial." November 10 and 13, 1945. Nuremberg Document PS-2992. www holo caustresearchproject.org/einsatz/graebetest.html.

Klein, Gerda Weissmann. *All but My Life*, expanded ed. 1957. New York: Hill & Wang, 1995.

Michel, Ernest W. *Promises Kept*. Fort Lee, NJ: Barricade Books, 2008.

——.*Promises to Keep*. New York: Barricade Books, 1993.

Salinger, Mania. *Looking Back*. Northville, MI: Nelson Pub. And Mardeting, 2006.

Trunk, Isaiah. *Lódź Ghetto: A History*. Blooming: Indiana University Press, 2006.

Wiesenthal, Simon. *The Sunflower: On the Possibilities and Limits of Forgiveness*, rev. and expanded ed. 1976. New York: Schocken Books, 1998.

扫描读客二维码，

回复“**皮考特**”，

抢先试读朱迪·皮考特的最新小说章节，

了解关于皮考特的一切。

图书在版编目（CIP）数据

说故事的人 / (美) 皮考特著；苏莹文译. -- 北京：
北京联合出版公司，2015.8
ISBN 978-7-5502-5147-2
Ⅰ. ①说… Ⅱ. ①皮… ②苏… Ⅲ. ①长篇小说—美
国—现代 Ⅳ. ①I712.45
中国版本图书馆CIP数据核字(2015)第084068号

说故事的人
作者：[美]朱迪·皮考特
译者：苏莹文
责任编辑：王巍
选题策划：读客图书　021-33608311
特约编辑：周墨　杨菊蓉
封面设计：陈艳丽
版式设计：陈宇婕
责任校对：绳刚　张新元

北京联合出版公司出版
（北京市西城区德外大街83号楼9层　100088）
北京正合鼎业印刷技术有限公司印刷　新华书店经销
2015年11月第1版　2015年11月第1次印刷
字数 375千字　890毫米×1270毫米　1/32　16印张
ISBN 978-7-5502-5147-2
定价：52.00元

如有印刷、装订质量问题，
请致电 010-85866447（免费更换，邮寄到付）